INTERMÉDIALITÉS | INTERMEDIALITIES

HISTOIRE ET THÉORIE DES ARTS, DES LETTRES ET DES TECHNIQUES | HISTORY AND THEORY OF THE ARTS, LITERATURE AND TECHNIQUES

NUMÉRO 8 | NUMBER 8

Envisager

sous la direction de
JOHANNE VILLENEUVE

centre de recherche
sur l'intermédialité

Intermédialités est publiée avec le soutien du Centre de recherche sur l'intermédialité de l'Université de Montréal (CRI), du Conseil de recherches en sciences humaines du Canada (CRSH) et du Fonds québécois de la recherche sur la société et la culture (FQRSC).

Intermédialités publie deux « numéros papier » et un « numéro électronique » par année (disponible sur le site de la revue : www.intermedialites.ca).

Intermédialités est membre de la Société de développement des périodiques culturels québécois (SODEP).

Prière d'adresser toute correspondance concernant la revue (manuscrits, abonnements, publicité, etc.) à :

Revue *Intermédialités*,
CRI, Université de Montréal
C.P. 6128, succursale Centre-ville,
Montréal (Québec) Canada H3C 3J7
Tél. (514) 343.2438 • Téléc. (514) 343.2393

Adresse électronique : intermedialites@umontreal.ca
Site Web : http://www.intermedialites.ca

Image en couverture :
Icône du Mandylion d'Edesse, XVIIIe siècle, école byzantine, détrempe à l'œuf avec glacis de résine sur bois, 40 x 32 cm, scène 7 (détail). Hampton Court, The Royal Collection © 2006, Her Majesty Queen Elizabeth II.

intermédialités

Directrice
JOHANNE LAMOUREUX, Université de Montréal

Comité de rédaction
OLIVIER ASSELIN, Université de Montréal
PHILIPPE DESPOIX, Université de Montréal — Centre canadien
d'études allemandes et européennes
JOHANNE VILLENEUVE, Université du Québec à Montréal

Secrétaire de rédaction et administrateur
ANDRÉ HABIB

Secrétaire de rédaction des numéros électroniques
SYLVANO SANTINI

Responsable des comptes rendus
VIVA PACI

Mise en page
VÉRONIQUE GIGUÈRE,
Presses de l'Université de Montréal

Correction des épreuves
ALEXANDRA LIVA

Conception et réalisation du site Web
ADAM ROSADIUK
SYLVANO SANTINI
DENIS SIMARD

Comité de lecture *
JAMES CISNEROS (Université de Montréal)
MICHELLE DEBAT (Université de Paris VIII)
DELPHINE DENIS (Université de Paris IV)
NICOLE DUBREUIL (Université de Montréal)
MARIE FRASER (Université de Montréal)
AURÉLIA GAILLARD (Université de Bordeaux III)
YVES LACROIX (Université du Québec à Montréal)
TOLLOF A. NELSON (Université de Montréal)
BRIAN NEVILLE (chercheur indépendant, Amsterdam)
ALEXIS NOUSS (Université du Québec à Montréal)
BOB WHITE (Université de Montréal)

* La composition du comité de lecture est déterminée en fonction
des textes qui apparaissent dans la revue.

Envisager
Facing

Figuralité et envisagement

Introduction

J O H A N N E   V I L L E N E U V E

9

L es visages s'imposent sous diverses formes et relations, en divers retours — souvenirs, empreintes, projections —, par effets de présence (variations sur la matière), sous la condition du temps et de l'espace. C'est ainsi, seulement, qu'on peut interroger le visage, à condition d'en saisir les jeux de relation qui sont, en définitive, des enjeux de médiation. Car le visage opère un tel champ de forces qu'il en apparaît densément chargé d'intermédialité.

Ce qui se passe dans un visage ou « avec » lui l'est en effet toujours « entre » des visages, puisqu'il faut un regard pour s'en saisir et que tout regard suppose un autre visage, plus souvent qu'autrement absent à lui-même, quoi que soumis à toutes les projections possibles dans le regard de l'autre. C'est bien ce qui distingue, par exemple, la captation mécanique ou électronique de sa saisie en tant que regard. Qu'un visage résiste et se refuse au regard n'y change rien. Au contraire, c'est souvent lorsque rien n'arrive à *passer* que la médiation apparaît le mieux, tel un négatif révélant son efficace ou sa puissance, puisque tout semble alors mobilisé par l'échec. Mais que le visage offre la scène d'un tel déploiement d'attentes, de litiges, de spéculations et de fascinations tient sans doute à sa double vocation, entre *figuralité* et *envisagement*.

Au-delà des catégories de la « surface » et de « l'expression » aisément repérables dans l'étude du visage ou dans sa description, la visagéité engage de manière pareillement dynamique deux visées techniques dont les apex se croisent en bout de ligne, mais qui supposent néanmoins des modalités d'appréhension différentes : « figurer » et « envisager ». Si toute figure demande à être envisagée (au sens d'être vue), on ne peut réduire la figure à son envisagement. Pour s'en convaincre, il suffit d'en faire coïncider les contraires — leur irréductibilité éclate au jour : dévisager ne suppose jamais que l'on défigure, bien que la défiguration incite au dévisagement. Si *figuralité* et *envisagement* se rejoignent parfois, les

INTERMÉDIALITÉS • Nº 8 AUTOMNE 2006

deux visées méritent d'être distinguées, dans la mesure où ce qui les sépare fait mieux voir les différents litiges qui occupent la question du visage.

D'emblée, la question du visage semble appeler celle de l'image, comme si l'une était issue de l'autre — cela étant, faut-il le préciser, le produit d'une histo-ricité, voire de la propension d'une culture pour laquelle toute figuralité trouve sa source et sa légitimité dans un visage. Les *acheiropoïètes* de l'Orient chré-tien témoignent en effet d'une nouvelle épistémologie de l'image basée sur la figuralité du Christ. La question du visage inaugure alors celle du langage et de son «avènementialité», faisant déferler autour d'elle la multitude des figurations possibles; le visage *comme médiation*, pour reprendre les termes d'André Habib au sujet de Chris Marker. Le visage comme point de mire fantasmatique de toute image et point de chute de toute figurabilité, voilà une obsession qui tra-verse autant le christianisme que la psychanalyse et l'histoire des techniques de l'image comprises dans leur dimension auratique, de la photographie au cinéma, en passant par la peinture. En tant que *figure*, le visage impose une première her-méneutique de l'intermedia. Comme l'écrit Glenn A. Peers au sujet du fameux Mandylion byzantin, le visage est le site d'une richesse textuelle où se conjoignent le corps et l'esprit, ou, comme le suggère Anne-Élaine Cliche, il est le «lieu d'un déchiffrement». En filer la métaphore «figurale», c'est revenir aux anciennes physiognomonies, à la trame antique de la «surface trompeuse», à celles de la «légende» et de la «face cachée» — autant de clichés qui disent leur vérité, mais qui méritent d'être revus dans une perspective intermédiale, c'est-à-dire une pespective qui tienne compte de l'historicité des images et de leurs techniques de production, d'enregistrement et de reproduction. Une perspective qui tienne compte, donc, des échanges et sublimations entre la matérialité des images et du visage, entre la matière et l'immatérialité, entre le visible et l'invisible.

Mais la question du visage, en tant qu'elle suppose aussi l'*envisagement*, déporte la réputation de l'image du côté des enjeux sociaux, interculturels et intersubjectifs. Pour le dire comme Mieke Bal, il s'agit bien de répondre aux conditions d'une expérience qui consiste à «faire face». S'ouvre alors le champ des enjeux identitaires et collectifs, celui d'une «époqualité» des visages, de leurs médiations techniques et de leur historicité en fonction de groupes sociaux, de tensions et de rapports interculturels. Ce que Bal appelle «l'esthé-tique migratoire» va dans le sens de l'envisagement, à l'encontre de la visagéité en tant qu'image. L'image vidéographique qu'elle nous propose tire justement le visage hors de la visagéité pour mieux le relancer dans l'espace de l'expérience, en l'occurrence, celle de la rencontre et de l'intermédialité. Le visage est alors l'interface, le nœud d'une interaction et la voie de passage entre des lieux, des cultures, des identités. Car la question du visage suscite aussi les litiges entre le même et l'autre; il ouvre «le champ de la férocité et de l'agressivité» (Cliche), voire d'une impossible communication. L'intermedia n'est pas toujours un lieu euphorique.

À travers ces recoupements se profilent trois enjeux pour l'intermédialité du visage. Le premier enjeu est celui que constitue le paradigme technologique, en particulier quand il s'agit de placer la question du visage au centre d'une nouvelle configuration médiatique : tantôt elle apparaît essentielle à la compréhension d'un régime d'historicité (Goerlitz, Werth), tantôt elle révèle de manière heuristique le potentiel intermédiatique des images (Peers, Habib), quand elle ne fournit pas le prétexte à une conception « panthéiste » du cinéma (El Khachab). Le second enjeu mobilise un vieux paradigme présent tant dans l'histoire littéraire qu'en histoire de l'art, soit celui du « portrait ». Le visage y produit une forte discursivité autour des notions de « modèle » et d'identité, mais surtout des rapports de force qui engagent l'histoire de la peinture et de la littérature, celle de la médecine et de la psychologie, en plus de convoquer ensemble les sphères du judiciaire et de l'intime. L'intermédialité du visage compose alors avec l'*ekphrasis* et la mise en abyme (Desjardins), une « histoire secrète de la peinture dérobante » où le portrait suppose l'invention d'une scénographie (Chantoury-Lacombe), mais aussi l'historicité du portrait d'identité depuis la fiche judiciaire jusqu'à la biométrie (Samson). Le troisième enjeu mobilise une réflexion autour de la subjectivité et de l'intersubjectivité. Tantôt il s'agit de reconsidérer les tensions entre le sujet et l'autre, dans la mesure où le visage est le lieu d'une rencontre, parfois jusque dans la cruauté (Cliche), tantôt il s'agit d'interroger les tribulations d'un visage légendaire et de sa désubjectivation (Villeneuve) ou de redéfinir le visage en fonction de l'expérience contemporaine de la migration (Bal).

À tout ceci n'échappent pas les nombreuses destinations du visage, ses transformations et ses résistances au sein même des médias et des pratiques. En l'occurrence, le dossier visuel proposé dans ce numéro, conçu à l'origine sur un support vidéographique dans le cadre d'une installation, oblige cette fois le lecteur à *manquer* la destination d'une œuvre qui suppose un parcours, voire un acte de présence de sa part, une rencontre avec des voix et des visages enregistrés qui ne saurait avoir lieu sur les pages inertes d'une revue imprimée. Mais ce n'est qu'au prix de cette perte, voire de cette ironie, que les visages de ces femmes s'adressant à leur famille composeront une trame commune avec les visages de Chris Marker et ceux de Ghirlandaio, produisant d'autres rencontres et d'autres rapports intersubjectifs. La réduction aux deux « dimensions papier » de ces « présences à l'écran », loin de produire un aplatissement médiatique, produit encore de l'intermédialité. La densité matérielle et la richesse sémiotique des médiations ne dépendent donc pas de l'avancée technologique des appareils, mais de leur potentiel intermédiatique et de leur capacité à transiger les uns avec les autres dans des termes qui les débordent, allant jusqu'à les contraindre à *s'envisager*.

11

Masks, Marriage and the Byzantine Mandylion: Classical Inversions in the Tenth Century

Narratio de translatione Constantinopolim imaginis Edessenae[1]

GLENN A. PEERS

T he Mandylion, the most famous East Christian and Byzantine touch-relic of Christ, implicated all levels of devotion, theology and art in the medieval eastern Mediterranean. Believed to have been created when Christ dried his face on a towel, it was a miraculous self-portrait, a deliberate act of surrogation. It recapitulated the Incarnation, it provided divine attendance in its model's wake, and it operated as the paradigmatic moment of artistic practice for medieval Christians.[2] The relic is now lost, although two medieval copies survive, one in the Vatican and the other at the church of San Bartolomeo degli

1. I would like to express my thanks to colleagues who have been generous in their advice: Anne MacClanan, Judith Herrin and Stephen A. White. Martha Newman and Charles Barber read the essay and gave collegial criticism, but thanks most of all to Herbert Kessler, best skeptic. Unless otherwise noted, all dates are Common Era.

2. The bibliography is vast for this object, and it is growing steadily. Despite the risk of appearing to have neglected that secondary literature, I refer the reader to my *Sacred Shock: Framing Visual Experience in Byzantium*, University Park, Pennsylvania, Pennsylvania State University Press, 2004, for references to scholarly work that has contributed to this essay. To understand some of the complexities of the Mandylion, I recommend to interested readers works by Georges Didi-Huberman, *Devant l'image. Question posée aux fins d'une histoire de l'art*, Paris, Éditions de Minuit, coll. "Critique," 1990 (*Confronting Images: Questioning the Ends of a Certain History of Art*, trans. John Goodman, University Park, Pennsylvania, Pennsylvania State University Press, 2005) and by Marie-José Mondzain, *Image, icône, économie: les sources byzantines de l'imaginaire contemporain*, Paris, Éditions du Seuil, coll. "L'ordre philosophique," 1996 (*Image, Icon, Economy: The Byzantine Origins of the Contemporary Imaginary*, trans. Rico Franses, Stanford, Stanford University Press, 2005).

Armeni in Genoa. (Fig. 1) Last noted in the loot taken to Paris after the taking of Constantinople in 1204, it has always been a mysterious object. It was believed to have been sent by Christ to King Abgar of Edessa (now Urfa in south-eastern Turkey) instead of coming himself; it then was hidden in the city gate there, only uncovered under the assault of a Persian army; venerated by the local population, it was ransomed for prisoners after a Byzantine siege of the city and was taken to Constantinople in 944 with the pomp of an imperial advent; and thereafter it had been a precious relic of the imperial chapel and was seldom seen. The Mandylion was central to a Byzantine understanding of sacred history, for it permitted that culture to capture and to keep proximate a trace of that uniquely "dyophysite" body. And because Byzantine theologians and others had articulated theoretical positions for art during the Iconoclastic debates of the eighth and ninth centuries, a fully intellectualized climate for art theory developed within which a deep and rich tradition for the Mandylion could grow and flourish.

Many scholars have analyzed the iconographic, theological and cultural context for the Mandylion over its long history. In recent years, attention has shifted to examining its traditions in light of our own theoretized views of art and its workings, and it has shown felicitous common ground in conceptual understandings of Byzantine, modern and contemporary art. And yet as a foundation stone of a Christian art history, one might say, the Mandylion resists single and exclusive explanations. It is simply too active an agent in East Christian and Byzantine self-conceptions to be reduced to a single aspect or meaning.

This article attempts to add another dimension to our understanding of Byzantine conceptualizations of that unique self-portrait, and it takes as its starting point an assumption that the face is the site of rich text.[3] It does not argue for the position taken here as obviating other interpretations. Rather it is one aspect of a prismatic phenomenon, the histories of the Holy Face. For Byzantines, the depiction of that face, accomplished by Christ himself, charged the act of face-to-face in that context with devotional urgency. Here in that space of face before face, Christ and his own creation sought union, found complement and forged new identity.[4]

3. See Susan Stewart, *On Longing: Narratives of the Miniature, the Gigantic, the Souvenir, the Collection*, Baltimore, London, Johns Hopkins University Press, 1984, p. 125-131.

4. While I do not make specific reference to the divergent theories of faciality available, my argument relies on the theoretical attention such work has directed at the face. See Gilles Deleuze and Felix Guattari, *Mille plateaux. Capitalisme et schizophrénie 2*, Paris, Éditions de Minuit, coll. "Critique," 1980, and Emmanuel Levinas, *Totalité et infini, essai sur l'extériorité*, La Haye, Martinus Nijhoff, 1961. New theoretical work is clearly needed for this central question in art history.

Fig. 1. *Mandylion*, S. Bartolomeo degli Armeni, Genoa, painting medieval, frame circa 1300.

That process just asserted is fundamentally conjugal, in the strict etymological sense of a joining together, an assimilation that is at the heart of Byzantine viewing. In this article, I want to argue for the process being conjugal in the common sense of the word, too. I will make a case for a kind of marriage being inscribed into the understanding of the Mandylion's work. The marriage is not carnal, of course, but spiritual, and yet it does perform itself through the bodies of the participants. In creating a tension between body and spirit, matter and soul, it gives a paradoxical "bodiedness" to transcendent union of Christian to maker. And sexuality plays a role in the description of that union, particularly in the allusions to marriage and in the physical intensity of those allusions.

In order to explore that tension further, I will focus on one text, which is a fully self-aware and highly learned account of the history of the Mandylion from its creation to its arrival at Constantinople in 944.[5] The text was very likely written by the emperor Constantine VII Porphyrogennetos (r. 945–59, though technically co-emperor from 908), who had a reputation for deep erudition and even artistic abilities. His attachment to the Mandylion was apparently strong, because the icon may have well been the fulcrum he used to gain sole sovereignty of the empire, and he is likely the regal figure holding the Mandylion on the tenth-century icon panel now at the Monastery of St. Catherine at Mount Sinai. (Fig. 2) His learning and his devotion to the Mandylion, however self-interested, have made him the only choice for authorship of the *Narratio*, but even if he were not directly responsible, the context of energetic scholarship of the Christian and classical past was well established at his court. The circumstances for a sophisticated description of this image-relic were clearly in place, and the *Narratio* reveals those conditions in the care with which it describes the history of the Mandylion and in the divergences it makes from previous texts. The *Narratio* shows the direct interventions of the tenth-century writer and audience, for here the rich embellishments are evidence of intellectual and creative readings of a history of Christian faces that took place at the court of Constantine VII.

> When he was about to appear before [Abgar], [Thaddaeus] placed that very likeness [*empherian*] on his own forehead and so came before Abgar. Seeing him coming in from a distance, [Abgar] saw a light shining from his face that no eye could stand, which the portrait Thaddeus was wearing produced. Abgar was dumbfounded by the unbearable glow of the brightness, and, as though forgetting the ailment he had and the long paralysis of his limbs, he at once got up from his bed and compelled himself to run. In making his paralyzed limbs go to meet Thaddeus, he felt the same

5. See Constantine Porphyrogennetos, *Narratio de translatione Constantinopolim imaginis Edessenae*, in *Patrologiae cursus completes. Series graeca*, Jacques-Paul Migne (ed.), 161 vols. in 166 pts., Paris, Migne, 1857-66, vol. 113, cols. 421-454.

17

Fig. 2. *Icon of Thaddeus, King Abgar and Four Saints*, Monastery of St. Catherine, Mount Sinai, tenth century.

Fig. 3. Detail of Frame of *Mandylion*, *S. Bartolomeo degli Armeni*, Genoa, circa 1300.

feeling, though in a different way, as those who saw that face flashing with lightning on Mount Tabor. And so, receiving the likeness from the apostle and placing it reverently on his [Abgar's] head, and applying it to his lips, and not depriving the rest of the parts of his body of such a touch, immediately he felt all the parts of his body being marvelously strengthened and taking a turn for the better; his leprosy cleansed and gone, but a trace of it still remained on his forehead.[6]

The *Narratio* described the key moments of the history of the Mandylion's creation that were based on earlier versions, but also developed certain motifs in a way not found in previous versions. The king of Edessa, Abgar, sent a messenger to Christ in Jerusalem, and he asked that Christ come to his kingdom to escape his persecutions. Christ naturally refused, but as recompense, he sent to Abgar a letter and a portrait.[7] The portraitist sent by Abgar had been unable to fulfill his

6. *Narratio*, 12-13, cols. 433C-436A. A translation can be found in Ian Wilson, *The Shroud of Turin: The Burial Cloth of Jesus Christ?*, Garden City, New York, Doubleday, 1978, p. 235-251, here adapted from p. 241. This last reference raises the quasi-historical issue of the Shroud of Turin. For a scholarly treatment of the Shroud, with further bibliography, see Alan Friedlander, "On the Provenance of the Holy Shroud of Lirey/Turin: A Minor Suggestion," *Journal of Ecclesiastical History*, Vol. 57, No. 3, July 2006, p. 457-477.

7. On the letter, see my forthcoming "Magic, the Mandylion and the Letter of Abgar: A Fourteenth-Century Amulet Roll in Chicago and New York," in Gerhard Wolf, Colette Dufour Bozzo, Anna Rosa Calderoni Masetti (eds.), *Intorno al Sacro Volto: Genova, Bisanzio e il Mediterraneo (XI-XIV secolo)*, Genova, [forthcoming].

Fig. 4. Detail of Frame of *Mandylion*, *S. Bartolomeo degli Armeni*, Genoa, circa 1300.

19

brief, as Christ escaped the normal means of portraiture. Christ then asked to wash his face, and on the towel with which he dried it, he left a direct impression of his face. (Figs. 3-4) This miraculous object traveled to Edessa in the hands of the apostle promised by Christ, Thaddeus or Addai. I will focus specifically on the moment of encounter among faces, when Thaddeus brings the Mandylion before Abgar, for the encounter was a carefully framed passage that described faces covered and uncovered, meeting and melding, in ways intended to be read, on one level, as Christian narrative but on another, complex level, as a marriage, a wedding inverted in order to give dramatic force to conversion to Christianity and union with God.

In the first place, this moment is a theatrical encounter among faces. Thaddeus has arrived in Edessa after an eventful journey north from Jerusalem, and he is apparently able to walk into the king's chamber unannounced. Before he enters, he puts the face of Christ over his own, and Abgar sees a shining mask in the place of a normal face. That moment is clearly indebted to earlier texts for its stage setting, and the Transfiguration on Tabor is the debt acknowledged overtly in the text.[8] On one level, that reference signals the transformed nature of the apostle to the Edessans, a man literally divinized by wearing another face. The unbearable quality of that vision, moreover, refers to the meeting of God on Sinai by Moses and the unviewable face of Moses when he descends from the Mount.

8. *Matthew*, 17:1-13, *Mark*, 9:2-13, *Luke*, 9:28-36.

Moses, however, needed to cover his face with a veil in order for his person to be approached, whereas Thaddeus performed the opposite act in assuming the brilliant mask: his glowing face faced out.

The theatricality of the encounter was also underlined by Abgar's reaction. Abgar dashed across the room—stage seems better, when reading the fashioning of this textual passage—from his sickbed to embrace the image. The theatricality of the entrance, that is before the mask of Thaddeus becomes Abgar's mirror of the beloved, needs to be taken literally, I believe. Resonance of theatrical performances is present in the setting of the *Narratio's* scene. Wearing masks were part of theatrical performances in the ancient world, naturally, but also in Byzantium, and mask-wearing performers were not uncommon in the Great Palace at Constantinople.[9]

20

Thaddeus stops at the threshold of the room, stage right one might imagine, and Abgar goes to him. Pausing at the threshold, the apostle was revealing God's imminence in the city through this new sign of his attendance, this mask, veil, likeness. He was bringing, in short, a new Palladium for Edessa. Such uncanny occurrences testify in ancient literature to especially powerful images. When Diomedes and Odysseus took the Palladium from Troy, the image of Athena showed her wrath and revoked her protection of the city, and she did so in no uncertain terms, for her countenance flashed, she sweated and leapt from the ground.[10] Two implications arise from this general comparison between the Mandylion and Troy's Palladium. The first is the nature of classical allusion embedded in a text like this *Narratio*. Like most Byzantine intellectuals, the author of the *Narratio* was raised on and nourished by classical literature. One of the accusations often leveled against Byzantine culture is the derivative quality of its own literature, for it is so interlarded with classicisms as to be scarcely more than florilegia. This accusation is a longstanding prejudice, rather than a truly sympathetic evaluation of Byzantine literature. Yet it has a measure of truth, just the same, because Byzantine writers took great delight in the emulation of classical authors and in embedding references and quotations, however loosely

9. Massimo Bernabò, *From Comedy to Psalm: Ancient Theatre and Byzantine Illustration of the Psalter*, forthcoming supplemental volume of the *Bulletin for the Institute of Classical Studies*, University of London, 2006, and Eugenia Bolognesi Recchi Franceschini, "The Iron Masks: The Persistence of Pagan Festivals in Christian Byzantium," in Stephanos Efthymiadis, Claudia Rapp and Dimitris Tsougarakis (eds.), *Bosphorus: Essays in Honour of Cyril Mango*, Byzantinische Forschungen, Vol. 21, Amsterdam, Adolf M. Hakkert, 1995, p. 117-134.

10. Virgil, *Aeneid*, 2.172-177. See Christopher A. Faraone, *Talismans and Trojan Horses: Guardian Statues in Ancient Greek Myth and Ritual*, New York, London, Oxford University Press, 1992.

remembered, in their texts.[11] In that sense, Byzantine literature can only be read with an understanding of the classical literature that preceded it, but it cannot be appreciated without understanding that those earlier texts were read and used for a purpose. That purpose is often not what we would expect. For instance, the patriarch Photius (circa 810–after 893) wrote a long set of prose summaries of works he had read, and noteworthy was his reading of Herodotus (484–circa 425 B.C.E.), who had not been writing of the valiant Greek city states against the Persians, as it is normally for us, but rather—in Photius's reading—of unlawful revolt against a monarch.[12] The second, then, is the meaning of classical allusion here in the *Narratio*. The passage may not be making specific allusion to the *Aeneid*, but other examples could also be produced from classical literature, and noteworthy is the way in which the brilliant mask/shining self-portrait makes its homecoming known, through a kind of animation that elicits the melodramatic sprint of Abgar. The Mandylion showed it was home at the threshold, where apotropaic masks were often displayed, and it revealed its protective energy in its transformation of Abgar's illness. It manifested its new identity as palladium of Edessa, for the story later told of its role in repelling the Persians later, and this identity remained no less urgent when it came to Constantinople. In fact, that role was well developed by the time the Mandylion arrived in the Capitol, and the *Narratio* only served to underline its prowess as palladium by its inversion of such stories as Athena's forsaking her city and her travel with Aeneas to Rome. New Rome on the Bosphoros had its own, truer palladium, as the *Narratio* revealed to attentive readers of that passage.

21

If the entrance of the gleaming mask can be understood as the entry of the new palladium to Edessa, standing in for Constantinople here, it is also a moment of intense yearning and satiation of desire. (Fig. 5) Abgar got up from his bed and ran headlong at the shining apparition in the doorway; he embraced the image like a desperate lover who had given up hope of seeing his beloved. The face worn by Thaddeus is still a face when taken by Abgar, and the king takes that face and puts it on his own, inwardly faced one assumes, as he kisses and caresses it. The melodramatic appearance of the apostle approximates the sentimentality of an unexpectedly returning lover who arrives just in time to witness the passing of a beloved one. Acknowledgement and subversion of such conventions of

11. On this question, see Antony R. Littlewood, "The Byzantine Letter of Consolation in the Macedonian and Komnenian Periods," *Dumbarton Oaks Papers*, No. 53, 1999, p. 19-41, and also Antony R. Littlewood, "Literature," in Jonathan Harris (ed.), *Palgrave Advances in Byzantine History*, Houndmills, Basingstoke, Hampshire, New York, Palgrave Macmillan, 2005, p. 133-146.

12. Photius, *Bibliothèque*, 8 vols., René Henry (ed.), Paris, Éditions Les Belles Lettres, 1959-77, vol. I, p. 57-58.

ancient drama and novels were at the heart of how this passage from the *Narratio* was intended to work in the eyes of a sensitive reader.

Another level of allusion was at work in this passage, and it drew on stories of reunions of lovers in which images played a central role. Such stories were a *topos* of ancient literature, for example, Laodamia who showed so much longing for the portrait of her dead husband, Protesilaos, that the gods temporarily released him from Hades. When he was taken back to Hades, Laodamia killed herself. The story was sometimes depicted in Roman art, and it was known to medieval Greek readers, too.[13] But this story was not the only one available that shared the motifs of portraits and returned lovers, and the passage in the *Narratio* belongs to this genre rather than simply being a later adaptation of that type of image-filled tale of longing and loss. On the one hand, the *Narratio* passage gains strength from the very inversion of that genre; it refers to it on some level, but it also subverts the hopelessness of those earlier stories with its consummated longing in conversion and healing. On the other hand, the tension between the spiritual longing of Abgar and his physical expression of that desire creates a high degree of bodied-ness in this story. Having been impersonated by Thaddeus, Christ becomes the returned lover, like Protesilaos, who also leaves. Yet Abgar could be sated. His body met his savior's body, and it was transformed, healed and Christianized, by that feverish pressing of Christ all over his body.

The face was the site for creating new subjectivities in this passage. Those three bodies—specifically, the faces of Abgar, Thaddeus and Christ—then were instruments of spiritual transfiguration, as the *Narratio* makes explicit in its reference to Mount Tabor. But it is the very sensuality of that transfiguration that is so striking in this passage. The sexual expression of spiritual transfiguration was inscribed on the bodies present at the coming of the Mandylion to Edessa, and Abgar's new, purified self came from Christ's face pressed to his own and all over his body. Such physical metaphors were vivid means of expressing especially important Christian beliefs of union with God and the divinization of body and soul promised in the Incarnation.[14] For example, Symeon the New Theologian (949?-1022) used an extremely sensual parable to communicate his ideas about

13. Pseudo-Apollodorus (second century), *Epitome*, 3.30, Lucian (circa 120-after 180), *Dialogi Mortuorum*, xxiii, and Eustathius of Thessalonike (circa 1115-1195/6), *Hom. Il.* ii.701, p. 325. See also Paul A. Holloway, "Left Behind: Jesus's Consolation of His Disciples in John 13-17," *Zeitschrift für die neutestamentliche Wissenschaft*, Vol. 96, No. 1-2, 2005, p. 1-34, and Maurizio Bettini, *The Portrait of the Lover*, trans. Laura Gibbs, Berkeley, University of California Press, 1999, p. 9-14.

14. On this issue, see Stephen G. Nichols, "Rewriting Marriage in the Middle Ages," *Romanic Review*, Vol. 79, No. 1, 1988, p. 42-60, especially p. 55-59.

Fig. 5. Detail of Frame of *Mandylion*, *S. Bartolomeo degli Armeni*, Genoa, circa 1300.

the necessity of succumbing to God's will. In this parable, an extraordinarily gracious emperor forgave a rebel commander, "So much does he love exceedingly that he is not separated from him even in sleep, but lies together with him embracing him on his bed, and covers him all about with his own cloak, and places his face upon all his members."[15] The insistent invocation of face as the means of transformation is worth noting, for in both the *Narratio* and in Symeon's parable, face is the point of assimilation, of union of beloveds, where God enters that Christian body, like an infant within the womb.[16]

The scene of encounter of faces was also a wedding, inverted but drawing part of its dramatic power from that reference. The erotic content of this description of union and transformation in the *Narratio* is like the electric current that

15. Symeon the New Theologian, *On the Mystical Life: The Ethical Discourses. Vol. 1: The Church and the Last Things*, trans. Alexander Golitzin, Crestwood, New York, St. Vladimir's Seminary Press, 1995, p. 150-151. See Derek Krueger, "Homoerotic Spectacle and the Monastic Body in Symeon the New Theologian," in Virginia Burrus, Catherine Keller (eds.), *Toward a Theology of Eros: Transfiguring Passion at the Limits of Discipline*, New York, Fordham University Press, 2006, and Virginia Burris, *The Sex Lives of Saints: An Erotics of Ancient Hagiography*, Philadelphia, University of Pennsylvania Press, 2004.

16. Symeon the New Theologian, *On the Mystical Life*, p. 169.

generates light in the story, the luminescence of the mask in the doorway that pulls Abgar off his bed to embrace and caress his just-recognized redeemer. The first glimpse he had was blinding, for the veil worn by Thaddeus hid both the bearer and the impersonated Christ. But when the veil was removed and the beloved discerned, the union occurred that made Abgar Christian. The erotic content was generated also, then, by the heat of an encounter that was very like a marriage. Marriage was naturally a central reality of life in the ancient and medieval worlds, and beyond that banal assertion, it likewise played a key role in imaginings of the relationship between God and humanity, and between God and his creation more generally. Marriage worked as metaphor certainly for Christians when they read passages such as this one:

> Thou shalt no more be termed Forsaken [...] for the Lord delighteth in thee, and thy land shall be married. For as a young man marrieth a virgin, so shall thy sons marry thee: and as the bridegroom rejoiceth over the bride, so shall thy God rejoice over thee.[17]

But the passage in the *Narratio* is even more specific in its manipulation of elements commonly associated with marriage. These elements focused once more on the faces of the threesome at Abgar's palace, and even more specifically on the veiling and unveiling of faces, which was an essential part of marriage in the ancient Greek and Byzantine worlds.[18] These worlds comprised pagans and Christians, of course, but Jewish practice also used veiling of the bride as a central element in the process of marrying a man and a woman.[19] The marriage rite in Byzantium has been less fully examined than it has been in the ancient world, but veiling was still a central component, so that that moment of unveiling in the *Narratio* was likewise recognizable for its audience on that level of experience.

The rite in ancient Greece was the *anakalypteria*, the uncovering of the face of the bride before her husband. When that moment occurred is not clear from the sources, but the uncovering was inevitably the point at which the bride was made anew, into a wife and mother who has just left girlhood behind. Ancient writers described the *anakalypteria* as the act of civilization, in fact the very

17. *Isaiah*, 62:4-5 (King James Version).
18. For Byzantium, see Louis Bréhier, *La civilisation byzantine*, Paris, Albin Michel, coll. "L'évolution de l'humanité," 1950, p. 8-9, and Phaidon Koukoules, "Symbole eis to peri tou gamou para tois vizantinois kephalaion," *Epeteris Hetaireias Byzantinon Spoudon*, Vol. 2, 1925, p. 1-41.
19. Molly Myerowitz Levine, "The Gendered Grammar of Ancient Mediterranean Hair," in Wendy Doniger, Howard Eilberg-Schwartz, (eds.), *Off with Her Head! The Denial of Women's Identity in Myth, Religion and Culture*, Berkeley, University of California Press, 1995, p. 76-130, especially p. 96-102.

24

moment when humanity was raised above beasts. They viewed it as the potent act that made order out of chaos.[20]

In the sixth century B.C.E., the philosopher Pherekydes of Syros wrote the most famous passage on the first *anakalypteria*, in which the veiling and unveiling was not only an act of civilization, but also the formative act of the world.[21] The work itself does not survive, but Clement of Alexandria (circa 150-circa 215), for one, preserved a passage in his *Stromateis*, or *Miscellanies*. Pherekydes described that veiled act of creation in these terms, "Zas [*sic*] makes a veil [*pharos*] both big and beautiful, and on it he embroiders Earth and Ogenos, and the places where Ogenos dwells."[22] This passage survives in Clement, but another papyrus fragment makes clear that Pherekydes was describing the marriage of Zeus and

20. See Lloyd Llewellyn-Jones, *Aphrodite's Tortoise: The Veiled Woman of Ancient Greece*, Swansea, The Classical Press of Wales, 2003, Gloria Ferrari, *Figures of Speech: Men and Maidens in Ancient Greece*, Chicago-London, University of Chicago Press, 2002, p. 186-190, John H. Oakley and Rebecca H. Sinos, *The Wedding in Ancient Athens*, Madison, University of Wisconsin Press, 1993, Giulia Sissa, *Greek Virginity*, trans. Arthur Goldhammer, Cambridge, Mass.-London, Harvard University Press, 1990, and John H. Oakley, "The *Anakalypteria*," *Archäologische Anzeiger*, Vol. 97, 1982, p. 113-118.

21. Hermann Sadun Schibli, *Pherekydes of Syros*, Oxford, Clarendon Press, 1990, p. 50-77.

22. Clément d'Alexandrie, *Stromateis*, VI.2.9.4. For the text, see *Les stromates: Stromate VI*, Vol. 446, Patrick Descourtieux (ed.), Paris, Les Éditions du Cerf, coll. "Sources Chrétiennes," 1999, p. 78, ll. 14-16, Hermann Sadun Schibli, *Pherekydes of Syros*, p. 167, and Hermann Diels, *Die Fragmente der Vorsokratiker*, 4th ed., 2 vols., Berlin, Weidmannsche Buchhandlung, 1922, vol. II, p. 202. On this passage, see Anne Carson, *If Not, Winter: Fragments of Sappho*, New York, Alfred A. Knopf, 2002, p. 372; *Men in the Off Hours*, New York, Alfred A. Knopf, 2000, p. 146, and "Putting Her in Her Place: Woman, Dirt, and Desire," in David M. Halperin, John J. Winkler, and Froma I. Zeitlin (eds.), *Before Sexuality: The Construction of Erotic Experience in the Ancient Greek World*, Princeton, New Jersey, Princeton University Press, 1990, p. 160-164, as well as John Scheid and Jesper Svenbro, *The Craft of Zeus: Myths of Weaving and Fabric*, trans. Carol Volk, Cambridge, Massachusetts, London, Harvard University Press, 1996, p. 63-65, and Johannes Th. Kakridis, *Homer Revisited*, Lund, Gleerup, 1971, p. 108-124. Nor was Pherekydes unknown to the Byzantines. I am aware of these occurrences: 1) Diogenes Laërtius (fl. third century), *Peri bion dogmaton kai apophthegmaton ton en philosophia eudokimesanton*, I.119, who related the story of Pherekydes's cosmogony with Zeus and Ge; 2) Damascius (circa 460–after 538), *Aporiai kai lyseis peri ton proton archon*, III.2.3, who mentioned the eternal principles of Zas, Chronos and Chthonia; 3) Photius (circa 810-after 893), *Bibliothèque*, Vol. II, p. 156, ll. 21-2, and at Vol. VIII, p. 179, ll. 5-7, where he mentioned Pherekydes as the author of a genealogy and as a sufferer of a rare disease of the foot; 4) *Suidae Lexicon* (circa 1000?), Ada Adler (ed.), 5 vols., Leipzig, 1928-38; reprint, Stuttgart, *In aedibus B. G. Teubneri*, 1967-1971, vol. II, p. 213, l. 29, vol. IV, p. 262, l. 17.

Chthonie, and the first *anakalypteria*.[23] For that reason, I translate *pharos* as veil, when it could also mean mantle or chiton, each of which would also cover the head and conceal the face; in this context, a veil is evidently intended. In the event, the veil signifies three things: the harmony of the cosmos that came from this union, the civilizing effect of marriage connoted in the *anakalypteria* ceremony, and the craftsmanship of Zeus himself in the fashioning of the veil.

The meeting of Thaddeus and Abgar was an *anakalypteria*, with Christ as an active third agent in the union effected by the arrival of God's face. In real terms, it stands in for a union of state and faith, as this legend had long represented.[24] Edessa was a newly Christianized state, the first in the world, if the legend is taken literally. The civilizing effect is naturally part of that union, here too, and from a Byzantine view, harmony of the cosmos was only possible when fully Christianized. More specifically, the process of entry by the veiled apostle, his greeting by an ardent convert, the removal of the veil, and the embrace of convert and the object of his desire are all elements consistent with an *anakalypteria*. The last act before union of spouses, and their congress, was the removal of the veil, and the first face-to-face meeting was the initiation or recapitulation of cosmic harmony and the foundation of civilized life.

Gender of the participants was not a particular issue, as the parable of Symeon reveals, for the episode of quasi-marriage in Abgar's palace was only meaningful insofar as it expressed union of a corporeal kind. The fact that the *Narratio* used such visceral language is a sign of the intensity of the moment and of the harmony of body and spirit in this union with God's face. The structures of earlier narratives of *anakalypteriai* served to give ironic counterpoint to the tenth-century *Narratio*, to provide a framework familiar on some level to readers and to subvert it with this Christian inversion. In other devotional contexts in Byzantium, veils of icons played an active role, and icons and faces could also meet at the liminal moment of death.[25]

23. Hermann Sadun Schibli, *Pherekydes of Syros*, p. 165-167.

24. See Alexander Mirkovic, *Prelude to Constantine: The Abgar Tradition in Early Christianity*, Frankfurt, New York, Peter Lang, 2005.

25. John Zonaras (d. after 1159?), in *Epitomae historiarium*, XVIII.25.9-14, *Corpus scriptorum historiae byzantinae*, Vol. 46, Barthold Georg Niebuhr (ed.), Bonn, Weber, 1897, p. 751-752, described the veil of the icon of Christ at Chalke healing the emperor Alexius I (1081-1118). See also Annemarie Weyl Carr, "Threads of Authority: The Virgin Mary's Veil in the Middle Ages," in Steward Gordon (ed.), *Robes and Honor: The Medieval World of Investiture*, New York, Palgrave, 2001, p. 59-93. On the icon placed on the face of a dying person, see Ernest Alfred Wallis Budge, *Saint Michael the Archangel: Three Encomiums*, London, K. Paul, Trench, Trubner & co., 1894, trans. p. 103*, and Lucy-Anne Hunt, "For the Salvation of a Woman's Soul: An Icon of St. Michael Described within a Medieval Coptic Context," in Antony Eastmond, Liz James (eds.), *Icon and Word: The*

The role of Zeus as maker likewise corresponds to Christ in his act of self-portraiture. The miraculous impression of face to cloth that led to the revelation of Christ's visage for Abgar was an act of making, naturally, akin to painting. It was distinct, too, for the self-portrait was made without hands, a paradox of fashioning that allowed a relic of Christ's body, which was otherwise impossible. The face denied to the Israelites was shown to Christians, despite the transcendence of that countenance. And it was revealed by God as artist. Unlike Besaleel, who made the Ark of the Covenant by God's specifications (*Exodus*, 25), the first Christian art was, according to this legend, made by Christ himself, like Zeus who was also the maker of the first art. The metaphor of weaving was heavily invested in Christian writings and beliefs, but Christ was not the maker in the case of weaving. The Holy Spirit could be the weaver when this metaphor was employed. It worked the loom, which was the Virgin Mary, and Christ's flesh was the veil fashioned from this act.[26]

27

If not specifically a weaver like Zeus, Christ was bodily implicated in processes similar in their cosmic ramifications. Christ himself was in other accounts a craftsman in a related area: dying. Dye was a potent metaphor, too, for it could stand in for the Holy Spirit infiltrating the body of the newly baptized.[27] And Christ was described in early apocryphal texts as a dyer who performed uncanny feats of craftsmanship.[28] The cause in Zeus's veil is clear, as the god fashioned

Power of Images in Byzantium. Studies Presented to Robin Cormack, Aldershot, Hants, England, Burlington, Vermont, Ashgate, 2003, p. 210.

26. See Nicholas P. Constas, *Proclus of Constantinople and the Cult of the Virgin in Late Antiquity. Homilies 1-5, Texts and Translations*, Leiden, Boston, Brill, 2003, p. 315-358, and Maria Evangelatou, "The Purple Thread of the Flesh: The Theological Connotations of a Narrative Iconographic Element in Byzantine Images of the Annunciation," in Antony Eastmond, Liz James, *Icon and Word*, p. 261-279. See also Barbara Roggema, "*Hikayat amthal wa-asmar...*: King Parables in Melkite Apologetic Literature," in Rifaat Ebied, Herman Teule (eds.), *Studies on the Christian Arabic Heritage: in Honour of Father Prof. Dr. Samir Khalil Samir S.I. at the Occasion of his Sixty-Fifth Birthday*, Leuven, Dudley, Massachusetts, Peeters, 2004, p. 113-131.

27. See Régine Charron and Louis Painchaud, "'God is a Dyer': The Background and Significance of a Puzzling Motif in the Coptic *Gospel According to Philip* (CG II, 3)," *Le Muséon*, Vol. 114, No. 1-2, 2001, p. 41-50.

28. See Edgar Hennecke, *New Testament Apocrypha*, Wilhelm Schneemelcher (ed.), trans. Robert McLachlan Wilson, 2 vols., Philadelphia, Westminster Press, 1963-65, vol. I, p. 400-401; Paul Peeters, *Évangiles apocryphes. II. L'évangile de l'enfance*, Paris, Librairie Alphonse Picard et Fils, 1914, p. 232-246; Walter E. Crum, *Catalogue of the Coptic Manuscripts in the Collection of the John Rylands Library*, Manchester-London, Manchester University Press, 1909, p. 43-44 [88] and see also Michel Pastoureau, *Jésus chez le teinturier. Couleurs et teintures dans l'Occident médiéval*, Paris, Éditions du Léopard d'or, 1997.

it himself, and in this way he also gave cause to the design and order of the universe.[29] That cause was rationally brought about and understood, and Zeus was distinct from the object he created. The Mandylion was neither, for it was produced in an unprecedented and unreproducible way, and it had the miraculous identity of its maker embedded in its objectness. As a face, a synecdoche for the person, it behaved like that being, with its unworldly ability to reveal its divinity in its strangely glowing appearance, as well as its materiality in its capacity as mask and veil and portrait.

The passage from Pherekydes was not, in all likelihood, a direct model for the writer of the *Narratio*, but it did exist in several versions. That philosopher was known for his cosmography amongst Byzantines, and such cosmologies were not uncommon for ancient writers generally.[30] And in any case, the reading of the arrival of the Mandylion in the Edessan palace as an *anakalypteria* does not rest on a literal reading of the tenth-century text in those terms. Like in the classical world, all mentions of veiling partook of some direct relation to *anakalypteria*, even if that relation acted through inversion, subversion or irony.[31] A very striking instance of this process is the death of Demosthenes in 322 B.C.E. as described by Plutarch (45-125), in which Demosthenes veiled his head while he took poison. The guards derided him for his effeminacy, but when Demosthenes felt the poison working, he uncovered himself and confronted his captors.[32] Odysseus was another heroic figure that assumed a veil during liminal passages in his return home,[33] as Calypso, Nausicaa and Penelope all assumed the veil at significant points in the *Odyssey*. The contrast between Odysseus's veiling and the "natural" female veiling in the poem gave the hero's act its particular meaning in signaling his transition back to the world of mortals. Other heroes of the ancient

29. Hermann Sadun Schibli, *Pherekydes of Syros*, p. 56.

30. On the last, see the magisterial overview of Robert Eisler, *Weltenmantel und Himmelszelt: Religionsgeschichtliche Untersuchungen zur Urgeschichte des antiken Weltbildes*, 2 vols., Munich, CH Beck, 1910.

31. See the studies of Michael N. Nagler, *Spontaneity and Tradition: A Study in the Oral Art of Homer*, Berkeley, University of California Press, 1974, p. 44-63, and "Towards a Generative View of the Oral Formula," *Transactions of the American Philological Association*, Vol. 98, 1967, p. 298-307, as well as Lloyd Llewellyn-Jones, *Aphrodite's Tortoise*, and Douglas L. Cairns, "Anger and the Veil in Ancient Greek Culture," *Greece and Rome*, Vol. 48, 2001, p. 18-32, and "The Meaning of the Veil in Ancient Greek Culture," in Lloyd Llewellyn-Jones (ed.), *Women's Dress in the Ancient World*, London, Duckworth Publishing, 2002, p. 73-93.

32. *Demosthenes*, 29.4.

33. See Dianna Rhyan Kardulias, "Odysseus in Ino's Veil: Feminine Headdress and the Hero in Odyssey 5," *Transactions of the American Philological Association*, Vol. 131, 2001, p. 23-51.

world, like Achilles, Ajax, Oedipus and Socrates for example, veiled themselves at critical junctures. Covering the face, and uncovering it too, were potent acts in the Greek world generally that connoted uncertainty, transition, ambivalence, among other meanings.

Multivalent, then, the act of men veiling their faces had a long and well-known history before the tenth century, and such multivalency was a compelling element for the writer of the *Narratio* when he needed a way to express indeterminacy of identity amongst Christ, Thaddeus and Abgar, and the transition to a new state by one of the heroes, Abgar. Moreover, the absorption of classical structures of describing transition through veiling was an essential part of the process. Absorbing and subverting classical structures in the story of the Christianization of Edessa was compelling on the grounds of supercession of a pagan past and of demonstrated abilities both to control and undermine the literature of that past. This relationship of Byzantine to classical literature, at once adversarial and indebted, must be recognized in order to appreciate the tension within which many Byzantine authors wrote. The Gospels themselves reveal that debt and demonstrate their divergence simultaneously, and Byzantine literature likewise partook of that Oedipal love.[34]

29

The passage in the *Narratio* that described the moment of entry of the face of Christ into a national history is concise in its presentation, but rich and dense in its significances. It represents essential transitions in a Christian history, when the state became reconciled to the message and person of Christ, when ethnic investments in earliest Christian history crystallized, and when each person was granted the ability to assimilate body and soul with the Christian redeemer.[35] All of these transitions were proleptic, but that reworking of history, and of Greek cultural and literary traditions, was immensely relevant to the tenth-century court at

34. Relevant here is the discussion in Dennis R. MacDonald, *The Homeric Epics and the Gospel of Mark*, New Haven-London, Yale University Press, 2000, p. 15-19, concerning the Odyssean model for Jesus as carpenter. And I have also tried to argue that classical texts were underlying Byzantine histories of their art, in a similar way to the Mandylion's constructed past, perhaps. See Glenn A. Peers, "The Sosthenion near Constantinople: John Malalas and Ancient Art," *Byzantion*, Vol. 68, No. 11, 1998, p. 110-120.

35. For the ideological framework of the Mandylion for Byzantines, see Évelyne Patlagean, "L'entrée de la Sainte Face d'Édesse à Constantinople en 944," in André Vauchez (dir.), *La religion civique à l'époque médiévale et moderne (chrétienté et islam)*, Rome, École française de Rome, Paris, Diffusion de Boccard, 1995, p. 21-35. For the Syriac Christian devotion to Abgar, in particular, see Vincenzo Ruggieri, *La Caria bizantina: topografia, archeologia ed arte*, Soveria Mannelli, Rubbettino, 2005, p. 165-188, and Karel C. Innemée, Lucas Van Rompay and Elizabeth Sobczynski, "Deir al-Surian (Egypt): Its Wall-paintings, Wall-texts, and Manuscripts," *Hugoye*, Vol. 2, No. 2, July 1999, http://syrcom.cua.edu/Hugoye/Vol2No2/HV2N2Innemee.html.

Constantinople. Indeed, the recognition of the face of Christ in the Mandylion was a requisite of authority in that context, for Constantine VII used his ability to discern a face in the Mandylion as the sign of legitimacy for taking sole rule of the empire. When he saw that face, his adversaries could not. That privileged vision, paralleling the first Christian king, Abgar, allowed Constantine to move against the sons of Romanos I Lekapenos (r. 920-944) in January 945 and finally gain total control of the throne. The person of Abgar, in his assimilation to Christ through his face-to-face conversion, was a highly potent ideological precedent for Constantine. Correctly understanding face in these instances was a sign of divinely invested kingship, indeed a literal "Mirror of Princes" in that merging of identities that the *Narratio* so cleverly described. And more broadly even, in centering its attention on the face of Christ, the court committed to its new relic of Christ as a new palladium and as the unveiling of a perfect place in history.

30

Le portrait en malade

Histoire de sa face cachée

Florence Chantoury-Lacombe

« Il n'est pas exclu que la lèpre soit désormais nécessaire pour apprécier la *Joconde*[1]. »

L e portrait en malade a souvent été interprété comme un objet qui contrevient à l'idée convenue de ce que doit être l'art ; il retire à l'image son apparente évidence et la rend soudainement problématique. Le portrait d'une pathologie suscite éventuellement une indignation théorique et renvoie à l'interdit de la figuration, à l'angoisse du contrôle de soi. Le portrait a été soumis à des usages politiques, il est une mise en évidence théâtrale d'un individu dans laquelle l'artiste se rallie en partie à une formule qui satisfait le commanditaire. Mais le portrait déborde largement la simple mise en évidence de son modèle, il offre une définition de la personne représentée par le décor, la pose, le matériau utilisé et signale l'appartenance à un groupe ou à une classe. Nous pouvons imaginer que le modèle, souvent commanditaire de l'œuvre, aspirait à une pose qui l'avantageait et qui respectait les lois du genre telles qu'elles se formulaient à la Renaissance. Il voulait voir dans son portrait les normes en vigueur qui pouvaient dépendre des hiérarchies en vogue, des variations d'une psychologie, d'une caractériologie sensible à ce qui apparente une personne aux membres de son groupe, ou au contraire à ce qui l'en distingue.

Nous devons donc déjà supposer qu'un régime de l'idéalisation traverse le portrait de la Renaissance. Nous en avons un cas significatif avec les divers portraits de Federico da Montefeltre, que nous a légués la peinture du quattrocento

---

1. Jean-Marie Pontévia, *Tout a peut-être commencé par la beauté*, Préface de Gérard Grand, Bordeaux, William Blake and Co., 2001, p. 61.

témoignant de cette volonté de dissimulation du fait pathologique[2]. La représentation récurrente du profil de Montefeltre correspond à une volonté d'idéalisation, relevant dans ce cas de la détermination à ne pas montrer les défauts du
Duc d'Urbino en dissimulant la marque de la perte de l'œil droit[3]. Les quatre
portraits les plus connus de Federico da Montefeltre répondent aux principes
d'idéalisation énoncés par Alberti. Les portraits de Montefeltre exposent de ce
que l'on pourrait nommer une histoire secrète de la peinture dérobante. Le duc
de Montefeltre avait perdu son œil droit dans une joute et le fait que le duc était
borgne n'est jamais dévoilé dans ses portraits, l'accident de l'œil n'est pas montré,
mais suggéré par la représentation picturale du nez, tranché par un coup d'épée
dans ce même accident. Les portraits connus du duc — et notamment celui
de Piero della Francesca (fig. 1) — utilisent tous les conventions antiques de la
peinture de portraits par l'application pratique du *topos* d'Antigone Le Borgne,
à savoir peindre le modèle de profil, en vue d'offrir une solution figurative au

2. Nous rappelons ici l'un des passages d'Alberti: «Que les parties honteuses du
corps et toutes les parties peu gracieuses soient couvertes d'un linge, d'un feuillage ou
de la main. Apelle ne peignit l'image d'Antigone que du côté du visage où le défaut de
l'œil n'apparaissait pas. On dit que Périclès avait une tête allongée et difforme; c'est pourquoi les peintres et les sculpteurs ne le montraient pas tête nue, comme les autres, mais
coiffé d'un casque. Plutarque rapporte aussi que les peintres anciens avaient l'habitude,
lorsqu'ils peignaient des rois, s'ils avaient quelque défaut de ne pas donner l'impression
d'avoir voulu l'omettre mais, autant qu'ils le pouvaient, ils le corrigeaient tout en maintenant la ressemblance. Je désire donc que cette modestie et cette retenue soient observées
dans toute histoire afin que ce qui est choquant soit omis ou corrigé.» (Leon Battista
Alberti, *De Pictura*, *De pictura/De la peinture*, Traduction et notes de Jean-Louis Schefer,
Paris, Macula/Dédale, 1992, p. 173) On retrouve également cette requête chez Plutarque,
dans la vie d'Agésilas, § 2-4, «Nous n'avons aucun portrait de lui (il n'en voulait pas et
défendait même en mourant que son aspect physique fut représenté par la sculpture ou
par tout autre procédé), mais l'on dit qu'il était petit et de physionomie médiocre.» (Plutarque, *Vies*, tome 8, texte établi et traduit par Robert Flacelière et Emile Chambry, Paris,
Éditions Les Belles Lettres, 1973, p. 97) Également chez Pline l'Ancien, *Histoire naturelle*,
livre XXXV, texte établi, traduit et commenté par Jean-Michel Croisille, Paris, Les Belles
Lettres, 1985, § 90, p. 75. Voir aussi Joanna Woods-Marsden, «*"Ritratto al Naturale"*:
Questions of Realism and Idealism in Early Renaissance Portraits», dans *Art Journal*,
vol. 46, n° 3, 1987, p. 209-216. Le désir d'annulation de toute difformité se retrouve également chez Dolce, Armenini et Biondo.

3. Cet événement est rapporté par Martin Warnke dans *L'artiste et la cour: aux origines de l'artiste moderne*, Paris, Éditions de la Maison des Sciences de l'Homme, 1995,
p. 264. Il apparaît également dans la biographie que Vespasiano da Bisticci consacre au
Duc de Montefeltre. Voir «Vita di Federico da Montefeltre», par Vespasiano da Bisticci,
dans *Vite di Uomini Illustri del secolo XV*, Florence, 1938.

Fig. 1. Piero della Francesca, *Frederico da Montefeltre*, 1466, détrempe sur panneau, Florence, Galerie des Offices. © Avec l'aimable autorisation du Ministero dei Beni e le Attività Culturali.

33

précepte d'Alberti concernant l'adoucissement du défaut. De la même manière, la malformation faciale de Charles Quint, le menton proéminent qui entravait la fermeture de la bouche et dont plusieurs contemporains ont décrit l'aspect, n'apparaît pas non plus dans les portraits de l'empereur[4]. Le portraitiste, lorsqu'il

4. Voir la description de l'ambassadeur vénitien Gaspare Contarini en 1525 résumée dans les *Diarii* de Marino Sanudo, XL, col. 289. Le diagnostic posé par la médecine moderne est celle d'une prognathie mandibulaire. Pour une étude du prognathisme de Charles Quint d'un point de vue médical, voir Oswald Rubbrecht, *L'origine du type familial de la maison de Habsbourg*, Bruxelles, G. Van Oest, 1910. Également, Félix Regnault, « Charles-Quint devant la médecine » dans *Le correspondant médical*, 15 août 1995, p. 5. L'iconodiagnostic utilisé par Diane Bodart dans son étude des portraits de Charles Quint permet, à travers le prognathisme, d'aborder la question de la ressemblance dans ces portraits. L'historienne de l'art endosse ici la blouse du médecin pour poser un diagnostic rétrospectif. Selon cet auteur, l'exaltation des stigmates familiaux affirme la légitimité de la continuité dynastique. Diane Bodart, *Pouvoirs du portrait sous l'empire des Habsbourg d'Espagne. 1500-1700*, Thèse sous la direction de Daniel Arasse, EHESS, 2003, voir chapitre 3, p. 111 et 105.

Fig. 2. Albrecht Dürer, *L'homme syphilitique*, 1496, gravure sur bois, illustration de l'ouvrage de Theodoricus Ulsenius, *Vaticinium in epidemicam scabiem*, Nuremberg. Kupferstichkabinett, Staatliche Museen zu Berlin, Berlin, Allemagne. © Bildarchiv Preussischer Kulturbesitz / Art Resource, New York.

dissimule la maladie, ne fait pas un aveu d'indifférence, il exclut l'élément perturbateur qui court-circuiterait la fonction du portrait[5]. Car le portrait tire avantage de la curiosité que provoque toute figure humaine, sa portée esthétique vient par surcroît, elle se déploie là où le modèle devient, pour le peintre, l'annonce d'une forme. La théorie du portrait se devrait donc d'avoir sa part maudite, elle devrait aussi avoir une histoire de sa face cachée, de la face cachée du visage. Mais il ne

5. En reprenant l'enseignement des traités physiognomoniques de l'Antiquité, les auteurs de la Renaissance ont aussi souligné que la difformité du visage est toujours reconnue comme le signe d'une mauvaise nature. Le personnage de Judas dans *La Cène* de Léonard fait souvent office d'exemple.

faut pas tomber dans l'écueil de voir dans la peinture un mandat d'obligation de manifester les caractères d'un personnage et donc de vouloir à tout prix observer la pathologie qui traverse son corps ; c'est demander ici une exigence de peindre la maladie. Faire dire à la peinture qu'elle est dans l'obligation de tout représenter, c'est faire d'elle un lieu d'authenticité dont la fonction serait encore une fois la ressemblance. Pourtant, il existe bien un tabou dans la représentation d'un type de pathologie. Nous prendrons pleinement la dimension véritable de cette face cachée *par* la peinture mais aussi *de* la peinture lorsque nous confronterons la production picturale de la Renaissance à la nouvelle maladie dévastatrice qui fait son entrée sur la scène européenne à la fin du XVe siècle : la syphilis.

> Au mois de décembre de l'année 1494 il se développa en Italie presque toute entière une maladie de nature jusqu'alors inconnue. Cette maladie reçut des divers peuples qu'elle affligea des dénominations différentes. Elle fut appelée *mal de Naples* par les Français, qui prétendirent l'avoir contractée à Naples et l'avoir rapportée de là dans leur pays. Les Napolitains, de leur côté, lui donnèrent le nom de *mal français*, parce qu'elle s'était manifestée et répandue pour la première fois en Italie à l'époque de l'expédition française. Les Génois l'appelèrent encore *lo male de la tavelle*, les Toscans *lo male de le bulle*, les Lombards, *lo male de le brosule*, les Espagnols *las buas*[6].

Ce passage du médecin de Jules II, Giovanni da Vigo, souligne le caractère épidémique de cette maladie auparavant inexistante, la syphilis. Il indique le glissement nominatif dont elle a été l'enjeu car elle portait le nom du voisin détesté, ce qui renvoie à la question de l'identité nationale d'une maladie[7]. Son nom actuel de syphilis provient d'un poème de Girolamo Fracastoro, archiatre de Paul III et médecin du Concile de Trente, *Syphilis sive de morbo Gallico*, paru en 1530 à Vérone et dédicacé à Pietro Bembo. La syphilis a été définie par Fracastoro

6. Giovanni da Vigo, médecin de Jules II, fait paraître en 1514 une *Pratica in arte chirurgica*. Extrait du livre V.

7. La liste peut être encore étendue si l'on considère que, pour les Polonais, il s'agissait du mal allemand et, pour les Russes, du mal polonais. L'origine de la syphilis pose encore de nombreux problèmes au monde de la médecine. Ce qui fut considéré comme une épidémie de syphilis en 1493 laisse encore en suspens la question de savoir s'il s'agissait bien de la syphilis. La virulence et la sévérité des symptômes ne correspondent pas avec la nosologie actuelle de la syphilis. Certains historiens de la médecine pensent que Christophe Colomb a peut-être rapporté une autre maladie de contamination vénérienne qui aurait disparu après quelques décennies. À ce sujet, voir Olivier Dutour, György Palfi, Jacques Bérato et Jean-Pierre Brun (dirs.), *L'origine de la syphilis en Europe : avant ou après 1493 ?*, Actes du colloque international de Toulon, 25-28 novembre 1993, Toulon, Centre archéologique du Var, Paris, Errance, 1994.

à travers son aspect contagieux qui se propage par le coït et qui se caractérise au début par des petites ulcérations aux parties génitales, suivies d'éruption de pustules le plus souvent croûteuses au cuir chevelu et par tout le corps. Fracastoro relève les importants dégâts causés dans la bouche, sur le voile du palais et dans le pharynx. Le poème de Fracastoro est un condensé de l'ensemble des thérapeutiques usitées à l'époque et les explications théologiques et astrologiques de l'origine du mal ne sont pas évacuées du livre. Erwin Panofsky a consacré un article à la représentation de la syphilis dans lequel il forge une iconographie de la syphilis tout entière dépendante de l'ouvrage de Fracastoro[8]. L'article s'organise autour de deux grandes parties : la première est consacrée à l'origine des descriptions littéraires de la syphilis, dans laquelle l'ouvrage de Girolamo Fracastoro acquiert une place prépondérante. À travers l'ouvrage de Fracastoro, Panofsky étudie la vision qui est donnée de cette maladie, les causes et la description des symptômes. Il relate le caractère de punition qu'elle revêt, la prophylaxie mise en place à la Renaissance et le traitement au bois de gaïac. Panofsky souligne le caractère comique que prend le savoir commun autour de la syphilis dans la seconde moitié du XVIe siècle et son essor au XVIIIe siècle. La seconde partie du texte est réservée à l'étude de la représentation de la syphilis. Panofsky a la conviction d'observer le même schéma progressiste dans la figuration de la maladie. Ainsi, dans la production picturale de la Renaissance, le premier stade d'intérêt des artistes pour la syphilis est d'ordre théologique et astrologique pour s'achever avec la série d'Hogarth, *Le mariage à la mode* de 1745. Selon Panofsky, c'est Dürer qui inaugure ce moment par une gravure sur bois, *L'homme syphilitique* de 1496 (fig. 2). D'après l'historien de l'art allemand, Dürer donne une explication astrologique de la syphilis. Panofsky décrit la partie supérieure de l'image, occupée par un large globe céleste sur lequel nous retrouvons les signes du zodiaque et l'inscription de l'année 1484. Tout cela indique la conjonction cette année-là de la concentration de cinq planètes dans le signe du scorpion, signes interprétés comme annonciateurs de la syphilis. Panofsky observe les armes de la ville de Nuremberg et le geste du personnage qu'il interprète comme une parodie ludique de l'*ostentatio vulnerum*. D'après Erwin Panofsky, le costume, jugé extravagant, caractérise certainement un « *Frenchman* ». Lorsque Panofsky aborde le dessin d'Holbein (fig. 3), il souligne d'emblée le caractère unique de ce portrait qui allie, selon lui, une impitoyable objectivité et une compréhension compatissante devant le visage d'un jeune homme syphilitique. Panofsky observe que la pathologie a été identifiée à diverses maladies, telles que la lèpre ou encore à une éruption cutanée de la peau appelée *impetigo contagiosa*, mais le diagnostic

---

8. Erwin Panofsky, « Homage to Fracastoro in a Germano-Flemish Composition of about 1590 ? », *Nederlands Kunsthistorisch Jaarboek*, n° 12, 1961, p. 1-33.

Fig. 3. Holbein le Jeune, *Portrait d'Ulrich von Hutten*, 1523, dessin, 20,5 x 15,2 cm. Cambridge, Fogg Art Museum. © Avec l'aimable autorisation du Fogg Art Museum, Harvard University Museums, Bequest of Paul J. Sachs, « A Testimonial to my Friend Felix M. Warburg ».

exact apparaît, selon lui, lorsque nous confrontons le dessin d'Holbein à l'image de Dürer, car il présente les mêmes symptômes. Tout cela se trouve confirmé par une inscription disparue sur le dessin même de Holbein : « *Porträt U. von Hutten in seinem Todesjahr* ». Au recto du portrait, la date de 1523 correspond, selon Panofsky, à la date du décès de von Hutten. Le chevalier Ulrich de Hutten, diplomate et théologien allemand, aurait contracté la syphilis lorsqu'il servait en Italie comme lansquenet. Dans son ouvrage *De Gaïaci Medicina et Morbo Gallico*, publié à Mayence en 1519, il raconte l'histoire de sa guérison et présente le bois de gaïac comme le nouveau traitement plus efficace que les cures mercurielles[9]. Le long témoignage écrit des traitements successifs de la syphilis endurés par Von Hutten permet à Panofsky de faire de la maladie un alibi biographique.

L'histoire de la représentation de la syphilis se règle par divers moments selon Erwin Panofsky. Les images liminaires qui dépeignent la syphilis se caractérisent par une sobre description de la maladie, souvent bienveillante, puis vient ensuite une caractérisation des faits cliniques. Après que la nature vénérienne de la syphilis ait été signifiée par Dürer et Holbein, les peintres procèdent à des allégories et laissent place à la satire sociale, dans la dernière phase des peintures de syphilis étudiées par l'historien de l'art de Princeton. Au moyen de sa lecture iconographique, Erwin Panofsky contourne la question d'une pénurie d'images de la syphilis en identifiant divers types de représentations, astrologiques, satiriques, moralisantes ou biographiques. Par un postulat référentiel demandé à l'image, Panofsky a vite fait de constater que cette manière d'étudier la représentation de la syphilis est caduque. Il recherche alors d'autres types d'images, qui vont trouver une légitimité par le fait qu'ils sont associés aux diverses conceptions de la maladie qu'avait Fracastoro.

Panofsky n'a pas voulu suggérer que la pathologie de la syphilis pose des limites à la peinture. Pourtant, avec la syphilis, nous touchons un problème théorique de la représentation de la maladie, car si les symptômes sont extrêmement diversifiés ils ne sont pas toujours repérables. La syphilis est un état pathologique à plusieurs phases et dont le caractère principal est d'être, justement, un processus. Toutefois, la rareté des images cliniques de syphilis ne s'explique pas par une peur envers la syphilis. S'il faut reconnaître très tôt un discours moral dévolu à la syphilis, il ne s'agit pas d'y voir les enjeux sociaux du XIXe siècle dans lequel la syphilis apparaît sous l'angle du ressentiment moral, telle une maladie honteuse et dont la bourgeoisie chrétienne a fait le repoussoir de la moralité.

9. Par analogie avec les traitements des maladies de peau, le mercure fut employé pour soigner la syphilis. Parfois le mercure était appliqué en cérats sur la jambe ou sur le bras. Voir Antoine Marmottans, « Les traitements anciens de la syphilis », dans *L'origine de la syphilis en Europe : avant ou après 1493 ?*, p. 258.

L'histoire de la syphilis en peinture est l'histoire d'un vide dans la représentation qui a laissé place au supplément, tel que l'entendait Jacques Derrida. La peinture du portrait va s'adapter à la syphilis en déguisant le corps au moyen de perruques, gants, fards et poudres qui s'unissent pour cacher les marques syphilitiques. Ces accessoires de dissimulation vont permettre aux peintres de faire preuve de convenance dans les portraits.

COMME LE NEZ AU MILIEU DE LA FIGURE

Le portrait de malade incontestablement le plus connu dans le champ de l'histoire de l'art est l'œuvre de Domenico Ghirlandaio, *Le vieil homme et l'enfant*, daté de 1490. En fait, il s'agit d'un double portrait dans lequel le peintre a représenté, face à face, un vieil homme et un enfant (fig. 4). Le vieillard est atteint d'une maladie qualifiée par les médecins d'acné hypertrophique, localisé autour du nez. Il s'agit d'excroissances qui ont déformé la paroi nasale. Aussi nommé *rhinophyma*, il s'agit du stade ultime de l'acné rosacé qui touche plutôt les personnes âgées. Bernard Berenson évoque la scène représentée comme celle d'un vieil homme tenant un enfant à distance de bras afin de le regarder intensément avant de l'embrasser. Il ajoute qu'il n'existe pas dans toute la peinture du quattrocento, ni en Italie ni ailleurs, une représentation si élevée d'un sentiment aussi humain[10]. Bernard Berenson décrit le personnage du vieillard de la manière suivante :

> Le front est large et il a un je ne sais quoi de rocheux. Le trait le plus remarquable est le nez qui se révèle dans le visage entier. Le nez est bosselé, froncé et rugueux tel qu'il ressemble à un coing ou à une pomme de terre dans sa première croissance. Toutefois, cette singulière difformité ne répugne pas et elle ne diminue pas la dignité du visage[11].

Le détail du nez donné pour ressemblant cautionne l'effet de présence. La maladie, cet élément extérieur qui n'entre pas dans le schéma habituel du dispositif du portrait, trouve une place ici pour rehausser la candeur et la grâce de

---

10. « *Non esiste in tutta la pittura del Quattrocento, nè in Italia nè all'estero, un altro quadro pieno al pari di questo di un sentimento così schiettamente umano.* » (Bernard Berenson, « Nova Ghirlandajana », *L'arte*, vol. 36, 1933, p. 175)

11. « *La fronte è larga ed ha un che di roccioso. Il trattamento più saliente è il naso chi se rivele nel intera maschera. Il naso è bitorzoluto increspato e rugoso che somiglia ad un mela cotogna o a una patata nella prima crescenza. Però non è repellente questa singolare deformità e non menoma la dignità del volto.* » (Bernard Berenson, « Nova Ghirlandajana », p. 175)

40

Fig. 4. Domenico Ghirlandaio, *Le vieil homme et l'enfant*, 1490, détrempe sur bois, 62,7 x 46,3 cm, Paris, Louvre. © Musée du Louvre / Art Resource, New York.

l'enfant, ainsi le tableau révèle le « génie » de Ghirlandaio qui consiste à prêter une attention soutenue à une pathologie et à une difformité du visage, en évitant la caricature qui accuse jusqu'au ridicule des traits parfois peu flatteurs. D'après plusieurs historiens de l'art qui se sont penchés sur le portrait du vieillard, le peintre parvient à donner un statut à la peinture en utilisant la pathologie du malade et le système représentatif de la Renaissance, c'est-à-dire en produisant une mise en scène du portrait. Selon eux, l'artiste choisit d'obéir aux normes du portrait en vigueur en refusant un seul interdit, celui de la figuration de la maladie. Ruse ou génie de l'artiste, Ghirlandaio accepte le système représentatif, mais il le pratique avec une si grande maîtrise que le portrait pathologique est hissé au-dessus des œuvres ordinaires et donne un prestige à la déformation. En étudiant les mécanismes de la représentation, les historiens de l'art tentent de montrer de quelle manière l'artiste a produit un portrait singulier, imprévu, choquant mais néanmoins acceptable. L'ordre d'évidence par lequel l'histoire de l'art envisage le plus souvent le genre du portrait se trouve mis à mal avec le tableau de Ghirlandaio.

L'INVENTION D'UNE SCÉNOGRAPHIE

Un dessin à la pointe d'argent est considéré, par la plupart des auteurs, comme préparatoire au tableau. Les avis des spécialistes divergent sur la pose réelle du vieillard, plutôt sur l'état physique du corps, mort ou endormi. Berenson le juge comme l'un des meilleurs dans la production de l'artiste, bien qu'il reste inférieur par rapport au tableau. Il voit l'étude d'un homme endormi dans le dessin, comme Lorne Campbell, dans *Renaissance Portraits*, croit à l'hypothèse du vieillard endormi[12]. L'interprétation du dessin par John Pope-Hennessy tente de mettre en lumière les éléments qui ont permis au peintre de faire passer le modèle mort pour un vivant. Il souligne que le dessin révèle que le sujet n'a pas été dessiné de son vivant mais à partir du corps mort déposé dans la bière[13]. La tête dans le dessin préliminaire a été adaptée à la peinture avec un minimum de changement que devait permettre le passage à un portrait vivant. Un sourire est esquissé, les cheveux sont arrangés, les yeux sont ouverts et « ce que nous voyons comme un élément audacieux », l'excroissance sur la narine gauche, la maladie déformante du nez, a été modifiée. John Pope-Hennessy observe des différences

41

12. Lorne Campbell, *Renaissance Portraits: European Portrait-Painting in the 14th, 15th and 16th Centuries*, New Haven, Yale University Press, 1990, p. 190.

13. L'identité du vieillard n'a pas été découverte, mais le modèle éventuel avancé par plusieurs historiens serait Francesco Sacchetti. Voir l'article de Nathalie Volle, « La restauration du *Vieillard et du jeune garçon* de Ghirlandaio », *La revue du Louvre*, vol. 46, n° 3, juin 1996, p. 51.

entre l'étude graphique et la représentation picturale : le dessin présente la tête de face alors que le portrait est de trois quarts, de même que la description des rides et du nez bosselé est plus insistante dans le dessin[14]. Selon l'auteur, tout semble indiquer que la maîtrise technique de Ghirlandaio est démontrée grâce à la figuration de la maladie jugée ressemblante et l'invention est ainsi reconnue pour la scénographie mise en place. Ces éléments confortent le statut du portrait à la Renaissance et la définition de l'art : la création est inséparable d'une exécution parfaite. La stratégie de l'apparaître et la figuration de la maladie redonnent vie à un corps mort. Nous retrouvons ici la «force divine» de la peinture selon Alberti, qui concourt à rendre présents les absents et à montrer les morts aux vivants. Il ajoute : «C'est donc que les visages des défunts prolongent d'une certaine manière leur vie par la peinture[15]». La fortune critique du portrait de Ghirlandaio se comprend mieux alors, le portrait se présentant comme l'exemple même de la tâche artistique qui est celle de l'abolition de la mort.

LA STRATÉGIE DE LA NEUTRALITÉ AFFECTIVE

Un autre procédé d'interprétation du tableau consiste à faire passer le motif pathologique pour un élément secondaire. Ainsi, le tableau de Ghirlandaio ne se limite plus à la représentation de l'acné hypertrophique du nez mais au fait de peindre la relation active entre deux personnes ; cette interaction a été considérée comme sans précédent dans la peinture de l'époque. Selon Dominique Thiébaut, la fascination qu'exerce le portrait sur le public ne tient pas dans la représentation d'une «sévère maladie du nez décrite avec une précision presque "clinique"», mais plutôt dans la dimension affective du tableau : l'attitude confiante de l'enfant envers le vieillard, dont «la bonté et l'attendrissement font oublier la laideur[16]». Tout cela manifeste la capacité étonnante de l'artiste à nous faire sentir la présence physique des personnages. Dans cette perspective, la dimension commémorative du portrait est affirmée par le fait qu'il immortalise les vertus de l'ancêtre, comme modèle de sagesse et de bonté.

14. John Pope-Hennessy, *The Portrait in the Renaissance*, Princeton, Princeton University Press, 1966, p. 56. Voir également John Shearman, pour son texte sur le portrait et sur l'idée de «création cérébrale», dans *Only Connect. Art and the Spectator in the Italian Renaissance*, Princeton, Princeton University Press, 1992, p. 108-110.

15. Leon Battista Alberti, *De pictura*, livre II, § 25, p. 131.

16. Dominique Thiébaut, «Un chef d'œuvre restauré : *Le portrait d'un vieillard et d'un jeune garçon* de Domenico Ghirlandaio (1449-1494)», *La revue du Louvre*, vol. 46, n° 3, juin 1996, p. 42.

Charles Rosenberg surenchérit à cet effet lorsqu'il affirme que la présence de l'enfant est là pour résoudre le problème qui se pose au peintre devant le modèle, à savoir comment parvenir à dégager la grandeur morale du défunt tout en respectant l'exigence de ressemblance, dans un contexte néoplatonicien où l'apparence physique indique la qualité de l'âme[17]. Selon Rosenberg, les traits du visage du modèle ont posé un problème au peintre, car le mandat du portrait est de rappeler l'apparence d'un personnage aux générations futures. Il y a donc deux demandes implicites faites à l'artiste : d'une part, l'image doit ressembler au modèle et d'autre part, elle doit désigner le caractère du modèle. L'argumentation établie est la suivante : puisque la nature innée du personnage se révèle dans son apparence, seul un homme avec une belle âme peut commander le respect et obtenir l'amour d'un enfant, garant de la pureté. Ici, c'est bien l'innocence de l'enfant qui cautionne la présence de la pathologie. L'enjeu était alors de tenter de retrouver cette confiance accordée à l'image peinte. Le recours aux sentiments éprouvés par les personnages peints permet de nouveau d'esquiver la question de la pathologie en déplaçant le champ d'intérêt du tableau.

LA SIDÉRATION DE L'ENFANT

La pathologie du vieillard sert de *preuve* de la ressemblance aux yeux de certains historiens de l'art, car la ressemblance induit chez le spectateur la légitimité de la présence. Elle est totalement acceptée par les historiens de l'art, mais la condition de son acceptation est due à une modalité bien particulière : le modèle était mort au moment où a été réalisé le portrait, ce qui veut dire que la décision du peintre de figurer la déformation pathologique s'est produite sans le consentement du modèle. C'est la mort qui autorise la réalisation d'un tel portrait et qui conforte les historiens de l'art dans leur principe de convenance. Voilà donc la condition *sine qua non* du portrait en malade de Ghirlandaio : le peintre n'a plus à adopter la norme sociale étant donné que le modèle est mort et l'on peut supposer que la famille a alors commandité le portrait du vieillard. Pour les historiens de l'art, le portrait de Ghirlandaio rejoue le lieu commun voulant que le portrait soit la manifestation d'un désir de survie. Dans *Du côté de chez Swann*, Proust fait allusion au portrait de Ghirlandaio :

17. Charles Rosenberg, « Virtue, Piety and Affection. Some Portraits by Domenico Ghirlandaio », dans Augusto Gentili, Philippe Morel, Claudia Cieri Via (dirs.), *Il ritratto e la memoria, materali* 2, Rome, Bulzoni editore, 1993, p. 173-195.

43

Swann avait toujours eu ce goût particulier d'aimer retrouver dans la peinture des maîtres non pas seulement les caractères généraux de la réalité qui nous entoure, mais ce qui semble au contraire le moins susceptible de généralité, les traits individuels des visages que nous connaissons : ainsi […] sous les couleurs d'un Ghirlandaio, le nez de Monsieur de Palancy[18].

Ce passage de Proust souligne que les artistes n'ont pas cherché à dissimuler les imperfections de la vie, ils ont inséré dans leur tableau « de tels visages qui donnent à la peinture un singulier certificat de réalité et de vie, une saveur moderne[19] ». Mais il pointe surtout le caractère particulier et distinctif de ce détail pictural, Swann regarde *en face* le détail incongru du portrait sans le contourner, de la même manière que la figure de l'enfant regarde et fixe de manière intense la curiosité épidermique qui se trouve devant ses yeux. Ce regard insistant que les enfants abordent parfois devant la différence anatomique est un moment de sidération qui se manifeste comme le dédoublement du spectateur. Les yeux rivés de l'enfant sur ce qui provoque sa curiosité nous renvoient à notre propre sidération devant cette curiosité de la nature que la peinture donne à voir dans toute son évidence. Si le malaise des historiens de l'art se trouve dans l'interprétation de la déformation nasale, le véritable élément perturbateur de l'image réside, selon eux, dans le motif du paysage. Alors que Ghirlandaio est loué unanimement pour sa capacité à imposer l'évidence d'une *présence* au moyen du naturalisme, par sa connaissance du triptyque Portinari, les historiens de l'art n'expliquent pas le traitement du paysage, jugé archaïque. Ce motif court-circuite le discours des historiens de l'art justement parce qu'il s'agit d'une figure surdéterminée ; la colline jonchée d'arbres aux feuillages sphériques reprend les aspérités du nez déformé. Par ce motif, le dispositif visuel réaffirme son parti pris d'exposer la pathologie comme une opération défensive de la peinture pour mieux indiquer qu'il faut voir la déformation, la voir deux fois afin de ne pas l'esquiver.

Les diverses appréciations du portrait de Ghirlandaio rejouent la confusion qui s'est installée entre la qualité d'une image picturale et l'aspect physique de la personne représentée, et qui pointe directement vers l'enjeu philosophique du portrait en malade. C'est l'idée que la supériorité de l'image est due à sa belle description de choses qui, dans la nature, sont laides ou déplaisantes. Rappelons que Kant souligne que la maladie peut être décrite d'une belle manière, elle peut même être représentée en peinture, du moment qu'elle ne suscite pas un affect négatif comme le dégoût : « Seul un certain genre de laideur ne peut être représenté d'après nature sans ruiner toute satisfaction esthétique, donc la

18. Marcel Proust, *Du côté de chez Swann*, Paris, Éditions Gallimard, 1988 [1913], p. 219.
19. Marcel Proust, *Du côté de chez Swann*, p. 220.

beauté artistique : la laideur qui provoque le *dégoût*[20] ». L'important est donc que la satisfaction esthétique prône sur l'affect négatif, c'est-à-dire qu'elle ne provoque pas une supériorité de l'affect comme la répulsion. Les critères kantiens secondent les analyses du portrait de Ghirlandaio, légitimant de manière sous-jacente l'interdit théorique de la figuration du disgracieux et du laid. À la suite de cette constatation, nous dirons alors, peut-être de manière un peu provocatrice, que vis-à-vis des discours de l'histoire de l'art, la figuration de la maladie porte un masque, comme si un réflexe spontané de détournement de l'image se produisait à partir d'un discours de la vérité de l'apparence. L'argumentation de la prouesse du peintre se manifeste comme le masque déposé sur la figuration de la pathologie. Tout se passe comme si le discours critique tendait à contourner, à oblitérer les figures pathologiques de la peinture en affirmant que seule compte la qualité du travail artistique. Ainsi, la représentation de la maladie n'apparaît pas comme une source d'inquiétude ou de malaise et elle n'est pas non plus considérée comme une forme déplaisante. En fait, le mot de passe est « naturalisme » et la stratégie consiste à vanter la prouesse picturale pour mieux refuser d'abandonner son regard à la figuration du pathologique lorsque ce dernier est présenté dans un aspect descriptif. Ghirlandaio n'a donc pas commis de crime de lèse-majesté en portraiturant une maladie déformante dans un portrait, car la mort du modèle lui donnait cette licence et les historiens de l'art accueillent cette liberté picturale au nom de la ressemblance.

45

LA *PESTE* DE LA PEINTURE

Dans le discours de l'histoire de l'art, un peintre à lui seul témoigne de la maladie *de* la peinture. Rappelons ici les propos de Félibien : « M. Poussin ne pouvait rien souffrir du Caravage et disait qu'il était venu au monde pour détruire la peinture »[21]. Autant dire que Caravage est le *fléau* de la peinture, la *peste* du grand art. Voilà un peintre qui s'est autorisé à tout peindre et qui a même été jusqu'à se peindre malade, selon l'interprétation qui a été faite d'un de ses tableaux. Le *Bacchus malade* du Caravage doit son nom à l'ambiguïté produite par la carnation du personnage représenté. Le titre du *Bacchus malade* est une proposition de Roberto Longhi formulée en 1927 lorsqu'il interprète le tableau comme un

20. Emmanuel Kant, *Critique de la faculté de juger*, suivi de *Idée d'une histoire universelle au point de vue cosmopolitique* et de *La réponse à la question : qu'est-ce que les Lumières ?*, trad. Alexandre J. L. Delamarre, Jean-René Ladmiral, Marc B. de Launay, Jean-Marie Vaysse, Luc Ferry et Heinz Wismann, Paris, Éditions Gallimard, 1985, p. 267, § 48.

21. Cette citation de Félibien, dans *Entretien sur les vies et les ouvrages des plus excellents peintres*, entretien VI, 1685, est longuement commentée par Louis Marin dans *Détruire la peinture*, Paris, Galilée, 1977, p, 14, 41, 119, 128 et 130.

autoportrait du Caravage, en partant du témoignage de Giulio Mancini. Dans son *Trattato della pittura*, Giulio Mancini avait rappelé une maladie du peintre et son séjour à l'Hôpital de la Consolation à Rome. Il ajoute que durant sa convalescence, Caravage aurait peint un grand nombre de tableaux pour le prieur de cet hôpital[22]. Roberto Longhi voit dans le *Bacchus malade*, aujourd'hui au palais Farnèse, « les traits du peintre adolescent et encore en mauvaise santé[23] ». La discipline de l'histoire de l'art a adopté le titre établi par Roberto Longhi malgré le fait que cette interprétation n'ait pu être authentifiée[24]. Certains auteurs ont évoqué la syphilis comme preuve des comportements de l'artiste jugés luxurieux renforçant ainsi le jugement négatif porté sur son œuvre. En outre, des pathologies autres que la syphilis ont été reconnues dans le *Bacchus malade* du Caravage : Herwart Röttgen observe, dans ce portrait, les symptômes de la mélancolie comme contre-figure de la vie, au même titre qu'une *vanitas*[25].

46

SUSTERMANS OU LES EFFETS ÉPIDERMIQUES DU PICTURAL

La stratégie dissimulatrice de la peinture, défendue par l'historiographie, n'a pas été la préoccupation de tous les artistes. Des peintres ont traité le portrait en malade comme une exigence supplémentaire de la peinture, en dépit de laquelle ils ont poursuivi la seule expérience qui leur importait, à savoir le travail de la matière colorée. Le peintre met alors en évidence l'excès qu'a produit un état pathologique, il témoigne d'une angoisse face au corps en défaut qu'il n'a pas tenté de masquer. Arrêtons notre regard sur le portrait réalisé par Giusto Sustermans

22. Le passage de Giulio Mancini est cité par Roberto Longhi, *Studi caravaggeschi. 1935-1969*, Milano, Sansoni, 2000, tome 2, p. 33.

23. Roberto Longhi souligne « *il corpo di questo giovinetto è di una tonalità eccessivamente gialla come di chi sia appena uscito da un periodo di febbri palustri.* », Roberto Longhi, *Saggi e ricerche : 1925-1928*, Firenze-Sansoni, 1967, tome 2, p. 304. Roberto Longhi, *Le Caravage*, trad. Gérard-Julien Salvi, Paris, Éditions du Regard, 2004, p. 27.

24. Marco Gallo retrace les diverses interprétations de cette œuvre dans Sergio Rossi (dir.), *Scienza e miracoli nel l'arte del' 600. Alle origini della medicina moderna*, catalogue d'exposition, Milan, Electra, 1998, p. 327. Voir aussi Marco Gallo, « Materiali per Caravaggio. Bibliografia di Michelangelo Merisi 1980-1996 », dans Stefania Macioce (dir.), *Michelangelo Merisi da Caravaggio. La vita e le opere atravverso i documenti*, Atti del convegno internazionale di studi, Roma, Logart Press, 1997. Voir également Flavio Caroli (dir.), *L'animo e il volto. Ritratto e fisiognomica da Leonardo a Bacon*, Milan, Palais Reale, 30 octobre-14 mars 1999, Milan, Electra, 1998, p. 180.

25. Voir Herwart Röttgen, *Il Caravaggio. Ricerche e interpretazioni*, Rome, Bulzoni Editore, 1974, p. 183.

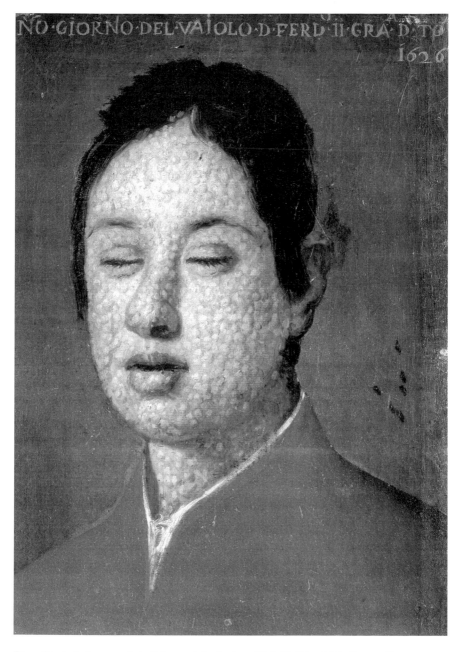

Fig. 5. Giusto Sustermans, *Portrait du grand-duc Ferdinand II de Medicis*, 1626, huile sur toile, 43 x 33 cm, Florence, Palazzo Pitti, Galleria Palatina. © Avec l'aimable autorisation du Ministero dei Beni e le Attività Culturali.

lors de la variole du grand-duc de Toscane, Ferdinand II. Le peintre a produit trois portraits réalisés à quelques jours d'intervalles, portraits qui témoignent de l'évolution de la variole. Le portrait du palais Pitti est le dernier réalisé, il porte l'inscription suivante sur le bord supérieur du tableau : « *Il granduca, durante la grave malattia, fu ritratto dal pittore di corte il 3°, 6° e il 9° giorno* ». Le premier semble perdu, le second représente le grand-duc dans les premiers jours de la maladie avec une apparition de pustules, alors que le troisième portrait illustre l'acmé de la maladie, lorsque les yeux gonflés par les pustules ne peuvent plus s'ouvrir (fig. 5). La variole du grand-duc est un prétexte à la picturalité : les pustules sont traités par petites touches de couleurs flottantes. Le contraste violent des cheveux et du vêtement permet de travailler le visage en teintes fondues sans rupture apparente, des coups de brosse réguliers laissent affleurer l'épaisseur de la pâte. L'image joue sur le contraste entre le lissé du vêtement de couleur rouge et le visage traité en larges touches de pinceau appliquées l'une à côté de l'autre puis complétées par des retouches qui ne se cachent pas. L'effet de proximité extrême avec le spectateur est accentué par le très gros plan du visage que nous suggère Sustermans. Les deux portraits de Ferdinand II malade trouvent une légitimité aux yeux des historiens de l'art lorsqu'ils sont compris au regard de leur contexte sociohistorique, c'est-à-dire la cour du grand-duc. Interprétés comme une exceptionnelle mémoire scientifique, les portraits s'expliquent par le fait que le modèle était un personnage de grande liberté, ami des artistes, amoureux des sciences, et qu'il avait lui-même un laboratoire dans lequel il procédait à certaines expériences. L'ouverture d'esprit du grand-duc de Toscane, Ferdinand II, et le contexte de la cour des Médicis à cette époque, particulièrement dans le domaine des arts, permettent de proposer qu'il y ait dans l'œuvre de Giusto Sustermans une volonté de démonstration clinique[26]. Le souci de représentation dans ce cas singulier du portrait vise à témoigner d'un fait pathologique dans toute son évidence. Il s'agit ici de faire rentrer cette image dans un cadre théorique selon lequel elle répond à une finalité.

LE PORTRAIT DE LA VARIOLE

Le double portrait réalisé par Sustermans déborde le modèle représentatif dominant, il en marque toutes les limites et oblige à s'interroger sur la nature et les objectifs de la figuration humaine. Dans ce cas très particulier de représentation de la variole, l'évolution de la maladie figurée par le principe de la succession

26. Voir Marco Chiarini, Claudio Pizzorusso (dirs.), *Sustermans : sessant'anni alla corte dei Medici*, catalogue d'exposition, Florence, Palais Pitti, Centro Di, 1983.

des portraits renvoie à notre propre condition humaine, en permanente transformation. Il va donc à l'encontre du principe même du portrait qui est de présenter le caractère durable d'un personnage, alors que l'artiste choisit de représenter l'impression d'un instant. Le caractère par définition invariable de la figuration humaine est mis à mal par les portraits de Sustermans. Les deux états figurés ne sont que transitoires et l'état du visage ne nous parle que de ses variations, de sa métamorphose par le processus de la maladie : c'est une mémoire ouverte[27].

En poussant l'argumentation plus loin, nous dirions que le double portrait du grand-duc Ferdinand II n'est pas un portrait en tant que tel, ce n'est pas le portrait de Ferdinand II de Médicis qui nous est donné à voir mais plutôt le portrait de la variole. C'est la représentation d'un visage observé comme mémoire de la maladie dans laquelle la figure s'éclipse. La maladie apparaît alors comme une expérience qui met en cause le visage humain et ses facultés expressives, étant donné que le traitement pictural de la figure tend à le noyer dans l'informe. Sustermans a su donner une légitimité mimétique de la variole du grand-duc. Ce qui fait la force de la représentation, c'est sa puissance d'effets et sa violence d'affects. La visibilité du visage étant entamée, elle se désintègre derrière la maladie. C'est donc une présence humaine qui s'affiche mais sous l'aspect d'une face travaillée par le processus de la variole. L'effacement du visage est réalisé pour faire surgir la maladie car il s'agit bien de peindre le processus même de la maladie et donc le caractère mouvant et énergétique de toute pathologie.

Les deux portraits de Sustermans ont une singulière façon de remettre en question le primat de la représentation, car le portrait ne dévoile pas une physionomie et la ressemblance mimétique n'est pas la propriété essentielle du portrait en malade. Cette incomplétude du visage due à la maladie tient aussi à la structure picturale qui est traitée par touches disposées sur la toile. L'accent mis sur la facture et les composantes matérielles de l'image était susceptible de contrarier la synthèse « imageante » et la lisibilité des figures. Ce type de tactilité et cette présence intempestive de la variole à la surface du tableau nous permettent de dire que c'est la peinture elle-même, dans son statut de matière, qui nous est donnée à voir. L'image de la picturalité se manifeste alors comme le caractère par excellence de la peinture, telle une peau, simultanément pellicule de surface et réseau d'échanges avec la profondeur.

49

27. Récemment, les médias nous ont montré un processus similaire de la maladie à travers les portraits de Victor Iouchtchenko, le chef de l'opposition ukrainienne, dont le visage a été grêlé par une acné chlorique dû à un empoisonnement à la dioxine. Voir l'article de Dominique Dhombres, « Le pays dont le héros a le visage ravagé par l'acné », *Le Monde*, 25 novembre 2004.

Dans le cas du portrait du grand-duc, nous pouvons dire que les données fondatrices de l'image humaine sont falsifiées au profit d'une représentation du devenir du corps qui provoque la sidération. Le portrait de Sustermans est l'antithèse des portraits de Bronzino, de la figure idéalisée sans aspérité, il déclenche un sentiment de répulsion envers le corps pustuleux, rugueux d'aspérités. Le visage du grand-duc n'est pas proposé au regard, il est imposé à la vue. Il stoppe la mobilité du regard, d'habitude prospectif dans la peinture. L'image de Sustermans parie sur la surprise car l'œil médusé est incapable de s'arracher à ce qui le sidère. Il s'agit de faire éprouver un affect de la limite, un affect du débordement. Sustermans a peint la variole avec le trouble qu'elle entraîne.

Cette vérité des yeux de voyant du peintre, en face de quelqu'un qui ne voit plus, renvoie à la situation d'une autre image ; le portrait de Luigi Groto, un poète aveugle, peint par le Tintoret. Le modèle aveugle en train de se faire peindre, place l'artiste et, bien sûr, le spectateur, dans une position de voyeurs. Une intimité nous est dévoilée que nous ne sommes pas certains de pouvoir soutenir. C'est peut-être là toute l'histoire du rapport que nous avons avec l'image de la pathologie. Le portrait réalisé par Sustermans nous montre que la maladie a obligé le modèle à clore les yeux alors que la peinture a aveuglé le spectateur au moyen de la touche picturale. Dans son effet de tactilité, la peinture nous masque le portrait du grand-duc pour mieux nous exposer la pathologie.

* * *

Dans l'histoire de l'art, la pathologie a trouvé plus souvent un espace par le recours à la métaphore que dans l'étude de la représentation de la maladie. Au XIXe siècle, la critique d'art a usé très largement de métaphores pathologiques pour disqualifier le travail des Impressionnistes[28]. Les métaphores de la critique d'art font état d'un *médium* en proie à une maladie épidermique, à des éruptions cutanées de la peinture, cela en vue de révéler la matérialité picturale des images qui s'évalue autour des termes d'eczéma, de croûtes jusqu'à constituer un lieu commun de l'indignation et de l'injure[29]. Lorsqu'il s'agit de l'interprétation du

28. Voir sur ce point Nicole Dubreuil-Blondin, « Les métaphores de la critique d'art : le "sale" et le "malade" à l'époque de l'impressionnisme », dans Jean-Paul Bouillon (dir.), *La critique d'art en France. 1850-1900*. Actes du colloque de Clermont-Ferrand, 25, 26 et 27 mai 1987, Saint-Étienne, CIEREC, Université de Saint-Étienne, 1989, p. 96-105. Également, Michel Ribon, *Archipel de la laideur. Essai sur l'art et la laideur*, Paris, Kimé, 1995.

29. Dans son essai *La peinture incarnée*, Georges Didi-Huberman a montré l'impressionnante circulation de métaphores entre le corps et le tableau. Il développe l'idée de l'image comme figure par excellence de la peinture, puisqu'elle se donne simultanément comme une pellicule, une surface mais aussi comme un réseau d'échanges avec la profondeur. Georges Didi-Huberman, *La peinture incarnée*, Paris, Éditions de Minuit, coll. « Critique », 1985, p. 35-44.

tableau, le recours à la pathologie sert parfois à exprimer une dissonance de la peinture. Le *Bacchus malade* du Caravage doit son nom à la difficulté d'interpréter la couleur de la carnation du personnage représenté.

Unanimes sur la question du portrait, les théoriciens de l'art de la Renaissance conviennent que le peintre doit *refigurer* son modèle sans jamais le *défigurer*[30]. La condamnation sans appel de la déformation du visage trouve son explication dans la conviction culturelle qui fait du visage le lieu de l'esprit et de l'identité, mais elle corrobore également la conception privilégiée de la suprématie du visage et de son statut particulier, essentiel dans l'évaluation occidentale de la beauté et de la décrépitude physique. Face aux portraits en malades, les historiens de l'art se sont surtout interrogés sur la nature du projet artistique. La curiosité initiale que produit le portrait d'un malade exigeait de comprendre comment de telles œuvres avaient pu voir le jour. Comment le portraitiste, aux prises avec les règles d'un système représentatif socialement codifié, avait pu produire un déni des conventions. Cherchant avant tout à justifier les portraits pathologiques, l'historien de l'art ne s'est pas attardé sur la sidération du portrait, sur cette irruption d'une violence qui vient bousculer la figuration dans son procès de symbolisation. Pourtant, dans la représentation d'un visage pathologique, ce qui est représenté, ce n'est pas une forme dans laquelle nous devons rechercher une vraisemblance, c'est une puissance d'effet du tableau à recevoir et à soutenir.

51

30. Sur la question de la littérature artistique et sur les préceptes donnés aux artistes quant à la représentation du portrait, nous renvoyons le lecteur à notre thèse *Les images des maux. Étude de la représentation de la pathologie dans l'art de la Renaissance*, École des Hautes Études en Sciences Sociales, sous la direction de Daniel Arasse, 2005.

De la « surface trompeuse » à l'agréable imposture.

Le visage au XVIIe siècle

Lucie Desjardins

C e sont l'amour et l'absence qui seraient à l'origine de la première représentation du visage. Deux passages tirés de l'*Histoire naturelle* de Pline l'Ancien[1] auraient fixé la naissance du portrait, confondue bien souvent avec celle de la peinture. Alors que le premier se contente de souligner qu'à l'origine le portrait « a consisté à tracer, grâce à des lignes, le contour d'une ombre humaine », le deuxième développe le récit. Le portrait devrait son invention à une jeune fille amoureuse d'un jeune homme : celui-ci partant pour l'étranger, elle entoura d'un trait l'ombre de son visage projetée sur le mur par la lumière d'une lanterne. Cette version du mythe fondateur, que l'on a souvent reprise et commentée aux XVIIe et XVIIIe siècles[2], renferme quelques-uns des principaux enjeux théoriques liés à la représentation du visage. Le portrait y apparaît d'abord comme un substitut de l'être aimé, créant ainsi un « effet de présence[3] », mais il est aussi un moyen

1. Pline l'Ancien, *Histoire naturelle*, Paris, Éditions Les Belles Lettres, 1985, livre XXXV, chapitre XV et CLI.

2. Voir Édouard Pommier, *Théories du portrait. De la Renaissance aux Lumières*, Paris, Éditions Gallimard, coll. « Bibliothèque illustrée des idées », 1998, p. 18-28.

3. L'expression est de Louis Marin, *Le portrait du roi*, Paris, Éditions de Minuit, 1981, p. 9. Voir aussi l'article, déjà ancien, de Robert Rosenblum, « The Origin of Painting : A Problem in the Iconography of Romantic Classicism », *Art Bulletin*, vol. 39, n° 4, décembre 1957, p. 279-290, qui distingue la reprise du mythe dans les textes de sa représentation iconographique : « *In seventeenth century, allusions to this primitive beginning of the art of painting occur even more frequently. In particular, the prominent historians and theorists of the time perpetuated the legend of the outlined shadow when summarizing, in the early pages of their treatises, the ancient history of the imitative arts. [...] The same situation prevails in the earlier eighteenth century, for printed accounts of the legend are not uncommon, including even an epistolary poem by the centenarian Fontenelle, whereas illustrations are scarce. [...] Furthermore, the encyclopedic curiosity of the eighteenth century provided another vehicle for the continual verbal tradition of the legend, as well as in more specialized dictionaries of the period* ».

de reconnaissance, puisqu'il offre du modèle une image ressemblante. Mais le portrait est aussi défini comme un moyen de connaissance de la vie intérieure. Caractère et tempérament, vices et vertus, désirs les plus secrets et condition sociale devront, en effet, être révélés par le portrait qui cherche à atteindre l'invisible par le visible. C'est du moins ce que l'on retrouve dans les traités sur la peinture qui font l'objet d'une littérature abondante depuis le XVIe siècle[4]. D'un côté, on exalte la valeur mémoriale ou mimétique du portrait, de l'autre, on en critique les finalités, qu'elles soient d'ordre social, philosophique, moral ou religieux. Quant à la théorie du portrait qui s'élabore en France au XVIIe siècle, elle est, comme on le sait, d'abord tributaire des traités italiens (Alberti, Paleotti, Lomazzo) dont elle prolonge les idées. Du reste, Daniel Roche a bien montré comment le succès croissant du portrait peint au XVIIe siècle est intimement lié à ce qu'il appelle une « accentuation des sensibilités individuelles[5] », où la mise en scène de soi devient de plus en plus légitime sinon valorisée. De ce point de vue, et parce qu'il suscite de nombreuses questions qui concernent aussi bien la conception du sujet et la philosophie morale, l'histoire des idées et des pratiques de la sociabilité, la littérature et l'anthropologie que l'histoire des théories et des pratiques artistiques, le portrait est bien davantage qu'un genre pictural parmi tant d'autres.

Le portrait peint du XVIIe siècle entre aussi sans cesse en dialogue avec les nombreux textes qui s'appuient sur la médecine et la physiognomonie pour mieux fonder une entreprise de codification dont le but consiste à déceler les mouvements les plus intimes à partir d'une lecture attentive des signes venant se peindre à la surface du visage, qu'il s'agisse de signes stables et constants (le caractère) ou encore de signes éphémères et inconstants (les passions). C'est ce dont témoignent, à eux seuls, les titres de plusieurs ouvrages dont l'influence a été considérable, que l'on songe, par exemple, à *La Physionomie raisonnée ou secret curieux pour connoître les inclinations naturelles de chacun par les regles naturelles*[6]

---

4. Voir, en particulier, les textes d'Alberti, de Lomazzo et de Paleotti. Pour une recension et une analyse des théories italiennes du portrait, on consultera, entre autres, Édouard Pommier, *Théories du portrait. De la Renaissance aux Lumières*, et François Lecercle, *La chimère de Zeuxis. Portrait poétique et portrait peint en France et en Italie à la Renaissance*, Tübingen, Gunter Narr, 1987.

5. Pierre Goubert et Daniel Roche, *Les Français et l'Ancien Régime*, Paris, Armand Colin, 2000, p. 275.

6. Claude de La Bellière de la Niolle, *La Physionomie raisonnée ou secret curieux pour connoitre les inclinations naturelles de chacun par les regles naturelles, Conseiller & Aumônier du Roy*, Paris, E. Couterot, 1664.

de Claude de La Bellière ou encore aux *Characteres des Passions*[7] et à *L'art de connoistre les hommes d'après la physionomie*[8] de Marin Cureau de La Chambre. Ces discours «savants» cultivent l'ambition de rendre le visage transparent à qui sait bien l'observer et cette prétention roule sur une série de formules convenues comme «les passions se doivent mieux connoistre dans les yeux que dans l'ame mesme[9]».

Ces enjeux liés à la représentation du visage s'affirment également avec force dans les romans, les récits et les pièces du XVIIe siècle, qui reprennent volontiers ce motif du portrait au point de constituer une topique. Au fil des ans, nous avons constitué un corpus[10] de plus de deux cents textes qui appartiennent à différentes formes de discours et dans lesquels le portrait est bien davantage qu'un simple motif ornemental, dans la mesure où il propose une réflexion théorique sur le visage, la représentation de soi, l'intériorité. Il ne s'agit pas ici d'envisager une histoire de l'art du portrait ni de recenser toutes les occurrences du motif du portrait peint dans le récit, mais de revenir sur quelques textes essentiels de manière à effectuer une synthèse des questions et des enjeux associés à la représentation du visage tels qu'ils se présentent dans les textes littéraires du XVIIe siècle. On verra d'abord que ces textes reprennent volontiers les principaux lieux communs du portrait peint, qu'il s'agisse du portrait comme substitut de la présence de l'autre, du problème de la comparaison entre le modèle et l'image peinte, entre l'original et la copie, mais aussi celui de la mise en scène de soi, de la vanité ou encore

55

7. Marin Cureau de La Chambre, *Les characteres des passions*, Paris, Jacques d'Allin, 1640-1662, 5 volumes. Sur ces traités, on consultera Jean-Jacques Courtine et Claudine Haroche, *Histoire du visage. Exprimer et taire ses émotions XVIe-début XIXe siècle*, Paris, Éditions Rivages, 1988. Je me permets ici de renvoyer à mon ouvrage *Le corps parlant. Savoirs et représentation des passions au XVIIe siècle*, Québec/Paris, Presses de l'Université Laval / L'Harmattan, 2001.

8. Marin Cureau de La Chambre, *L'art de connoistre les hommes d'après la physionomie*, Paris, Jacques d'Allin, 1663 [1659].

9. Marin Cureau de La Chambre, *Les characteres des passions*, Paris, Jacques d'Allin, 1642, vol. I, p. 2. Or, la longue tradition de ces traités de lecture du visage a toujours été doublée d'une réflexion sur la façon d'en représenter les traits qu'exprime la constitution de plusieurs guides de représentation à l'usage des peintres et sculpteurs. C'est ainsi qu'en 1668, le peintre Charles Le Brun prononce, devant l'Académie royale de peinture et de sculpture, une conférence sur l'expression des passions. Voir Charles Le Brun, «Conférence sur l'expression générale et particulière», *Nouvelle revue de psychanalyse*, printemps 1980, n° 21, p. 106. On trouvera aussi ce texte dans Charles Le Brun, *L'expression des passions & autres conférences*, Paris, Dédale, Maisonneuve et Larose, 1994.

10. Ce texte est issu des travaux du groupe de recherches *Les métaphores de l'intériorité. Portrait, miroir et représentation de soi*.

de l'illusion créée par l'image du corps. Pareil tableau devrait surtout permettre de montrer en quoi le portrait est un lieu où s'incarnent à la fois les plus vives espérances sur les possibilités d'une représentation du visage susceptible de livrer l'intimité dans la plus parfaite transparence et les plus grandes inquiétudes théoriques au sujet d'un monde dominé par les apparences.

Le premier *topos* sur lequel je voudrais m'attarder est celui, repris d'Alberti[11], du gage de la présence dans l'absence. On rappellera à cet égard la célèbre scène du portrait dérobé dans la *Princesse de Clèves*. Dans cette scène, le portrait de Madame de Clèves fait partie, nous dit le texte, d'une série de portraits des dames de la cour de France, commandés par la reine dauphine, et qui seront envoyés à la cour d'Angleterre afin d'y faire connaître les modèles. Mais pour le duc de Nemours, qui dérobe le portrait de la princesse en laissant de côté la boîte, il ne s'agit ni d'une simple pièce d'identité, ni d'une œuvre d'art ayant une quelconque valeur, c'est une image qui se *substitue* à la princesse aimée en secret. C'est bien ainsi, du reste, que Monsieur de Clèves comprend fortuitement la disparition mystérieuse du portrait de sa femme :

> M. de Clèves était affligé de cette perte et, après qu'on eut encore cherché inutilement, il dit à sa femme, mais d'une manière qui faisait voir qu'il ne le pensait pas, qu'elle avait sans doute quelque amant caché à qui elle avait donné ce portrait ou qui l'avait dérobé, et qu'un autre qu'un amant ne se serait pas contenté de la peinture sans la boîte[12].

Mais le *topos* que l'on retrouve le plus fréquemment dans les romans du XVIIᵉ siècle est sans doute celui de la contemplation d'un portrait, contemplation qui suscite l'amour pour un ou une inconnue. Le Francion de Charles Sorel s'éprend d'un tableau où il « voit la beauté la plus parfaicte et la plus charmante du monde[13] », tableau qui l'engage non seulement à rechercher le modèle de ce visage parfait, mais aussi à ne plus quitter le portrait. On pourrait multiplier les exemples de ces quêtes amoureuses qui cherchent à convertir l'absence en présence et où le héros finit par trouver le modèle qu'il compare à son portrait, vérifiant ainsi si le désir engendré par la représentation du corps convient aussi à l'original.

11. Voir Leon Battista Alberti, *De la peinture/De pictura*, trad. Jean-Louis Schefer, Paris, Macula, Dédale, coll. « La littérature artistique », 1992 [1435], p. 131. Alberti identifie la force « tout à fait divine » de la peinture à celle du portrait, image de l'homme : « Elle [la peinture] a en elle une force tout à fait divine qui lui permet non seulement de rendre présent, comme on le dit de l'amitié, ceux qui sont absents, mais aussi de montrer après plusieurs siècles les morts aux vivants de façon à les faire reconnaître pour le plus grand plaisir de ceux qui les regardent [...] ».

12. Madame de Lafayette, *La princesse de Clèves*, Paris, Garnier-Flammarion, coll. « GF », 1966 [1678], p. 93.

13. Charles Sorel, *Histoire comique de Francion*, Paris, Garnier-Flammarion, coll. « GF », 1979 [1623], p. 180.

Alors que pour certains personnages, la confrontation entre le modèle et la toile est heureuse[14], puisque les véritables traits du modèle surpassent ceux qu'avait tracés le peintre, pour d'autres, il en résulte une déception. On citera le cas du personnage d'Osman de la tragédie de Tristan L'Hermite qui est déçu par ce qu'il découvre : « en ce pinceau trompeur, j'eus trop de confiance », dit-il, pour ajouter quelques vers plus loin, que « le portrait qu'on en fist est un portrait flaté / ce ne sont pas ses yeux, ce n'est pas son visage / et cette gorge peinte éclate davantage[15] ».

Pourtant, cette capacité du portrait à révéler le sujet et ce qui est de l'ordre de l'intime est constamment remise en cause. Que l'on croie à la plus parfaite transparence des signes du corps ou encore à leur opacité, la représentation du visage inquiète et dérange. Cette question occupe une place centrale dans deux textes de Charles Sorel : *Le berger extravagant* (1627) et *La description de l'isle de portraiture et de la ville des portraits* (1659) qui soulignent tous deux l'importance que l'on accorde à la question du portrait au XVIIe siècle, tout en proposant une critique qui met en jeu des perspectives différentes sur la possibilité même d'une représentation du visage.

57

Le berger extravagant comporte deux épisodes importants qui mettent en jeu les différents problèmes que soulèvent le portrait et la représentation du visage. Dans le premier, Lysis prie Anselme de graver le portrait de Charité et lui fait la description de cette dernière.

> Fay luy moy ces beaux filets d'or qui parent sa teste, ces inevitables rets, ces hame-çons, ces apas, et ces chaisnes qui surprennent les cœurs ; apres cela dépeint moy ce front uny où l'amour est assis comme en son tribunal : au bas mets ces deux arcs d'ebeine, et au dessous ces deux soleils qui jettent incessamment des traits et des flames ; et puis du milieu s'eslevera ce beau nez qui comme une petite montagne divise les joües, non pas sans sujet, puis que se debattans continuellement à qui sera la plus belle, elles auroient querelle bien souvent si elles n'estoient separees[16].

14. Les exemples sont nombreux, mais on peut ici songer au Polexandre du roman Marin Le Roy de Gomberville [1619-1637) ou encore au personnage d'Agésilan dans le *Agésilan de Colchos* [1635] de Jean de Rotrou.

15. Tristan L'Hermite, « Osman » [1646-1647], *Le théâtre complet de Tristan L'Hermite*, Alabama, The University of Alabama Press, 1975, acte II, scène 3, vers 430, p. 436-438. On soulignera, par ailleurs, que l'une des anecdotes que l'on retrouve le plus fréquemment dans la comédie, par exemple, est celle du valet qui préfère se faire représenter sous les traits de son maître pour faire parvenir un portrait plus avantageux de lui-même à sa bien-aimée. Derrière le quiproquo qu'engendre la situation dramatique, il y a en arrière-plan l'idée selon laquelle la condition sociale se lit sur le visage. Du reste, la plupart du temps, l'amoureuse préfère les véritables traits du valet à ceux qu'il a choisi d'emprunter.

16. Charles Sorel, *Le berger extravagant* [1627], Genève, Slatkine Reprints, 1973, livre I, p. 37-38.

Ainsi que l'on peut le voir dans la gravure qui accompagne le texte (fig. 1), Anselme prend cette description à la lettre, de sorte que le portrait qui représente Charité nous fait voir dans les cheveux des hameçons à pendre les cœurs, des chaînes et des rets, sur le front le trône de l'amour, des soleils à la place de l'iris de l'œil, deux branches de corail en guise de lèvres, de sorte que les métaphores se trouvent délexicalisées pour être reproduites, vivantes, sur la toile[17].

> [...] il avoit dépeint un visage qui au lieu d'estre couleur de chair, avoit un teint blanc comme neige [...] En la place où devoient estre les yeux on n'y voyoit ny blanc ny prunelle. Il y avoit deux Soleils qui jettoient des rayons parmy lesquels on remarquoit quelques flames & quelques dards [...] Quelques-uns [des cheveux] estoient faits comme des lignes, avecques l'hameçon au bout fourny pour attirer la proye. Il y avoit quantité de cœurs qui estoient pris à l'amorce, & entres autres un plus gros que ses compagnons, qui alloit justement au dessous de la joue gauche, tellement qu'il sembloit qu'il servist de pendant d'oreille à cette rare beauté[18].

Mais de quoi ce portrait est-il, au juste, la métaphore? De quoi est-il la figure? À première vue, ces lys dénotent la blancheur et ce corail, les lèvres, dans un effet qui semble être de l'ordre de la plus parfaite transparence. Pourtant, à y regarder de plus près, ce portrait est moins représentation de l'objet représenté, la gravure le montre à l'évidence, que représentation d'une topique littéraire. De ce point de vue, on pourrait même envisager le portrait métaphorique comme une sorte d'emblème d'une littérature qui s'invente à partir d'un répertoire de *loci communes*. Du reste, la première fois que Lysis voit le portrait de sa maîtresse, il s'avère incapable de reconnaître le modèle. Puis, il comprend l'idée du peintre Anselme et entre alors dans le jeu tout en étant le seul à la reconnaître:

> Que je vous embrasse, mon doux amy, dit Lysis, apres avoir un peu medité à par soy, il faut que j'avoüe que vous avez donné une preuve incomparable de vostre esprit. Il ne se pouvoit peindre que par metaphore, ce beau visage de Charite. Nous avions desja bien dit que ces traits ne pouvoient pas estre representez au naturel[19]!

17. Martine Debaisieux a déjà montré de quelle façon l'attaque de Sorel porte ici sur les métaphores poétiques critiquées avec virulence dans *De la connoisssance des bons livres* (1671). Voir Martine Debaisieux, *Le procès du roman: écriture et contrefaçon chez Charles Sorel*, Saratoga, Anma Libri, 1974. «L'épisode, écrit-elle, met en abyme le procédé de toute l'œuvre, celui du portrait métaphorique de Charité, [...] Sorel illustre ainsi de la manière la plus convaincante ce qu'il essaie de prouver à l'intérieur de son volumineux ouvrage; l'écart entre le langage métaphorique et ce qu'il est censé traduire, le ridicule qui en résulte» (p. 39). Voir aussi, du même auteur, « "Du pinceau à la plume": le mensonge des figures et la contrefaçon dans la *Description de l'Isle de Portraiture* », *Papers on French Seventeenth Century Literature*, n° 111, p. 285-293.

18. Charles Sorel, *Le berger extravagant*, livre II, p. 55-56.

19. Charles Sorel, *Le berger extravagant*, p. 148.

Fig. 1. Van Lochom, *« La belle Charité »*: *Allégorie de la Charité*, dans *Le Berger extravagant. Ou parmy des fantasies amoureuses l'on voit les impertinences des romans et de la poësie*, Rouen, Jean Osmont, 1639. Avec l'aimable autorisation de la Bibliothèque nationale de France.

Quand il présente le portrait à un véritable peintre pour qu'il ajoute un corps à la représentation du visage, l'artiste n'y voit qu'une énigme ou une série d'emblèmes : « Je n'entends rien à cecy, monsieur, dit le peintre, c'est quelque énigme ou quelque emblème, si je mettois cela sur un corps on le prendroit pour un monstre[20]. » La métaphore qui devait embellir le visage de la jeune femme ne fait, au contraire, que l'enlaidir en cachant ses véritables traits[21], si bien que l'effet qu'a le portrait sur les autres personnages est contraire à celui souhaité par Lysis. Le portrait que l'on retrouve dans *Le berger extravagant* entre ainsi en dialogue non seulement avec les romans pastoraux du début du siècle, mais aussi avec les textes d'inspiration poétique néopétrarquisants dont la tradition s'est figée en réservoir topique et dont les images les plus banales rapprochent bouche et corail, dents et perles, épaule et marbre, sein et albâtre, cheveux noirs et ébène, blonde chevelure et soleil. Sous un mode bien souvent satirique, les textes du XVIIe siècle dénoncent cette topique en la renversant, comme le fait l'épisode du « portrait métaphorique », mais aussi le portrait de la femme imaginaire que brosse le personnage d'Amidor dans *Les visionnaires* de Desmarets de Saint-Sorlin.

> […] une beauté céleste
> À mes yeux étonnés soudain se manifeste ;
> Tant de rares trésors en un corps assemblés
> Me rendirent sans voix, mes sens furent troublés,
> De mille traits perçants je ressentis la touche.
> Le corail de ses yeux, et l'azur de sa bouche,
> L'or bruni de son teint, l'argent de ses cheveux,
> L'ébène de ses dents digne de mille vœux,
> Ses regards sans arrêt, sans nulles étincelles,
> Ses beaux tétins longuets cachés sous ses aisselles,
> Ses bras grands et menus ainsi que des fuseaux,
> Ses deux cuisses sans chair, ou plutôt deux roseaux,
> La grandeur de ses pieds, et sa petite taille,
> Livrèrent à mon cœur une horrible bataille[22].

Emblème d'une topique, le portrait l'est, à vrai dire, à double titre. En effet, on sait à quel point tout l'argument du *Berger extravagant* consiste à critiquer le roman, dont les lieux communs et les motifs font vaciller le sens commun du héros au point de rendre incertaine la frontière entre illusion et réalité. De ce point de vue, le « portrait métaphorique » est davantage un portrait illustrant une métaphore qu'une métaphore elle-même, si bien que l'épisode permet non

20. Charles Sorel, *Le berger extravagant*, p. 56.
21. Charles Sorel, *Le berger extravagant*, « Remarques », p. 566. « Nostre Charité est si belle qu'elle en est laide ».
22. Desmarets de Saint-Sorlin, « Les Visionnaires » [1637], *Théâtre du XVIIe siècle*, Paris, Éditions Gallimard, coll. « Bibliothèque de la Pléiade », tome II, 1986, acte I, scène 4.

seulement de penser la question du visage, mais aussi les rapports qu'entretiennent, au XVIIᵉ siècle, la catégorie de la représentation et l'écriture romanesque. Le portrait devient alors emblème et mise en abyme de la littérature elle-même ou, du moins, d'une littérature comprise comme remémoration d'une topique. En étant formé d'une constellation de *loci communes*, le visage représenté donne à voir un sujet qui représente moins son objet que les lieux à partir desquels s'invente sa fiction.

Derrière ces anecdotes, il y a l'idée selon laquelle le visage représenté n'est qu'un leurre qui s'éloignerait de ce que serait le modèle. *La description de l'isle de portraiture* énumère, sur un mode plaisant, les requêtes des innombrables candidats au portrait : « ils vouloient tous que leur portrait fust fait sur ce qu'ils paroissoient estre, non pas sur ce qu'ils estoient effectivement[23] ». Le portrait est alors investi d'un pouvoir d'illusion et d'évocation : il ne donne pas seulement à voir une personne, mais aussi les aspirations qui l'animent, voire les rêves et les prétentions d'une existence sollicitant l'approbation des regards qui la scrutent, désireuse de s'offrir à eux en modèle digne d'être imité.

La représentation du visage fait alors écho au thème, cher à l'âge classique, du *theatrum mundi*, du théâtre du monde où chacun se compose un air et une figure à partir de la projection imaginaire de modèles social et esthétique participant l'un et l'autre de la production des apparences. C'est pourquoi le portrait pose la question de la vanité et de l'amour-propre, problème développé au XVIIᵉ siècle, en particulier par la pensée néo-augustinienne et l'écriture moraliste qui dénonçaient l'illusion sous toutes ses formes : illusion d'une introspection obscurcie par l'amour-propre, illusion d'un moi qui n'est que fiction, illusion de la représentation du visage et de la peinture en général dénoncées comme flatterie. Si le portrait offre à la représentation du visage un lieu d'expression privilégié, il peut aussi se comprendre comme la « surface trompeuse[24] » par excellence, comme l'affirme Pierre Nicole, pour qui le moi intime s'efface devant l'apparence que la vanité projette sur le théâtre du monde. À ce titre, il est susceptible d'entraîner toute une série de condamnations morales qui témoignent d'une profonde inquiétude sur la possibilité même d'une représentation du sujet ou,

23. Charles Sorel, *La description de l'isle de portraiture et de la ville des portraits*, Paris, Charles de Sercy, 1659, p. 23. Désormais, les références à cet ouvrage seront indiquées par le sigle « DIP », suivi de la page, et placées entre parenthèses dans le corps du texte.

24. Pierre Nicole, *Essais de morale*, vol. III, Paris, G. Desprez, 1701 [1675], p. 20 : « Il est vrai qu'il leur seroit aisé de s'empêcher d'y être trompés, et de se convaincre eux-mêmes, qu'il n'y a rien de si faux et de si vain que tous ces témoignages d'estime, d'affection, et d'attachement qu'on leur rend. Ils savent ce qu'ils pensent souvent eux-mêmes de ceux à qui ils en rendent de semblables, et ils n'ont pas sujet de juger les autres plus sinceres qu'eux. Mais ils sont bien-aises de n'approfondir pas les choses si avant. Ils se contentent donc de cette surface trompeuse ».

pour mieux dire, d'un désespoir à l'égard de toute authenticité. Au reste, les textes qui condamnent une telle pratique recourent généralement à des références qui forment une véritable topique et dont la plus récurrente reste évidemment la leçon de Narcisse contemplant son image[25]. Mais on retrouve aussi le souvenir des philosophes antiques qui, à l'instar de Plotin, méprisent le portrait, ce «reflet de reflet» représentant un matériau fragile[26], et celui de l'enseignement des saints qui, à l'exemple de saint Paulin de Nole, refusent d'envoyer à autrui leur misérable image terrestre: «Je rougis, écrit ce dernier, de me faire peindre tel que je suis, et je n'ose pas me peindre tel que je ne suis pas. Je hais ce que je suis et je ne suis pas ce que j'aime[27]».

Les textes ne manqueront pas de faire entendre cette critique où se trouve interrogée la capacité de la peinture à être une référence essentielle dans la représentation du visage, mais aussi du sujet. En effet, la vogue extraordinaire du

25. Ovide, *Métamorphoses*, III, p. 416 sq.

26. Porphyre, *La vie de Plotin*, 1, 1-10. Je cite ici la traduction de Luc Brisson *et al.*, Paris, Librairie philosophique J. Vrin, 1992, vol. II, p. 133. «Plotin, le philosophe qui vécut à notre époque, donnait l'impression d'avoir honte d'être dans un corps. C'est en vertu d'une telle disposition qu'il refusait de rien raconter sur ses origines, ses parents ou sa patrie. Supporter un peintre ou un sculpteur lui paraissait indigne au point même qu'il répondit à Amélius le priant d'autoriser que l'on fît son portrait: "Il ne suffit donc pas de porter ce reflet dont la nature nous a entourés", mais voilà qu'on lui demandait encore de consentir à laisser derrière lui un reflet de reflet, plus durable celui-là, comme si c'était là vraiment l'une des œuvres dignes d'être contemplées!»

27. Saint Paulin de Nole, *Sancti pontii meropii paulini nolani epistolae*, (éd. de Guillaume de Hartel), dans *Corpus scriptorum ecclesiasticorum latinorum*, Prague-Vienne-Leipzig, 1893, vol. XVIII. Je cite ici le passage en entier: «*Quid tibi de illa petitione respondeam, qua imagines nostras pingi, tibi mitique iussisti? Obsecro itaque te per viscera caritatis, quae amoris veri solatia de inanibus formis petis? qualem cupis ut mittamus imaginem tibi? terreni hominis an caelestis? Scio quia tu illam incorruptibilem speciem concupiscis, quam in te rex caelestis adamavit. [...] sed pauper ego et dolens, quia ahuc terrenae imaginis squalore concretus sum et plus de primo quam de secundo Adam carneis sensibus et terris actibus refero, quomodo tibi audebo me pingere, cum caelestis imaginem infitiari prober corruptione terrena? Utrimque me concludit pudor: erubesco pingere quod sum, non audeo pingere quod non sum; odi quod sum; non sum quod amo.* »

On notera, du reste, que ce thème comporte de multiples variations pendant tout le XVIIe siècle et se retrouvera, entre autres, dans le *Dictionnaire chrétien*, où sur *différents tableaux de la Nature l'on apprend par l'Écriture et les Saints Pères à voir Dieu peint dans ses ouvrages et à passer des choses visibles aux choses invisibles* du janséniste Nicolas Fontaine, Paris, 1691, p. 511. Voir, à ce sujet, Édouard Pommier, *Théories du portrait*, p. 271. Pour un plus long développement sur les enjeux moraux et religieux du portrait, je me permets ici de renvoyer à mon article, «Le "vain fantosme" de soi-même ou le portrait à l'épreuve de la morale», *Tangence*, n° 66, été 2001, p. 84-100.

portrait littéraire en France allait contribuer à diffuser une pratique de la représentation de soi dans le discours qui tisse des liens avec l'art pictural auquel elle emprunte ses termes (portraire, dessiner, peindre). Dans les cercles précieux qui se réunissent autour de Mademoiselle de Montpensier et à la faveur de l'influence exercée par les romans de Madeleine de Scudéry, le portrait devient un véritable divertissement de société dans la seconde moitié du XVIIᵉ siècle. Diffusé d'abord dans deux recueils de 1659[28], le portrait mondain recourt à une technique assez fixe. Les auteurs proposent la représentation d'un modèle ou d'eux-mêmes en commençant généralement par une énumération des traits physiques à laquelle ils ajoutent une description de traits moraux. Or, comme l'ont montré Jacqueline Plantié et Sara Harvey, les textes qui rendent compte de cette mode du portrait sont contemporains d'une critique de cette représentation de soi, critique dont je ne citerai ici qu'un exemple tiré de la cinquième partie de la *Clélie* de Madeleine de Scudéry, qui témoigne non seulement de l'importance de la mode du portrait, mais aussi des enjeux moraux liés à cette pratique :

63

> [...] en peu de jours tous les hommes de la Cour devinrent Peintres, & toutes les femmes firent leur portrait, sans considerer qu'il est tres difficile de parler bien à propos de soy-me [*sic*], car si on se loüe, on se rend insupportable, si l'on se blasme equitablement, on feroit mieux de corriger ses deffauts que de les publier ; & si l'on n'en dit ni bien ni mal, on est assez ennuyeux. Mais enfin une constellation plus forte que la raison fist que tout le monde se peignit[29].

Ces portraits littéraires mis à la mode par Mˡˡᵉ de Scudéry, Segrais et Mˡˡᵉ de Montpensier connurent, on le sait, un immense succès dans les milieux aristocratiques. Derrière le badinage conventionnel qu'on retrouve dans ces portraits se profilent d'autres enjeux : celui de la nature contre l'artifice, du corps contre le visage, de l'intimité contre le théâtre social, de l'être contre le paraître. C'est, au demeurant, cette même critique qui inspire *La description de l'isle de*

---

28. Madeleine de Scudéry, *Divers portraits*, s. l., 1659 et *La Galeries des peintures, ou recueil de portraits et éloges en vers et en prose, contenant le portrait du roy, de la reyne, des princes, princesses, duchesses, marquises, comtesses, et autres seigneurs et dames les plus illustres de France ; la pluspart composez par eux-memes. Dédié à son Altesse Royale Mademoiselle*, Paris, Charles de Sercy. 1659. Sur l'histoire de la mode du portrait mondain, on consultera l'ouvrage de Jacqueline Plantié, *La mode du portrait littéraire en France 1641-1681*, Paris, Honoré Champion, 1994. Je tiens également à souligner le remarquable mémoire de maîtrise de Sara Harvey qui comporte des analyses de plusieurs portraits du premier recueil. Sara Harvey, *Sociopoétique des Divers portraits de Mademoiselle de Montpensier (1659)*, mémoire de maîtrise, Université Laval, 2001 ; à paraître aux Presses de l'Université Laval, coll. « Les Cahiers du CIERL ».

29. Madeleine de Scudéry, *Clélie. Histoire romaine*, Cinquième partie, Paris, Augustin Courbé, 1661 ; Genève, Slatkine Reprints, 1973, tome IX, p. 284-285.

portraiture et de la ville des portraits, écrit par Charles Sorel et publié en 1659. Accompagné de deux amis, le narrateur se rend sur l'île de portraiture, située au centre du monde et dont les habitants n'ont qu'une seule occupation : faire des portraits. Quant aux étrangers qui visitent l'île, ils font faire leur portrait, achètent des portraits, ou apprennent à en faire.

Le texte s'inscrit d'emblée au cœur même de la mode : « Comme on ne parloit plus à Paris que de Portraits, & que tous les bons Esprits estoient curieux d'en avoir ou de sçavoir faire, nous estions ravis d'aller au lieu où habitoient les meilleurs Maistres de cet Art, & d'où l'on croyoit qu'en venoit l'origine » (DIP, p. 3). L'île se divise en six rues et les peintres s'y répartissent en fonction de leur spécialité. Nous y retrouvons la rue des peintres héroïques, la plus longue rue de l'île, qui accueille les Grands et tous ceux que la fortune favorise ; la rue des peintres amoureux, habitée par des peintres flatteurs qui, aveuglés par l'amour, font toujours de leur modèle la plus belle représentation ; la rue des peintres burlesques et comiques, qui présentent leurs amis et eux-mêmes en faisant rire, mais sans jamais offenser ni offusquer ; la rue des peintres satiriques qui pratiquent le portrait à charge et la caricature ; la rue des peintres censeurs qui lèvent les masques et dénoncent les vices et les défauts des modèles ; et, enfin, la rue des «peintres indifférents et de toutes les sortes» qui n'ont pas de parti pris à l'égard de leurs modèles.

De cette topographie, retenons surtout la rue des peintres héroïques. C'est en effet sur cette rue que la forme allégorique choisie par Sorel prend tout son sens, puisqu'elle est peuplée de peintres flatteurs. La plupart des gens, nous dit le texte, avaient fait le voyage par vanité et ambition, si bien que les peintres en profitèrent pour réclamer un salaire exorbitant en exploitant l'amour-propre de modèles remplis de

> [...] la croyance qu'ils avoient de meriter que leur Memoire fust conservée eternellement aussi bien que celle des plus grands Héros de l'Antiquité : Mais ces Messieurs les Peintres Héroïques faisoient fort les rencheris ; Ils demandoient tant d'argent d'un Portrait qu'à peine l'original valoit-il autant. (DIP, p. 14)

C'est là, du reste, un problème réel que dénoncent par ailleurs tous les traités sur la peinture qui reprennent la pensée néo-augustinienne en rappelant, d'une part, que Dieu seul est éternel et, d'autre part, qu'il est difficile de représenter le sujet dans sa vérité. Quoi qu'il en soit, en avançant plus avant sur la rue des peintres héroïques, le narrateur se dit surpris de «trouver encore quantité de personnes masquées» (DIP, p. 20). L'aveugle a de faux yeux, alors qu'un autre modèle cache sa jambe de bois en portant de superbes bas de soie. Or, poursuit le texte, tout leur soin était de faire croire qu'ils n'étaient pas masqués : il y en avait même dont «les masques estoient si bien faits, & si adroitement attachez ou collez, qu'on les prenoient pour leur vrai visage» (DIP, p. 21). La rue des peintres héroïques est donc celle de la tromperie, puisque ses habitants ne font que reproduire fidèlement sur la toile l'aveuglement du modèle, allant jusqu'à le représenter à partir d'un simple récit, et sans même l'avoir vu. Déçu, le narrateur ne peut que constater les écueils auxquels se heurte l'ambition de représenter le visage :

> Je vis chez eux des Portraits merveilleux ; mais en ayant confronté quelques-uns au visage de ceux pour qui ils estoient faits, lesquels se recontrerent là fortuitement, je connus que c'estoit des Portraits flatteurs & menteurs qui faisoient les personnes beaucoup plus belles, & de meilleure mine qu'elles n'estoient, tellement qu'il n'y avoient que ceux qui ne voyoient point l'original qui y pûssent estre trompez. (DIP, p. 19)

Sorel montre ici que le portrait n'est qu'un masque, parce que tout visage se dissimule sous un voile. Dans ces conditions, même l'autoportrait ne sauroit être le lieu de la représentation juste. Les femmes qui pratiquent cet art empruntent parfois le visage d'une autre, ou se composent une beauté d'emprunt à partir de visages différents, selon la méthode d'un Zeuxis ou d'un Apelle.

> Toutefois si elles se connoissoient, elles se déguisoient donc beaucoup & pour se peindre elles prenoient une autre forme que la leur. Il y en avoit aussi qui pour faire leur Portrait prenoient des Masques des plus fins, & ceux qui imitoient le mieux le naturel, ou bien elles se fardoient de sorte, que c'estoient elles-mesmes, & ce n'estoit plus elles-mesmes. A les voir, on les eust prises pour des Poupées de cire, ou pour ces figures d'Horloges qui sont de bois ou d'ivoire, dont les yeux ont du mouvement par le moyen de ressorts. (DIP, p. 56-57)

Le portrait n'est plus le lieu de la transparence, mais d'un univers qui repose sur la convention et sur l'effet que la représentation peut susciter. Si les femmes décrites par Sorel ne sont pas jolies, parce que trop dissimulées, elles s'en consolent, car « Elles ne se soucioient pas d'estre laides en effet, pourveu que dans le Monde elles eussent le bruit d'estres belles ». (DIP, p. 59-60)

Le portrait devient, tout au long de *La description de l'isle de portraiture*, le lieu d'ancrage d'une poétique singulière dont le fondement réside moins dans une représentation topique du visage que dans une instance fluctuante : *le moi*. En effet, les différents portraits dont parle Sorel impliquent une multiplicité de points de vue portés sur un même modèle. C'est, du reste, ce que montre également la deuxième scène tirée du *Berger extravagant*, celle du portrait anamorphique qui présente deux images d'un même sujet, l'image que le portrait offre au regard de l'autre et celle que le modèle aimerait bien qu'on puisse reconnaître. Ici, Carmelin, le serviteur de Lysis, relate la métamorphose du portrait dont il a été témoin[30]. L'épisode met en scène un bourgeois présomptueux qui décide de montrer son nouveau tableau à ses invités. Voulant lui donner plus de lustre, il frotte le portrait avec un linge mouillé ainsi que le lui avait conseillé le peintre. La première peinture se dissout et une image antithétique apparaît, qui représente le portrait du bourgeois en paysan cocu. Au chapeau à panache

65

---

30. Charles Sorel, *Le berger extravagant*, livre VIII, p. 260-269.

s'est substitué une paire de cornes, aux bottes, des guêtres, à l'épée un compas. À l'insu du modèle, le peintre qui, dit-on, était furieux de voir «qu'un menuisier se vouloit faire peindre en gentil'homme» avait fait son portrait en deux couches, la première à l'huile et la seconde à la détrempe, «si bien que l'eau avoit effacé en moins de rien cette dernière couche». De cet épisode, Carmelin conclura que le peintre «avoit mis peinture sur peinture en s'imaginant qu'il s'agissait de punir un coquin qui voulait paraître ce qu'il n'étoit pas.»

À la suite de ce parcours à partir duquel se laisse envisager dans sa généralité la question du portrait au XVIIᵉ siècle, quelques dernières remarques s'imposent. Comme en témoignent les nombreux textes que nous avons sollicités, la représentation du visage ne peut bien se saisir que si on la place dans un ensemble de savoirs et de pratiques qui permet d'en comprendre les enjeux théoriques. En effet, le portrait combine pratiques artistiques, histoire et théorie des arts et des lettres, philosophie du sujet. Médiateur de la sensibilité, il dévoile d'abord et avant tout les rapports conflictuels qu'entretient l'individu face à son propre visage, auquel on attribue le pouvoir de révéler caractère, passions, désirs les plus secrets et, à ce titre, de porter un regard sur soi ou sur l'autre, de se mettre en scène ou de se dissimuler. De ce point de vue, le visage devient un lieu de médiations, de «fabrications de présence», d'«effets d'immédiateté» et de «modes de résistance[31]». Mais ces médiations ont une histoire: au XVIIᵉ siècle, au moment même où l'expression du visage devient une question centrale qui intéresse plusieurs disciplines, on en vient à se méfier des pouvoirs expressifs du visage: parce que transparent, le visage n'est-il pas susceptible de révéler ce que l'on souhaiterait voir caché? En effet, les signes qui affleurent à la surface du visage fondent un lexique de la reconnaissance et constituent les éléments essentiels d'une caractérisation psychologique et d'une taxinomie sociale qui semblent impossibles à contourner. Il s'agit alors pour l'individu de se dérober à tous ces regards qui cherchent à repérer une passion ou un caractère sous cette surface offerte par le visage. C'est là la leçon des manuels de civilité qui prônent une véritable politique du visage. Le portrait, comme outil de dissimulation, fabrique alors des masques, une «surface trompeuse[32]» ou une «agréable imposture» (DIP, p. 27) qui génère un être fictif qui se contente de signes. Avec cette distorsion, voire cette opposition, entre *regard sur soi* et *connaissance de soi*, et dans le sillage de cette première multiplication des images de soi, on assiste dès lors à l'émergence d'une nouvelle topique, constitutive de la modernité: d'un côté, le visage *public*, conçu comme régulateur des échanges, de l'autre, le visage *privé*, le seul qui soit encore sincère et susceptible de livrer le moi dans la plus parfaite transparence.

31. Voir Éric Méchoulan, «Intermédialités: le temps des illusions perdues», *Intermédialités*, nᵒ 1, printemps 2003, p. 9-27.

32. L'expression est de Pierre Nicole, *Essais de morale*, p. 20.

Autour du portrait d'identité : visage, empreinte digitale et ADN

Hélène Samson

L e portrait d'identité est une forme de représentation extrêmement fami-
lière, puisqu'il se retrouve invariablement sur les nombreuses cartes qui
donnent accès aux services publics et sur les passeports. Son vocabulaire est très
limité : un gros plan photographique du visage de face, inexpressif, sur un fond
neutre, auquel s'ajoute une vue de profil dans le cas de la fiche judiciaire. Sa syntaxe est rigoureusement réglée en des relations fixes entre la figure et le fond, le
plan, le cadrage, la mise au point, l'éclairage et la réduction de la figure par rapport au visage de référence. La forme du portrait d'identité a été « standardisée »
dans les années 1880 par Alphonse Bertillon, alors employé au Service de
police de la Préfecture de Paris, pour les besoins d'un système d'identification
des délinquants et des récidivistes (fig. 1). Le bertillonnage s'est vite répandu à
toute l'Europe et il a été adopté par la Police canadienne et américaine dès 1887.
Cependant, l'hégémonie de cette technique d'identification n'aura pas été de
longue durée, puisque, en 1902, tous les services judiciaires du monde ont systé-
matisé le recours aux empreintes digitales. Jusqu'à ce jour, aucune enquête n'en
fait l'économie. Toutefois, depuis les années 1980, l'identification génétique et la
biométrie numérique se sont ajoutées à la panoplie des moyens d'identification
des individus. Nous voulons montrer que ces différentes techniques — le portrait
photographique, l'empreinte digitale, le profil génétique et la biométrie — sont
des variations de modalités sur un même paradigme : celui qui définit à l'origine
le portrait d'identité. Nous ferons d'abord l'analyse des présupposés du portrait
d'identité dans sa forme historique du XIXe siècle, afin de mettre en évidence
le maintien de ces présupposés dans les techniques d'identification actuelles.
Ensuite, nous verrons que les nouvelles conditions technologiques de la photographie et du corps entraînent des changements dans la pratique du portrait et
comportent des enjeux identitaires.

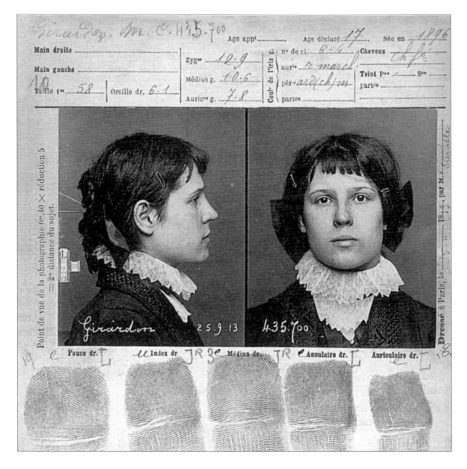

Fig. 1. *Fiche signalétique de M. C. Girardon*, 25 septembre 1913, Préfecture de police, Paris, photographie argentique et empreintes digitales. © Musée des collections historiques de la préfecture de Paris.

Les présupposés idéologiques du portrait d'identité sont *l'inscription corporelle de l'individualité* et *l'objectivité de la représentation*. En termes pragmatiques, cela signifie que cette technique d'identification nécessite la figuration d'un aspect individuel unique — en l'occurrence, le visage — et requiert que cet aspect soit enregistré de manière automatique pour en garantir la validité. En contre-exemple, un portrait au visage complètement stéréotypé, de même qu'un portrait « fait main », ne saurait remplir la fonction d'identification ; l'un n'étant pas différentiel, l'autre n'étant pas objectif. Lorraine Daston et Peter Galison soutiennent que *la notion d'objectivité* est historique et qu'elle s'est cristallisée dans la seconde moitié du XIXᵉ siècle[1]. Le concept est lié au caractère mécanique de l'enregistrement qui permet d'éliminer l'influence du jugement personnel dans l'observation et dans la représentation de la nature. L'objectivité se définit donc par la négative, c'est-à-dire par l'absence d'intervention arbitraire. Daston et Galison ont analysé et historicisé cette notion en étudiant l'évolution des atlas scientifiques du XVIIIᵉ au XXᵉ siècle. Ils ont constaté que la publication d'atlas photographiques étaient en progression à la fin du XIXᵉ siècle. Phénomène qui participe de la formation du concept d'objectivité puisque la photographie y est présentée comme le parangon de l'objectivité. Par exemple, en 1845, Alfred Donné, médecin, fait appel à la microphotographie pour constituer l'atlas de son *Cours de microscopie complémentaire des études médicales*. Dans son introduction, il affirme que le nouveau procédé — le daguerréotype — représente « exactement les objets, indépendamment de toute interprétation [et qu'il prévient] l'influence des idées théoriques de l'auteur[2] ». Jeff Rosen, s'intéressant aussi à l'idéologie de l'objectivité, s'est penché sur un autre atlas, *La photographie zoologique ou représentation des animaux rares des collections du Muséum d'Histoire naturelle*, publié en 1853 sous la direction de Louis Pierre Rousseau et de Jean-Marie Devéria. Il considère que la naturalisation des figures dans la *Photographie zoologique* s'appuie sur trois conditions d'objectivité fournies par la photographie : l'appareil, qui offre une fidélité optique et un automatisme de l'enregistrement ; le cadrage, qui définit l'objet selon le concept de spécimen — notion déjà courante dans les cabinets de curiosité et dans les musées d'histoire naturelle et enfin la reproduction et la diffusion massive de clichés « purement photographiques », c'est-à-dire non retouchés[3]. La valorisation scientifique de la photographie s'est effectuée aussi en astronomie, où l'acuité visuelle possède une valeur heuristique[4]. L'archéologie est un autre domaine de formation du concept d'objectivité photographique, notamment avec la mission d'Auguste Salzmann à Jérusalem de

69

1. Lorraine Daston et Peter Galison, « The Image of Objectivity », *Representation*, n° 40, automne 1992, p. 81-128.

2. Alfred Donné, « Atlas. Introduction », dans André Rouillé, « L'euphorie des scientifiques (1844-1853) », *La photographie en France*, Paris, Macula, 1989, p. 73.

3. Jeff Rosen, « Naming and Framing "Nature" in *La photographie zoologique* », *Word & Image*, vol. 13, n° 4, oct.-déc. 1997, p. 377-391.

4. Les premiers enregistrements photographiques du soleil se font sous l'instigation de François Arago, en France, et de Sir John Herschel, en Angleterre, dans les années 1845 et 1847. À ce sujet, on consultera Ann Thomas, « Capturing Light: Photographing the Universe », dans Ann Thomas (dir.), *Beauty of Another Order. Photography and Science*, New Haven, Ottawa, Yale University Press, Musée des beaux-arts du Canada, 1997, p. 197-200.

1852 à 1854⁵. Il s'agissait pour Salzmann de prouver par photographies les hypothèses de l'archéologue Ferdinand de Saulcy. Selon Abigail Solomon-Godeau, la photographie de Salzmann, typique des missions photographiques françaises du Second Empire, constitue « […] *an act of scientific documentation and objective reporting to be rendered with the impartial and truth-telling eye of the camera*⁶ ». Ces premières applications scientifiques de la photographie, soutenues par l'État et par les institutions du savoir, sont des jalons dans la formation du concept d'objectivité. Elles ont permis de légitimer l'usage scientifique de la photographie dans les travaux de Cesare Lombroso et de Francis Galton, vers 1875-1878, sur la typologie du visage humain. Mais surtout, cette objectivité de la photographie a été l'un des postulats de l'identification par le portrait photographique dans l'anthropométrie signalétique de Bertillon.

L'inscription corporelle de l'identité constitue le second présupposé fondamental du portrait d'identité. La médecine a joué un rôle important dans l'établissement de ce postulat. Michel Foucault a soutenu, dans *La naissance de la clinique*, que la médecine connaissait au XVIIIᵉ siècle des mutations majeures, dont l'une a été d'identifier l'expérience clinique à celle du regard. Dans la médecine moderne, l'interprétation des signes en tant que symptômes de la maladie équivaut à « lire les structures profondes de la visibilité⁷ ». Foucault a également montré comment l'étude anatomique du cadavre a façonné une « médecine de l'individu », exercée en contact direct avec le malade, et caractérisée par l'association du visuel et du factuel. Cette association cruciale, consolidée par l'usage de la photographie, est à la base de l'identification des individus par des traits corporels visibles, et de la catégorisation et de la classification de ces mêmes individus. Cependant, il est rare que l'identification soit simplement nominale et sans préjugé, car la tradition physiognomonique vient teinter tout signe corporel d'une connotation identitaire profonde. C'est-à-dire que la croyance en l'idée que les marques du corps recèlent des informations sur la nature plus profonde des individus — le principe de la physiognomonie — a trouvé dans la photographie du visage et du corps un moyen sans précédent de s'affirmer. Les domaines de

---

5. L'œuvre de Salzmann a été étudiée par Abigail Solomon-Godeau, « A Photographer in Jerusalem, 1855: Auguste Salzmann and his Time », *Photography at the Dock. Essays on Photographic History, Institutions and Practices*, Minneapolis, University of Minnesota Press, 1991, p. 150-168 ; le cas est documenté par André Rouillé, dans « Controverse archéologique : la preuve par la photographie (1855-1861) », *La photographie en France*, p. 136-143.

6. Abigail Solomon-Godeau, « A Photographer in Jerusalem », p. 154.

7. Michel Foucault, *La naissance de la clinique*, Paris, Presses universitaires de France, 1963, p. 89.

l'ethnologie et de l'anthropologie à la période coloniale abondent d'exemples à ce sujet[8].

L'histoire du portrait d'identité illustre l'application de ces présupposés. Plusieurs disciplines y ont contribué par des propositions fondées sur l'enregistrement photographique des traits du visage. Cependant, l'approche scientifique du portrait s'est amorcée dans une perspective typologique, c'est-à-dire de généralisation. Ensuite est venue la recherche de différenciation individuelle avec le portrait d'identité en réponse aux besoins de l'enquête judiciaire. En psychiatrie, les travaux photographiques des docteurs Hugh Welch Diamond, directeur de l'asile du Surrey, et Jean-Martin Charcot à la Salpêtrière, se situent dans la tradition des atlas scientifiques. Ce sont essentiellement des travaux d'illustration et de catalogage des plus « remarquables cas » de maladies mentales. Pour ces médecins, la photographie s'est imposée comme le moyen de réaliser cette tâche : « *Photography gives permanence to these remarkable cases […] and makes them observable not only now but for ever, and it presents also a perfect and faithful record […]* » écrivait Diamond dans son allocution à la Royal Society sur l'application de la photographie à la physiognomonie des maladies mentales[9]. L'éminent professeur Charcot, quelque trente ans plus tard, étayant de photographies ses leçons sur l'hystérie, renchérissait : « Voilà la vérité. […] Vous savez que j'ai pour principe de ne pas tenir compte de la théorie et de laisser de côté tous les préjugés […] je ne

71

8. Plusieurs essais et catalogues d'expositions ont été consacrés au rapport entre l'anthropologie et la photographie au XIXe siècle. Pour n'en citer que quelques-uns : Kathleen Stewart Howe, *First Seen, Portraits of the World's Peoples*, Santa Barbara, California, Santa Barbara Museum of Art, 2004 ; Nicholas Mirzoeff, « Photography at the Heart of Darkness », *Bodyscape*, New York, Londres, Routledge Press, 1995 ; Ruth Charity, Christopher Pinney *et al.* (dirs.), *The Impossible Science of Being : Dialogues Between Anthropology and Photography*, Londres, The Photographer's Gallery, 1995 ; Elizabeth Edwards (dir.), *Anthropology and Photography 1860-1920*, New Haven, Londres, Yale University Press, The Royal Anthropological Institute, 1992 ; Benoît Coutancier, « *Peaux-Rouges* ». *Autour de la collection anthropologique du Prince Roland Bonaparte*, Paris, Éditions de l'Albaron, Photothèque du Musée de l'Homme, 1992 ; Melissa Banta et Curtis M. Hinsley (dirs.), *From Site to Sight. Anthropology, Photography, and the Power of Imagery*, Cambridge, Massachusetts, Peabody Museum Press, 1986.

9. Hugh Welch Diamond, « On the Application of Photography to the Physiognomics and Mental Phenomena of Insanity » (vers 1858), texte d'allocution publié dans *Journal of Photographic Society*, nos 3-4, 1856-58, et commenté par Martin Kemp, « "A perfect and Faithful Record" : Mind and Body in Medical Photography Before 1900 », dans Ann Thomas (dir.), *Beauty of Another Order*, p. 120-149, et par Sander Gilman, *The Face of Madness, Hugh W. Diamond and the Origin of Psychiatric Photography*, New York, Brunner, Mazel, 1976, p. 17-24.

suis absolument là que le photographe ; j'inscris ce que je vois[10] […] ». À ces mots, il est clair, d'une part, que les deux médecins endossaient entièrement le nouveau credo inspiré par l'enregistrement mécanique de la photographie — l'objectivité ; d'autre part, que leur observation scrupuleuse de l'expression faciale, des postures, des tensions et des contractions musculaires sous-tendent l'idée d'une manifestation de la maladie mentale en surface du corps.

Au XIXe siècle, deux nouveaux courants idéologiques ont influencé les sciences sociales : le scientisme, favorisé par la philosophie positiviste d'Auguste Comte et l'eugénisme, dérivé du modèle de sélection naturelle proposée par Charles Darwin pour expliquer l'évolution des espèces. Conformément à ces courants idéologiques, le programme de recherche en sciences sociales a été marqué à la fois par une exigence méthodologique et par la prépondérance des notions d'individu, d'hérédité et de dégénérescence. De plus, le développement des statistiques durant cette même période a inspiré les protocoles de recherches de Lombroso, de Galton et de Bertillon[11]. L'anthropologie criminelle de Cesare Lombroso, associée à l'école italienne, correspond à une physiognomonie de la criminalité. Selon sa théorie de l'atavisme, qui postule des vestiges de pulsions animales chez l'humain, Lombroso soutenait que le criminel-né portait sur son visage les « stigmates physiques » de la bestialité. Son ouvrage majeur paru en 1876, *L'uomo delinquente*, contient des centaines de portraits photographiques de criminels et de déviants classés par sexe, par nationalité et présentés en tableaux. L'accumulation d'un grand nombre de cas devait permettre de révéler les « traits accusateurs » et de généraliser le faciès du criminel. Francis Galton, le père de l'eugénisme, s'est appliqué aussi à l'élaboration d'une typologie des visages. Il défendait l'idée que la transmission des attributs héréditaires — le génie au même titre que les tares — devait être contrôlée par la société. Non seulement préconisait-il de contenir les populations dégénérées en des lieux sûrs, mais aussi de les empêcher de se reproduire[12]. Sa méthode photographique dite du *portrait composite* consiste à condenser plusieurs visages en un seul par l'accumulation de six à douze expositions successives sur la plaque sensible. « Les différences sont donc dissoutes dans une opération optique de superposition, cette soustraction […] ne conserve que les traits dominants et constants, considérés comme seuls

---

10. Jean-Martin Charcot [1887-1888], cité par George Didi-Huberman, *Invention de l'hystérie. Charcot et l'iconographie de la Salpêtrière*, Paris, Macula, 1982, p. 32.

11. Au sujet de l'influence des statistiques sur l'usage de la photographie, voir Allan Sekula, « The Body and the Archive », Richard Bolton (dir.), *The Contest of Meaning : Critical Histories of Photography*, Cambridge, Massachusetts, MIT Press, 1989, p. 348-359.

12. Voir Peter Hamilton, « Policing the Face », dans Peter Hamilton et Roger Hargreaves, *The Beautiful and the Damned. The Creation of Identity in Nineteenth Century Photography*, Londres, The National Portrait Gallery, 2001, p. 93- 100.

signifiants[13] [...] ». Galton a conçu ce procédé comme un instrument de recherche scientifique pour cerner le type physionomique de toute catégorie d'individus, à commencer par le criminel, ensuite le Juif, l'Irlandais, le tuberculeux, de même que l'officier de l'armée britannique et l'ingénieur royal.

L'atlas photographique de Lombroso et le portrait composite de Galton ont pour objet le *type essentiel* permettant, chez l'un, de reconnaître la physionomie atavique des criminels et des prostituées ; chez l'autre, de révéler les traits héréditaires de certains groupes d'individus et de familles. Bien que le fondement de leur typologie s'appuie sur l'inscription corporelle de l'identité, il ne s'agit pas encore de portraits d'identité, car l'accent porte sur l'uniformité des visages. En revanche, à la même époque, les fiches que s'échangeaient criminologues et policiers dans l'exercice de leurs fonctions pour identifier les délinquants devaient montrer *les traits différentiels* des individus. C'est dans l'anthropométrie judiciaire, développée par Alphonse Bertillon, que la syntaxe du portrait d'identité atteint son point d'orgue. Alphonse Bertillon entre au service de la police parisienne en 1878 et découvre un registre abondant de portraits et de marques corporelles distinctives pratiquement inutilisables en raison du manque d'uniformité des données et, surtout, en raison du manque de classification adéquate. L'efficacité policière requérait de pouvoir identifier un récidiviste dans les plus brefs délais, c'est-à-dire de retrouver rapidement la fiche signalétique correspondant à la description du contrevenant. Bertillon résolut d'abord le problème du signalement. Il avait été à même de constater, à l'occasion de bavures, que la ressemblance photographique pouvait être trompeuse, sans compter que déguisements, blessures, chirurgies pouvaient rendre un individu méconnaissable. C'est pourquoi il sélectionna un indice individuel extrêmement stable et infalsifiable : l'ossature. En cela réside, comme le souligne Christian Phéline, la « véritable invention » de Bertillon[14]. De plus, les mesures osseuses permettaient d'enregistrer la description corporelle en termes numériques, c'est-à-dire de produire une codification de l'identité. Dès l'année suivant son arrivée, Bertillon proposa donc un système d'anthropométrie en trois parties : 1) une série des mesures corporelles, onze en tout, comprenant la taille, les dimensions des membres, des doigts, des pieds, des oreilles, de la mâchoire et du crâne ; 2) une description physique de l'individu dans un vocabulaire morphologique très précis et suivant un relevé des détails corporels désignés — le front, le nez, l'oreille, l'iris, incluant les marques distinctives comme les cicatrices et les tatouages ; 3) un double portrait photographique de face et de profil réalisé selon des règles strictes. Tous ces

73

13. Michel Frizot, « Corps et délits. Une ethnophotographie des différences », *Nouvelle histoire de la photographie*, Paris, Bordas, Adam Biro, 1995, p. 267.

14. Christian Phéline, « L'image accusatrice », *Les cahiers de la photographie*, n° 17, Laplume, ACCP, 1985, p. 10.

renseignements se trouvaient réunis sur une fiche, y compris le portrait photographique. Bertillon résolut ensuite le problème majeur de l'archivage de ces fiches en un système qui servira de modèle pour la classification des empreintes digitales. Notons, au passage, que ce problème resurgit actuellement avec la classification des données biométriques informatisées. Dix ans après l'instauration du bertillonnage à Paris, on peut lire dans le manuel traduit à l'intention des policiers américains : « [...] *the potential was to fix the human personality, to give each human being an identity, an individuality, certain, durable, invincible, always recognizable, and always capable of being proven*[15] [...] ». Des mots qui traduisent un désir de certitude, une adhésion totale au paradigme d'une identité définie par l'objectivité et par l'inscription corporelle de l'identité.

Durant ces mêmes années, un autre indice corporel attire l'attention : les dermatoglyphes — ou plus exactement les « dactyloglyphes » — à l'origine de l'empreinte digitale. Cette technique d'identification, plus efficace, plus facile et plus économique que le portrait photographique et l'anthropométrie combinés, détrônera le bertillonnage. Cependant, malgré cette dévaluation, on ne cessera pas de photographier les détenus selon le modèle institué à la Préfecture de Paris, mais le rôle du portrait d'identité dans l'enquête policière ne sera plus capital. En revanche, dans le milieu civil, ce petit portrait connaîtra une diffusion extraordinaire au cours du XXᵉ siècle, sur le passeport notamment. L'histoire du passeport révèle un curieux revirement de situation : pendant des siècles, faisant office de sauf-conduit, le document désignait le voyageur, l'étranger, l'individu en situation hors-norme[16]. Il était un document d'exception susceptible d'éveiller le soupçon à l'égard de son porteur. Paradoxalement, au XXᵉ siècle, le passeport, comme la carte d'identité, atteste une légitimité. C'est désormais la situation d'être « sans-papiers » qui est suspecte. De plus, les usages du portrait d'identité sont à l'origine d'une double rhétorique. Christian Phéline constate une rhétorique de « l'image accusatrice[17] » liée au contexte d'usage en psychiatrie, en criminologie, et dans l'investigation policière. Par ailleurs, en se banalisant sur les cartes d'accès aux

15. Gallus Muller, « Preface », *Alphonse Bertillon's Instructions for Taking Descriptions for the Identification of Criminal and Others by the Means of Anthropometric Indications*, 1889, New York, AMS Press, 1977, n. p.

16. Gérard Noirel, « Surveiller les déplacements ou identifier les personnes ? », *Genèses. Sciences sociales et histoire*, Paris, n° 30, mars 1998, p. 77-100.

17. L'expression est attribuée à Ernest Lacan qui écrivait au sujet de l'usage judiciaire de la photographie : « Quel repris de justice pourrait échapper à la vigilance de la justice ? Qu'il s'échappe des murs où le retient le châtiment ; qu'une fois libéré, il rompe le ban qui lui prescrit une résidence, son portrait est entre les mains de l'autorité ; il ne peut échapper : lui-même sera forcé de se reconnaître dans cette image accusatrice », Ernest Lacan, *La Lumière*, 1856, cité par Christian Phéline, « L'image accusatrice », p. 19.

services publics, le portrait d'identité est devenu une figure sans ressemblance, au sens idéal de ce terme. Sa rhétorique est alors celle de l'anonymat, comme le suggère la photographie de Jana Sterbak, *Generic Man* (1987), où l'on voit un individu marqué à la nuque d'un code barre (fig. 2).

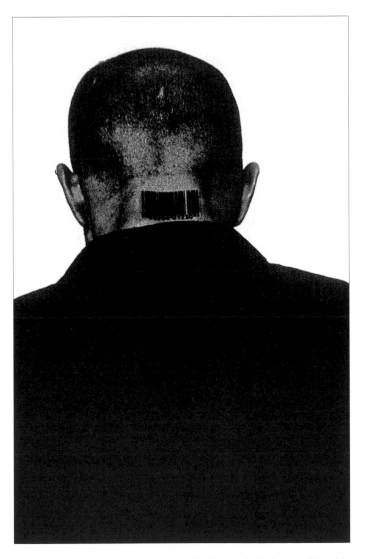

Fig. 2. Jana Sterbak, *Generic Man*, 1987. © Jana Sterbak. Avec l'aimable autorisation de l'artiste.

En 1902, à la suite de résolutions d'enquêtes apportées par les empreintes digitales, la supériorité de ce système s'est imposée[18]. Malgré ce changement de modalité, il ressort que l'identification par les dermatoglyphes s'appuie sur les mêmes présupposés que le portrait photographique : l'inscription corporelle de l'identité et l'objectivité de l'enregistrement. L'objectivité est garantie par le procédé automatique de l'empreinte, lequel correspond, comme la photographie, à la sémiologie de l'indice chez Peirce. De plus, l'implantation de cette technique reproduit les mêmes problèmes — de classification, notamment — et les mêmes enjeux sociaux et philosophiques que le bertillonnage. Par ailleurs, le portrait et l'empreinte digitale ont accru l'efficacité de la surveillance dans le temps et dans l'espace. Ces deux techniques ont aussi constitué une attestation (naïve) du déterminisme biologique et ont favorisé le maintien de la physiognomonie. À ce propos, l'identification des criminels au moyen des empreintes digitales s'est accompagnée de l'ambition de faire de cet indice un outil diagnostic, c'est-à-dire d'étendre l'identification des individus à la détermination de leur identité. Francis Galton, en étudiant l'hérédité des dermatoglyphes, espérait déceler l'ascendance des individus, qu'il s'agisse de la race, de l'ethnie ou de la prédisposition à la criminalité. Selon une simplification de la théorie de l'évolution des espèces, il recherchait la présence de dermatoglyphes simiesques chez les individus « dégénérés ». Il ne parvint pas à soutenir cette hypothèse. Quoi qu'il en soit, les ambitions de Galton manifestent un entêtement à déterminer plusieurs caractéristiques d'un individu à l'aide d'un seul indice corporel, c'est-à-dire un désir de *diagnostiquer* l'identité. Aujourd'hui, l'empreinte digitale est toujours en vigueur dans l'identification des contrevenants, mais elle est dissociée de l'ambition diagnostique, même si cette possibilité est réelle[19]. En revanche, l'identification par le profil génétique, la troisième variation sur un même paradigme, semble indissociable de son potentiel d'informations sur l'ascendance et l'avenir biologique des individus, et ce, au-delà de leur propre connaissance d'eux-mêmes.

L'acide désoxyribonucléique (ADN) est une caractéristique individuelle comme les dermatoglyphes et le visage. Son enregistrement, sous la forme de

18. Nous renvoyons au cas « Will West » relaté par Simon A. Cole, dans *Suspect Identities. A History of Fingerprinting and Criminal Identification*, Cambridge, Massachusetts, Harvard University Press, 2002, p. 141-142. Ce cas relate l'existence de deux individus du même nom, dont les portraits étaient presque identiques. L'empreinte digitale permit d'attribuer à chacun sa fiche signalétique respective.

19. Au sujet des possibilités de diagnostic par l'empreinte digitale, voir Simon A. Cole, *Suspect Identities*, p. 307.

l'*autoradiogramme*[20], relève d'une technique analogue à la photographie, à la différence près que la trace est produite par la radioactivité plutôt que par la lumière. L'analyse biochimique de la molécule d'ADN, à l'origine du profil génétique individuel, a permis de résoudre des énigmes judiciaires, notamment les crimes à caractère sexuel pour lesquels le visage et l'empreinte digitale n'étaient d'aucune utilité. Selon la théorie génétique de l'hérédité, il y aurait un lien causal essentiel entre les gènes et l'apparition des traits héréditaires. C'est en ce sens que sont interprétées les corrélations démontrées entre un gène et un phénomène biologique, d'où l'expression « code génétique » qui reconduit la métaphore linguistique. Cependant, la génétique de pointe réfute ce rapport de causalité directe entre le génotype et le phénotype, pour la simple raison qu'une corrélation n'implique pas un lien causal et que plusieurs autres facteurs entrent en jeu dans l'apparition d'un phénomène biologique, ne serait-ce que l'alimentation et l'environnement[21]. De plus, il s'avère qu'une très grande proportion d'ADN n'est corrélée à aucun trait ou phénomène biologique particulier[22]. Néanmoins, la notion d'identité génétique frappe les esprits car le discours de vulgarisation véhicule le mythe de la connaissance physiognomonique parachevée, la perspective de l'eugénisme, du clonage et de l'éradication des maladies héréditaires et dégénératives. Même si de nouvelles théories de l'hérédité viennent tempérer ces enthousiasmes, il demeure que dans l'investigation judiciaire, le profil génétique constitue le test ultime dans un grand nombre de cas, et cet usage ne peut qu'être facilité par l'informatisation de la technique et la miniaturisation des laboratoires. En ce qui concerne l'identité personnelle, l'identification génétique de l'individu, de même que toute forme d'identification corporelle objective, est déstabilisante, aversive même, car elle procure un sentiment d'aliénation. L'individu ne contrôle pas et ne comprend pas cette information qui le caractérise. Surtout, il ne peut *se* reconnaître dans des notations biochimiques, bien qu'il doive admettre d'un point de vue scientifique que l'indice génétique recèle des informations très exactes sur ses prédispositions biologiques.

En réponse aux besoins accrus de sécurité, dont il convient d'ailleurs de considérer la part d'inflation idéologique, la biométrie électronique (*biometrics*) s'avère plus adéquate que le profil génétique. L'identification par détection

77

---

20. Pour une analyse sémiologique de l'autoradiogramme, voir Hans-Jörg Rheinberger, « Auto-Radio-Graphics », dans Bruno Latour et Peter Weibel (dirs.), *Iconoclash*, Karlsruhe, Cambridge, ZKM, MIT Press, 2002, p. 516-519.

21. Jean-Jacques Kupiec, Pierre Sonigo, « L'erreur génétique », dans *Ni Dieu ni gène. Pour une autre théorie de l'hérédité*, Paris, Éditions du Seuil, 2000, p. 76-80.

22. À ce sujet voir Thierry Bardini, « Variations sur l'insignifiant génétique : les métaphores du (non) code », *Intermédialités*, n° 3, printemps 2004, « Devenir-Bergson », p. 163-186.

électronique d'un indice corporel est en plein essor, qu'il s'agisse de détecter les dimensions de la main, le timbre de la voix, le réseau veineux au dos de la main ou le cône de l'iris. Ces indices corporels peuvent être enregistrés efficacement grâce à des instruments très perfectionnés. Une fois ces indices numérisés et sauvegardés dans un système de détection, la reconnaissance de l'individu peut s'effectuer automatiquement. L'application de la biométrie vise entre autres à contrôler le passage des frontières et l'accès à des sites réservés — centres récréatifs, bibliothèques, institutions bancaires, aéroports et surtout les banques de données informatiques. Les indices sont sélectionnés pour leur potentiel de différenciation, leur accessibilité et leur « infalsifiabilité ». Selon ce dernier critère, tout indice est abandonné dès qu'il peut être modifié par la chirurgie plastique ou par la génétique. De plus, ces indices ne sont pas connotés — pas encore — de la possibilité de déterminer « en profondeur » l'identité de l'individu, comme c'est le cas pour le visage et le profil génétique. D'ailleurs, le discours de la biométrie, sensible aux problèmes de discrimination, insiste sur le fait qu'elle ne vise strictement que la vérification de l'identité.

L'enregistrement électronique de la voix ou de l'iris constitue une autre forme du « paradigme du portrait d'identité » — comme la photographie du visage, l'empreinte digitale et le profil génétique. Bien que la modalité de l'identification soit nouvelle, le corps demeure soumis aux principes de l'objectivité et de l'inscription corporelle de l'identité. Cependant, la biométrie présente une particularité, à savoir qu'il y a dissolution de l'artefact intermédiaire entre l'agent de contrôle et l'individu contrôlé. Autrement dit, les notations, les papiers d'identité, le NIP ou le mot de passe ne sont plus utiles. L'objet de médiation disparaît. Avec l'enregistrement de l'iris, par exemple, il suffit à l'individu de fixer un point précis quelques fractions de seconde pour accéder ou non à un site protégé. « *Biometrics are turning the human body into a universal ID card of the future* », écrit Irma Van der Ploeg[23]. Le corps devient directement lisible par le système électronique, lui-même dissimulé dans l'environnement. Van der Ploeg considère que la biométrie produira une « identité digitale » associée par conditionnement aux activités sociales sous surveillance, comme les déplacements. On peut en effet envisager que tout individu intériorise son propre circuit dans l'espace public, avec ses passages libres, autorisés, facilités ou interdits, comme un aspect de soi.

Le paradigme du portrait d'identité, qui traverse les XIXe et XXe siècles, est emblématique de la modernité dans l'objectivation et l'ordonnancement des êtres humains, de même que dans l'obsession à scruter et à lire les surfaces corporelles en quête d'une signification intérieure. Les grands portraits de Thomas Ruff

23. Irma van der Ploeg, « Written on the Body: Biometrics and Identity », *Computers and Society*, vol. 29, n° 1, mars 1999, p. 37-44.

réalisés dans les années 1980 reviennent sur ce paradigme moderne du portrait d'identité. Ils en sont une stylisation pour mieux remettre en question ses présupposés. Au demeurant, si ce paradigme crée de nouveaux phénomènes comme l'identité génétique et l'identité digitale, les nouvelles technologies, qui permettent cette évolution, changent la pratique du portrait. En effet, avec la numérisation de l'image, toute photographie est désormais suspecte et ne peut plus jouir de son aura d'objectivité; avec les progrès de la chirurgie, le visage — et par extension tout le corps — devient une surface de manipulation. Du point de vue judiciaire, le visage est un indice hautement falsifiable, et du point de vue social, il est une surface d'inscription des désirs d'une communauté. À ce chapitre, d'ailleurs, s'ajoute maintenant la possibilité de greffer un nouveau visage. En novembre 2005, un médecin français réussissait la première greffe partielle du visage — nez, bouche et menton. Succès qui a été répété en avril 2006 par une équipe chinoise[24]. Il s'agissait dans les deux cas d'individus défigurés par une morsure d'animal : de chien et d'ours. L'intervention consiste à mouler une nouvelle peau provenant d'un donneur sur les os et les muscles du receveur en rétablissant les connexions nerveuses et sanguines. Le nouveau visage est donc la combinaison des visages de l'un et de l'autre, rien de moins qu'un portrait composite *vivant*. Plusieurs médecins autour du monde sont en lice pour réaliser une greffe complète du visage. Les équipes de Cleveland et de Londres sont prêtes et cette dernière n'attend que l'autorisation par un comité d'éthique de procéder à l'intervention sur une victime de grandes brûlures. En regard de ses possibilités, la chirurgie plastique — comme le génie génétique — instaure une nouvelle politique du corps et par conséquent, un profond bouleversement dans la phénoménologie de l'identité personnelle. Si l'on compare l'histoire du portrait scientifique, qui a permis de nommer, de collectionner et de classer les visages comme une donnée fixe, et les conditions actuelles du portrait photographique, qui rétablissent la subjectivité et la créativité du portrait pictural, on constate qu'après avoir été dévisagé par la science — au sens de dépersonnaliser — l'individu retrouve la possibilité de s'envisager lui-même. C'est-à-dire que cette malléabilité du visage, dans le vif et dans la figuration, permet à l'individu de façonner son image. En ce sens, le phénomène de la chirurgie du visage actualise la notion de *masque* qui se retrouve dans toutes les cultures et notamment dans le théâtre antique, où il personnifie un caractère ou un rôle. De nos jours, le visage lui-même se conçoit en tant que masque, sans qu'il y ait dissimulation d'un vrai

79

24. Ces prouesses techno-médicales ont été largement diffusées dans la presse : voir Sabine de la Brosse, « Isabelle, la femme aux deux visages », *Paris Match*, n° 2951, du 8 au 14 décembre 2005, p. 44-52 ; *Le Figaro*, « Sciences & Médecines », 17 avril 2006 ; de même que sur le réseau Internet.

visage, mais plutôt élaboration d'une *persona*. Une telle conception du visage participe de « l'identité performative », selon la notion développée par Judith Butler[25]. La version plastique et artificielle du visage se traduit notamment dans l'autoportrait de l'artiste Ron Mueck, *Masque* (1997), qui figure exactement les traits de son auteur sous la forme d'un énorme masque (158 x 153 x 124 cm) suspendu par deux câbles dans l'espace de la galerie (fig. 3). Bernadette Wegenstein, dans *Getting Under the Skin*, analyse plusieurs pages publicitaires du domaine des cosmétiques[26]. Elle note que la tendance à souligner le contour du visage d'un trait suggérant un masque épidermique témoigne de la compétition que mène l'industrie des cosmétiques à l'endroit de la chirurgie esthétique. En ce qui a trait aux enjeux identitaires du visage « à la carte », rappelons que la greffe du visage était réalisable depuis déjà une dizaine d'années, mais qu'aucun hôpital ne voulait jusqu'à maintenant supporter les risques d'un rejet physiologique et les conséquences psychologiques d'un tel bouleversement de l'apparence et par le fait même, de l'identité[27]. Le portrait et le visage relèvent d'une identité en termes de « quoi », selon l'expression de Paul Ricœur dans sa conception dialectique de l'identité personnelle. Or, cette identité est fragile et pose des problèmes, précise Ricœur, car les attributs identitaires sont instables. Ils sont arbitraires et caducs, alors que le sentiment de soi nécessite la permanence[28]. Par conséquent, dans les conditions technologiques actuelles du corps et de l'image, le paradoxe de l'identité personnelle est exacerbé. Dans l'art du portrait contemporain, ce nouveau contexte suscite de nombreuses réactions. On observe une prolifération de visages hybrides, depuis les portraits composites numériques de Nancy Burson au début des années 1980 jusqu'à l'essor actuel du portrait cyberréaliste[29], en plus de l'exploration de l'identité génétique comme chez Gary Schneider (*Genetic Self-Portrait*, 1997) et Marc Quinn (*Sir John Sulston: A Genomic Portrait*, 2001).

25. Judith Butler, *Gender Trouble. Feminism and the Subversion of Identity*, New York, Routledge Press, 1990; *Excitable Speech. A Politics of Performative*, New York, Routledge Press, 1997.

26. Bernadette Wegenstein, *Getting Under the Skin. Body and Media Theory*, Cambridge, Massachussetts, MIT Press, 2006.

27. Le phénomène de la greffe du visage constitue le sujet du film de Georges Franju, *Les yeux sans visage* (1959). Ce film, qui préfigure de façon romanesque les opérations actuelles dans leurs dimensions médicales et psychologiques, souligne aussi la détresse de l'individu privé de visage et, de là, la nécessité du visage.

28. Paul Ricœur, *Soi-même comme un autre*, Paris, Éditions du Seuil, 1990.

29. Sur le portrait contemporain, voir Hélène Samson, *Du portrait photographique à la fin du XXᵉ siècle : retour sur le portrait d'identité*, [thèse de doctorat], Département d'histoire de l'art et d'études cinématographiques, Université de Montréal, décembre 2005.

Fig. 3. Ron Mueck, *Masque*, 1997, résine polyester et technique mixte, 158 x 153 x 124 cm. © Ron Mueck. Avec l'aimable autorisation de la Galerie Anthony d'Offay, Londres.

Les pratiques d'identification que nous avons analysées présentent deux aspects — l'un historique et l'autre phénoménologique — reliés aux mêmes conditions technologiques. D'abord, nous avons constaté le maintien du paradigme du portrait d'identité malgré le changement des modalités d'identification, ce qui suggère une grande stabilité des présupposés modernes que sont l'objectivité et l'inscription corporelle de l'identité. Par ailleurs, au cours de l'évolution des marqueurs de l'identité — du visage à l'ADN — le rôle subsidiaire du visage s'est confirmé. Depuis l'anthropométrie judiciaire de Bertillon, le visage joue un rôle secondaire dans le contrôle des identités — on se rappellera que ce dernier donnait la priorité à l'ossature. Cette dépréciation du visage participe d'un déplacement de la notion d'individualité vers des indices localisés à l'intérieur du corps, comme l'ADN, ou encore vers des indices accessibles par des moyens technologiques qui ne sont pas à la portée de tous. Comme ces indices corporels sont codifiés, l'identité numérique devient centrale dans le système d'identification. En parallèle, nous avons souligné une réelle déstabilisation de la conception du visage dans le phénomène de l'identité personnelle. En effet, la notion et la pragmatique du visage se sont subtilement mais assurément transformées à travers les manipulations numériques et chirurgicales. Nous constatons, à travers l'art contemporain notamment, que la notion de visage en tant que *fragment manipulable* se développe et que, si le visage joue un rôle subsidiaire dans l'identification, il apparaît comme un artifice privilégié de la performativité de l'identité personnelle.

Modernity and the Face

MARGARET WERTH

A round 1900, the face took on new forms, functions, and meanings. Modes of figuring identity and aesthetic value or registering individual and social experience through the face changed. Older ideas of physiognomy or pathognomy intersected with new ideas and practices for recording, viewing, and interpreting faces in daily life and in the arts and sciences.[1] During this period, questions were being raised about the universality of facial expression, the normative and deviant models of facial morphology, and how the face might be pictured. Within capitalist, metropolitan culture, faces circulated in an accelerating system of exchange and consumption, and the face was a privileged form within the transformations of modernity.

Identity, physiognomy, and expression became increasingly ambiguous or opaque in visual modernism, producing unreadable faces and ambivalent gazes. The human face was pictured in a new relation to space, time, and expression in flash and motion photography and early film. Experts in medicine, psychology, sociology, ethnography, and evolutionary biology documented and debated facial evolution, variation, and expression. Facial expressions and gestures were studied as part of the symptomatology of nervous illness and exploited as part of urban entertainment. In mass culture, faces were invested with affect and communicative functions that would be both heightened and eroded by repetition and commodification. New technologies and media shaped the recording and representation of the face, modifying the codes and modes of "reading" it.

1. See the discussion, for example, of physiognomy and its representation in Tom Gunning, "In Your Face: Physiognomy, Photography, and the Gnostic Mission of Early Film," *Modernism/Modernity*, Vol. 4, No. 1, 1997, p. 1-29.

In his studies on the psychology, philosophy, and sociology of modernity, Georg Simmel outlined the dissociation and distanciation characteristic of everyday urban life: mutual reserve and indifference; the blasé attitude; a retreat into inner, psychological life as a response to reified, objective culture and the pressure of the metropolitan crowd.[2] He proposed that modernity privileged the face because it showed "human beings in the flux of their inner life," and that the conversion of concrete experience into inner experience was a primary tendency of modernity.[3] In his essay "Sociology of the Senses" of 1908, Simmel maintained that as the first object of interaction between one person and another, the face is "the symbol of everything that an individual has brought with him or her," the face "tells" and is the "essential object of inter-individual seeing."[4] The face, he argued, is important to our knowledge and experience of individuality, and offers the visual form of persisting inwardness as well as of shifting immediacy.[5] The face—and particularly the eyes—are potent and active agents of reciprocity: the interaction created through the mutual gaze creates a unity that is suspended in the event of the mutual look ("the eye cannot take without simultaneously giving").[6] This reciprocity is vital to human relationships and radically different from acts of seeing such as observation of another person, but it is fragile and subject to the vicissitudes of even subtle deviations from the mutual look and facingness.[7] In Simmel's account of modernity, the face is increasingly a focus of visual attention.

Simmel's 1901 essay on the face, "The Aesthetic Significance of the Face," sought to account for the intrinsic aesthetic qualities of the face and its significance in art. Of all the parts of the body, Simmel argued, the face had the highest degree of inner unity, a unity achieved out of variety and diversity—comparable to the ideal of human cooperation—and a unity closest to the inner unity of the mind. The face was the preeminent sign of man's appearance: it revealed the soul "clearly and ultimately;" "the emotions typical of the individual [...]

84

2. Georg Simmel, "The Metropolis and Mental Life" [1903], trans. Edward A. Shils, in *Georg Simmel: On Individuality and Social Forms: Selected Writings*, Donald N. Levine (ed.), Chicago, University of Chicago Press, coll. "The Heritage of Sociology," 1971, p. 324-339.

3. Georg Simmel, *Michel-Ange et Rodin*, trans. Sabine Cornille, Philippe Ivernel, Paris, Éditions Rivages, coll. "Petite bibliothèque," 1989 [1909], p. 103.

4. Georg Simmel, "Sociology of the Senses" [1908], trans. Mark Ritter and David Frisby, in *Simmel on Culture: Selected Writings*, David Frisby and Mike Featherstone (eds.), London, Sage Publications, coll. "Theory, Culture & Society," 1997, p. 113.

5. Georg Simmel, "Sociology of the Senses," p. 113.

6. Georg Simmel, "Sociology of the Senses," p. 115.

7. Georg Simmel, "Sociology of the Senses," p. 111-112.

leave lasting traces"; the face's "singular malleability" made it the "geometric locus [...] of the inner personality." Christianity's tendency to "cover the body and represent man's appearance solely by his face, has been the schoolmaster for those who would seek consciousness of individuality."[8] The face is intrinsically aesthetic because art elucidates the formal elements of things in relation to one another, and the face as a whole responds to the alteration of the smallest element: the face is the aesthetic synthesis of symmetry (de-individualization) and asymmetry (individualization). (ASF, p. 279) The face's mobility is invested in it even when at rest: "as if this state of rest were the non-extended moment toward which innumerable movements have tended, from which innumerable movements will come." (ASF, p. 280)

Simmel's essay on the face argued for its importance within modernity and in relation to art: the face was a means of studying the forms of human social life as they appeared in the "mirror" of the face, reflecting modern "inner life." The face's achieved unity and the mutual determination of its elements were a model for Simmel's theory of modern society and culture. His comments on the face's mobility are linked to his emphasis on modernity's relativity and restless desirousness, its ceaseless flux. However, the face of modern inner experience (increasingly distanced from concrete experience), the face of contingency and mobility, was ultimately aestheticized and idealized in Simmel's account. He ended his essay with a consideration of the heightened "dynamic effect" of the eye as it epitomized "the achievement of the face in mirroring the soul" and served also as the "interpreter of mere appearance, which knows no going back to any pure intellectuality *behind* the appearance." (ASF, p. 281) His account of the face meshes uncertainly, however, with his account of modernity as a retreat into inner, psychological life in the context of the alienation, objectification, neurasthenia, and fragmentation of metropolitan culture. The contradictions and instabilities of the face might work against convergence and mirroring, and against the possibility of a "solution of those other problems which involve soul and appearance" such that "[a]ppearance would then become the veiling and unveiling of the soul." (ASF, p. 281) If, as Simmel argues, the face is aesthetically significant and an exemplary form of the "subjectivism" of modernity, how was the face figured in the arts around 1900? I will consider three examples from literature, the visual arts, and early film.

8. Georg Simmel, "The Aesthetic Significance of the Face [1901]," trans. Lore Ferguson, in *Georg Simmel, Essays on Sociology, Philosophy and Aesthetics*, Kurt H. Wolff (ed.), p. 278-279. Henceforth, references to this article will be indicated by the initials "ASF," followed by the page number, and placed between parentheses in the body of the text.

KISSING ALBERTINE

In a passage on shifting facial proximity in Marcel Proust's À *la recherche du temps perdu*, the narrator describes kissing Albertine, the face in whose study he had adopted so many different optical instruments: *"ayant fait sortir de son cadre lointain le visage fleuri que j'avais choisi entre tous, je l'aurai amené dans ce plan nouveau."* But the kiss,

> *"[…] en accélérant prodigieusement la rapidité des changements de perspective et des changements de coloration que nous offre une personne dans nos diverses rencontres avec elle […] c'est dix Albertines que je vis ; cette seule jeune fille étant comme une déesse à plusieurs têtes, celle que j'avais vue en dernier, si je tentais de m'approcher d'elle, faisait place à une autre."*[9]

Proust describes the disorienting experience of the close-up view of the face—the lack of horizon or center, the collapse of figure/ground distinctions and I/you relations—whose effects of magnification and proximity result in vertigo and inhuman facelessness (a loss of unity or features) or many-headedness. Albertine loses her identity as a singular individual and even as a subject as she is transformed from lover into monstrous goddess. Proust compares the multiplication of aspects of her face to the effects of photographs where near and far are collapsed through angle of view, framing, and reflection. (LCG, p. 660) In Proust's novel, kissing Albertine is like the experience of the cinematic close-up. The familiarity of the face and its strangeness are conjoined in the moment of the kiss when proximity and distance collide and intertwine.

In another passage of Proust's novel, the narrator recounts the eruption of a facial paroxysm on the face of his friend, Robert de Saint-Loup, at the moment he reveals his betrayal of Marcel. The friend presents his vulgar deed with the comment *"Voilà comme je suis, j'aime les situations tranchées,"* his face

> […] *stigmatisée pendant qu'il me disait ces paroles vulgaires par une affreuse sinuosité que je ne lui ai vue qu'une fois ou deux dans la vie, et qui, suivant d'abord à peu près le milieu de la figure, une fois arrivée aux lèvres les tordait, leur donnait une expression hideuse de bassesse, presque de bestialité toute passagère et sans doute ancestrale. Il devait y avoir dans ces moments-là […] éclipse partielle de son propre moi, par le passage sur lui de la personnalité d'un aïeul qui s'y reflétait.* (LCG, p. 693)

This face is haunted by its double: marked by an involuntary spasm as it registers two personalities—and two temporalities—paradoxically accompanying

9. Marcel Proust, *Le côté de Guermantes* [1920], in À *la recherche du temps perdu*, Vol. 2, Paris, Éditions Gallimard, 1988, Jean-Yves Tadié (ed.), p. 659-660. Henceforth, references to this text will be indicated by the initials "LCG," followed by the page number, and placed in parentheses in the body of the text.

86

Saint-Loup's wish for clear cut situations ("*situations tranchées*"). Here the face is mobile, its expression an event, its unity and integrity interrupted. In a passage on Marcel watching Albertine sleep, Proust offers a different mode of splitting and doubling, this time in alternating profile and frontal views of the face:

> [...] *les lettres que vous écrit quelqu'un [sont] à peu près semblables entre elles et dessinent une image assez différente de la personne qu'on connaît pour qu'elles constituent une deuxième personnalité [...] Mais combien il est plus étrange qu'une femme soit accolée [...] à une autre femme dont la beauté différente fait induire un autre caractère, et que pour voir l'une il faille se placer de profil, pour l'autre de face.*[10]

Further on in *La prisonnière*, the narrator listens to the voice of a lover on the telephone and wonders why painters who

> [...] *cherchent à renouveler les portraits féminins du XVIIIe siècle où l'ingénieuse mise en scène est un prétexte aux expressions de l'attente, de la bouderie, de l'intérêt, de la rêverie, comment aucun de nos modernes Boucher ou Fragonard, ne peignit, au lieu de "la lettre", ou "du clavecin", etc., cette scène qui pourrait s'appeler: "Devant le téléphone", et où naîtrait spontanément sur les lèvres de l'écouteuse un sourire d'autant plus vrai qu'il sait n'être pas vu.*[11]

The telephone produces a new mode of attention—and a new technology of the face and facial expression—one that Marcel thinks is ripe for painting and that will show the expressivity and interiority of the responsive and absorbed face of the "unobserved" listener, comparable to the music listener or letter reader of the 18th century portrait or genre painting. The telephone overcomes distance and separation, giving access to the lover's psychic states (expectation, sulkiness, interest, reverie), yet the voyeuristic situation Marcel envisions reinstates distance rather than intimacy or reciprocity.

The telephone-face seems to have been far more fertile for early cinema, however, than for painting. Alternating between telephoning victims and rescuers, for example, was an exciting feature of early films—not, however, necessarily signifying absorption or intimate expression or, for that matter, confined to listening, but working as a device for building temporal, spatial, and psychological tensions that would be resolved in the final rescue. An early Pathé film of 1908, for example, tells the story of a doctor's wife left alone at home with her child who is able to signal for help by telephone: the film cuts between medium close-ups of wife and husband, as the wife frantically conveys her plight and her husband assures her of rescue. (Figs. 4-5) Proust's telephone-face is that of an absorbed and silent listener, but it is also the object of voyeurism, crossed by both language

10. Marcel Proust, *La prisonnière* [1923], in *À la recherche du temps perdu*, vol. 3, p. 581.
11. Marcel Proust, *La prisonnière*, p. 607.

and vision. Following Gilles Deleuze, we might say that Proust's faces of the kiss and the facial paroxysm (and the telephone-faces of *Le médecin du château*) are *intensive* faces in which the unity and boundaries of the face are broken—as is individual subjectivity—while Proust's telephone-face is *reflective or reflexive*, the features "*groupés sous la domination d'une pensée*" the face fixed and immutable within a "*ligne enveloppante*" a "*plaque réceptive d'inscription*."[12]

THE FACE, WHAT A HORROR

Odilon Redon's *noirs* (his black and white works) also experiment with the face. In Redon's works of the 1880s and 1890s, the face is put into a new relation to the body, time, and space. It seems to carry what survives of identity, physiognomy, and subjectivity, but is often separated from the body and even the head, which often stands for the body in its absence. Simmel comments on the relationship between body, head, and face: "the unity of the face is accentuated by the head's resting on the neck, which gives the head a sort of peninsular position vis-à-vis the body and makes it seem to depend on itself alone [...]" (ASF, p. 277) Redon's faces attach to or wrap around heads often segmented or separated from the body. They explore a wide range of expressive qualities or states: somnambulistic catatonia, fascination, moronic inertia or infantilism, serene contemplation, childlike wonder, absorption, hopeful striving, glee, surprise, astonishment, cynicism, absurdity, dread, disgust—and suggest to the viewer a complex and often ambivalent range of responses. Redon's *noirs* launch a process of substitution and layering of expressions and affects, refusing unified subjectivity and engendering facial polymorphism.

Redon experimented with many faces: the petrified face; the face turning in on itself, turning towards, or away, from the viewer; the face dominated by a single eye; the traumatized face, on a severed head; the hybrid or monstrous face (the human face joined to the body of a spider, a flower, a rock); the beatific martyr-face; the suffering face of Christ. He explored the dynamics of anthropomorphism, the shock of the non-human becoming human and of the human becoming plant or animal. In Redon's faces the composition of facial traits is often disrupted through exaggeration, displacement, or elision. The eyes often diverge or dissociate. In works like *La gloire fausse* (circa 1885) or the cyclops from his album *Les origines* (fig. 1), for example, enlarged eyes turn upwards, gaping, and the face becomes centrifugal, impelled toward otherness. Such faces are "abstruse and aesthetically unbearable" according to Simmel, pointing to "the loss of senses,

12. Gilles Deleuze, *Cinéma 1. L'image-mouvement*, Paris, Éditions de Minuit, coll. "Critique," 1983, p. 125-128.

Fig. 1. Odilon Redon, "Le polype difforme flottait sur les rivages, sorte de cyclope souriant et hideux," Plate III from *Les origines*, 1883.

spiritual paralysis, momentary absence of spiritual control," in short "despiritualization." (ASF, p. 278) Redon's faces on severed heads figure the trauma of separation and loss; the confusion of life and death, of absorption and vacancy; and the shock of a subject witnessing its own death. They break down the distinction between interiority and exteriority and introduce an impossible temporality.

In his albums, Redon experimented with the arrangement and sequencing of faces and the combinatory potential of text and image. His album *Hommage à Goya* (1885) begins and ends with close-up faces: "Dans mon rêve, je vis au Ciel un VISAGE DE MYSTÈRE" (fig. 2) is a figure of anticipation, desire, anxiety, and dread that inaugurates the dream; "Au réveil, j'aperçus la DÉESSE de L'INTELLIGIBLE au profil sévère et dur" ends the album with the goddess's face emerging out of the darkness, as if from under a hooded mask. Between these framing faces are those of a marsh flower, a madman, embryonic beings, and a juggler. (Fig. 3) The image series moves through a complex set of variations between the fixed and unfixed, the human and inhuman. The face is successively decomposed and displaced, then recomposed in the last plate as the *"profil sévère et dur"* of

Fig. 2. Odilon Redon, "Dans mon rêve, je vis au Ciel un VISAGE DE MYSTÈRE," Plate 1 from *Hommage à Goya*, 1885.

intelligibility. The images are paired with captions that structure the sequence, but the series permits undetermined associations and reversals, allowing a folding of the different faces—the faces of difference—and the affects they provoke.

Medium, form, and their interaction are important to the production of faces in Redon's *noirs*—whether he works in charcoal or transfer lithography, whether rendering atmospheric light and shade or linear arabesque. As he wrote:

> [T]out mon art est limité aux seules ressources du clair-obscur et il doit aussi beau-coup aux effets de la ligne abstraite, cet agent de source profonde agissant directe-ment sur l'esprit […]

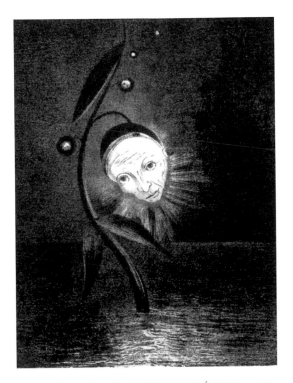

Fig. 3. Odilon Redon, "La FLEUR du MARÉCAGE, une tête humaine et triste," Plate II from *Hommage à Goya*, 1885.

Imaginez des arabesques ou méandres variés, se déroulant non sur un plan, mais dans l'espace, avec tout ce que fourniront pour l'esprit les marges profondes et indéterminées du ciel; imaginez le jeu de leurs lignes projetées et combinées avec les éléments les plus divers, y compris celui du visage humain; si ce visage a les particularités de celui que nous apercevons quotidiennement dans la rue, avec sa vérité fortuite immédiate toute réelle, vous aurez, là, la combinaison ordinaire de beaucoup de mes dessins.

Ils sont donc, sans autre explication qui ne se peut guère plus précise, la répercussion d'une expression humaine placée, par fantaisie permise, dans un jeu d'arabesque, où, je crois bien, l'action qui en dérivera dans l'esprit du spectateur l'incitera à des fictions dont les significations seront grandes ou petites, selon sa sensibilité et selon son aptitude imaginative à tout agrandir ou rapetisser.[13]

13. Odilon Redon, *À soi-même: journal (1867-1915)*, Paris, Librairie José Corti, 1979, p. 25 et 27.

Chiaroscuro and abstract line establish Redon's figures against their ground, yet also open the image to indeterminacy and disfiguration. The pairing of plates with captions introduces intermedial effects. On the one hand the captions of the album constitute a prose poem:

> *Dans mon rêve, je vis au Ciel un VISAGE DE MYSTÈRE / La FLEUR du MARÉ-CAGE, une tête humaine et triste / Un FOU dans un morne paysage / Il y eut aussi des Êtres EMBRYONNAIRES / Un étrange JONGLEUR / Au réveil, j'aperçus la DÉESSE de L'INTELLIGIBLE au profil sévère et dur.*[14]

Rather than completing or determining meaning the captions create their own *"chiaroscuro"* and *"ligne abstraite."* Captions and images form a complex text, the inaugural *"Dans mon rêve, je vis au Ciel"* accompanying an image of what is seen in the dream, followed by a series of seers and other things seen, from the marsh flower to the strange juggler, each vertical pairing of image and caption carried through the horizontal axis of the album. As individual units images and captions multiply in a series that accumulates instances of dream vision. The last plate's caption repeats the action of the first (*"Je vis…,"* *"J'aperçus…"*), but also announces a different kind of seeing, *"au réveil,"* outside the dream. The I/eye of the captions mirrors the reader/viewer's, constructing a gaze that moves through the serial accumulation and modes of distortion, never meeting an answering gaze in the figures imaged. The text's capitalizations (*VISAGE DE MYSTÈRE / FLEUR du MARÉCAGE / Un FOU / Êtres EMBRYONNAIRES / JONGLEUR / DÉESSE de L'INTELLIGIBLE*) title the images, name the figures, and punctuate the texts within and between the captions: they are typographic figures on the ground of the caption and the page, and inked shadows on the ground of the white paper, participating in the *chiaroscuro* of the album visually, and in their unfixed play of associations, textually. Threaded through the series the captions are *"arabesques"* as well, part of the *"jeu […] projeté"* and *"répercussion d'une expression"* Redon speaks of: as dark lines and forms against the white; as narration (*"Dans mon rêve, je vis"*) and, in their openness and indeterminacy *"arabesques ou méandres variés, se déroulant non sur un plan, mais dans l'espace."* The dreaming, seeing, being, and waking the captions voice speak to the lithographic images and the faces of monstrosity, madness, emergence, obliteration, and fixation. The spacing between text and text, text and image, and image and image creates a differential and temporal tension that accumulates and disseminates in the process of reading/viewing the album.

14. "In my Dream I Saw in the Sky a FACE OF MYSTERY; The MARSH FLOWER, a Sad Human Head; A MADMAN in a Dismal Landscape; There Were also EMBRYONIC BEINGS; A Strange JUGGLER; Upon Waking, I Saw the GODDESS of the INTELLIGIBLE, with her Severe and Hard Profile."

The faces of Redon's *Hommage à Goya* are radically unstable signs. Reflective, self-reflexive faces (the face of Mystery, the Marshflower) appear in settings that compromise their inwardness and boundedness (indeterminate sky above, marshwater below), and are nested in successions of faces whose inwardness and boundedness are eroded or even shattered (the Madman, the Juggler). There is an unsettling mixture of intimacy and distance in Redon's work, and a dislocation of oppositions of figure and ground, interiority and exteriority, mobility and fixation. The emphasis on the figures' faces produces a sense of intensified encounter as does the album format and the emphatic address of the text, but ultimately *Hommage à Goya* works to disarticulate subjectivity: affects (anticipation, surprise, fear) ebb and flow indeterminately, unanchored; and the too close and too far intertwine.[15]

Simmel addresses proximity and distance and the mutual dependency of the internal and external life within modernity in *Die Philosophie des Geldes*.[16] There he argues that art brings us close by putting us at a distance through aesthetic organization, and that in modernity there is a tendency toward an increase in the distance produced by transposing objects into art, particularly through

93

> […] the felt charm of the fragment, the mere allusion, the aphorism, the symbol, the undeveloped artistic style […]. Here the distance that art already places between ourselves and the objects is extended yet a stage further, in that the notions that form the content of the ultimately stimulating psychic experience no longer have a visible counterpart in the work of art itself, but are only provoked by perceptions of quite a different kind. In all this we discover an emotional trait whose pathological deformation is the so-called "agoraphobia:" the fear of coming into too close a contact with objects, a consequence of hyperaesthesia for which every direct and energetic disturbance causes pain […]. [T]he subjectivism of modern times has the

15. For a discussion of the close-up face and affect see Gilles Deleuze, "L'image-affection: visage et gros-plan" in *L'image-mouvement*, p. 125-144. See also his discussion of monsters and Redon in *Différence et répétition*, where he writes: "*Pour produire un monstre, c'est une pauvre recette d'entasser des déterminations hétéroclites ou de surdéterminer l'animal. Il vaut mieux faire monter le fond, et dissoudre la forme. Goya procédait par l'aquatinte et l'eau-forte, la grisaille de l'une et la rigueur de l'autre. Odilon Redon, par le clair-obscur et la ligne abstraite. En renonçant au modelé, c'est-à-dire au symbole plastique de la forme, la ligne abstraite acquiert toute sa force, et participe au fond d'autant plus violemment qu'elle s'en distingue sans qu'il se distingue d'elle. À quel point les visages se déforment dans un tel miroir.*" (Gilles Deleuze, *Différence et répétition*, Paris, Presses universitaires de France, 1972, p. 44)

16. Georg Simmel, *The Philosophy of Money*, trans. Tom Bottomore and David Frisby from a first draft by Kaethe Mengelberg, David Frisby (ed.), London, Routledge Press, 2nd edition, 1990 [1900]. See, in particular, p. 470-479.

same basic motive as art: to gain a more intimate and truer relationship to objects by dissociating ourselves from them and retreating into ourselves, or by consciously acknowledging the inevitable distance between ourselves and objects.[17]

Also, "there exists a deep inner connection between too close a captivation with things and too great a distance from them which, with a kind of fear of contact, places us in a vacuum."[18] Redon's dislocation of subjectivity, I would argue, positions the reader/viewer in this "vacuum."

MOVING FACES

It took some time for the face to become prominent in moving images. Experiments with recording the moving face photographically—the "living portraits" of the *phonoscope* or the trick films of Meliès and others, or early "facial expression" films that emphasized the monstrosity, curiosity, and comedy of the face in full-screen enlargement—were soon overtaken by other interests, notably the insertion of facial close-ups in narrative films. Early close-ups were often seen as grotesque, obscene, and in bad taste, breaking the continuity of the film.[19] Faces were included in medium or long shot, with only the occasional close-up; they were shown (silently) talking and animated by marked facial gestures and expressions. New modes of displaying the face in early film emerged around 1913-1915 as

17. Georg Simmel, *The Philosophy of Money*, p. 474. Within modernity, money functions to create a culture of mutual distancing: "For the jostling crowdedness and the motley disorder of metropolitan communication would simply be unbearable without such psychological distance. Since contemporary urban culture, with its commercial, professional and social intercourse, forces us to be physically close to an enormous number of people, sensitive and nervous modern people would sink completely into despair if the objectification of social relationships did not bring with it an inner boundary and reserve." (Georg Simmel, *The Philosophy of Money*, p. 477)

18. Georg Simmel, *"Der Krieg und die geistigen Entscheidungen"* [1917], quoted in David Frisby, *Fragments of Modernity: Theories of Modernity in the Work of Simmel, Kracauer and Benjamin*, Cambridge, Massachusetts, MIT Press, 1986 [1985], p. 75. On the importance of Simmel's use of the concept of distance and proximity see also Donald Levine, "The Structure of Simmel's Social Thought," in *Georg Simmel: Essays on Sociology, Philosophy and Aesthetics*, Kurt Wolff (ed.), Columbus, Ohio State University Press, 1959, p. 9-32.

19. Tom Gunning discusses early examples of facial close-ups in film and cites an announcement of a film of 1902, *Comic Grimacer*, that advertises the screen-size human face as "always a comic and interesting sight." He emphasizes the encounter between the popular and scientific traditions in the representation of faces. See Tom Gunning, "In Your Face," p. 15-17, p. 21-25.

natural (less theatrical and exaggerated) expressions became more common and more medium close-ups and full close-ups centered on the face appeared. By the late 1910s and 1920s, the face was ubiquitous as a focus of interest and close-ups of the face were increasingly common.[20]

In recent years, film historians and theorists have reflected on the close-up, reconsidering earlier theorizations by Jean Epstein and Béla Balázs, in particular.[21] Tom Gunning has criticized the "overdetermined fascination with the close-up and the human face" and Mary Ann Doane the "excessiveness and exuberance" of the historical discourse on the close-up; and both writers have discussed the two somewhat contradictory aspects of the close-up of the face—proximity or enlargement—although Gunning has been concerned with early "curiosity" or "attraction" films rather than the later narrative films on which Doane concentrates.[22] The filmic close-up, Doane writes, inhabits "the gigantic, the spectacular, the space of the big screen," and these are allied to consumerism, the commodity, and industrial capitalism.[23]

95

Simmel's discussion of proximity and distance and the new relations of internal and external life is relevant here. The money economy both conquers distance (it brings things close, sometimes unbearably so, to the point of agoraphobia) and creates distance (objectifies and abstracts, enlarges and spectacularizes).

SUDDENLY A FRIGHTENED FACE

Close-up views of the face bring things close at the same time that they produce distance and estrangement: faces appear in detail, fragmented from the body, with mobile surfaces, movements, and gazes that point to and construct space both inside and outside the frame. Faces are magnified and enlarged to monstrous scale and situated within a new structuring of space and time; they conjoin the detail and the gigantic, proximity and distance. Two examples suggest

20. Jacques Aumont, *Du visage au cinéma*, Paris, Éditions de L'Étoile, 1992, p. 68.

21. See Jean Epstein, "Magnification and Other Writings," trans. Stuart Liebman, *October*, No. 3, 1977, p. 9-25; and Béla Balázs, *Theory of the Film: Character and Growth of a New Art*, trans. Edith Bone, New York, Dover, 1970.

22. See Tom Gunning, "In Your Face," and Mary Ann Doane, "The Close-Up: Scale and Detail in the Cinema," *Differences*, Vol. 14, No. 5, 2005, p. 89-111.

23. "As simultaneously microcosm and macrocosm, the miniature and the gigantic, the close-up acts as a nodal point linking the ideologies of intimacy and interiority to public space and the authority of the monumental. In the close-up, the cinema plays simultaneously with the desire for totalization and its impossibility. The cinematic spectator clings to the fragment of a partial reality—a fragment that mimics the effect of a self-sufficient totality." (Mary Ann Doane, "The Close-Up," p. 109)

Figs. 4-5. *Le médecin du château*, Pathé, 1908.

the complexities of the facial close-up in early film. In the first, *Le médecin du château* (Pathé, 1908), a bourgeois family is threatened by intruders: the father, a doctor, is drawn away by a false telegram sent by the criminals to tend to another family while the wife is left at home with their child. Menaced, the wife calls her husband on the telephone, and the two are shown in medium close-up: each speaks urgently into the mouthpiece, their quick facial movements vividly communicating their mutual distress.[24] (Figs. 4-5) The telephone persists as an embedded centerpiece at the end of the film: in the shot of the rescue the action is choreographed around it.

Tom Gunning has discussed André de Lorde's theatrical melodrama *Au téléphone* (1901) and two films drawn from it, *Le médecin au château* and D.W. Griffith's *The Lonely Villa* (1909), among others. Unlike the filmed rescue melodramas, de Lorde's play ends tragically, with the husband impotently listening to his wife's murder over the phone line, allowing the audience a voyeuristic appreciation of "true" expression as in Proust's fictional painting *Devant le téléphone*. In De Lorde's play, however, the scene provokes horror, not desire.[25] Gunning identifies a "return of the repressed" in Griffith's *The Lonely Villa*: the film includes a long sequence of parallel editing of the couple on the phone that ends with a dramatic interruption of their communication when the intruders cut the line, revealing the threat of "paralysis and impotence" caused by the disruption of modern technology that echoes de Lorde's grisly ending. But he does not recognize the threatening aspects of modern technology in *Le médecin du château*.[26]

97

24. On the reconstruction of the film see Barry Salt, "The Physician of the Castle," *Sight and Sound*, Vol. 54, No. 3, Fall 1985, p. 284-285.

25. Tom Gunning, "Heard over the Phone: *The Lonely Villa* and the de Lorde Tradition of the Terrors of Technology," *Screen*, Vol. 32, No. 2, summer 1991, p. 184-196. Gunning explores the "darker aspects of the dream world of instant communication and the annihilation of space and time" in these melodramas of stage and screen. (p. 188) See also Tom Gunning, "The Horror of Opacity: The Melodrama of Sensation in the Plays of André de Lorde," in Jacky Bratton, Jim Cook, and Christine Gledhill (eds.), *Melodrama: Stage, Picture, Screen*, London, British Film Institute Publishing, 1994, p. 50-61.

26. Tom Gunning, "Heard Over the Phone," p. 192-194. Richard Abel has discussed the struggle between criminals and bourgeois for control of the home and family and of modern technologies in *Le médecin du château*. Abel, however, understands the alternation of shots of the husband and wife on the telephone as advancing "an unusually sustained structure of suspense" and "eras[ing] the distance between them." (Richard Abel, *The Ciné Goes to Town: French Cinema 1896-1914*, Berkeley, University of California Press, 1994, p. 193-195) Rescue melodramas like *Le médecin du château* or *The Lonely Villa* often place the menaced mother and child in a suburban home or vacation villa, setting up a contrast between isolated and vulnerable locations and the speed and "jostling crowdedness" of urban modernity.

In *Le médecin du château*, the telephone brings two people and two spaces together and enables the resolution of the crisis brought about by the couple's separation and the burglars' intrusion into their home. It also registers, however, as an instrument of distancing, lack of reciprocity, and estrangement. In the close-ups of the husband and wife on the telephone, each is shown facing to the left, oriented to the instrument of their communication and the space beyond the frame, in matching profile rather than turning toward one another across the gap that separates them. The rapid facial movements that accompany their speech—semaphores of efficient communication in a crisis—are in tune with the quick gestures and movements of the burglars, husband, patients, and policemen in the medium and long shots in the rest of the film, and retain an element of the "grimaces of curiosity" Gunning discusses.[27] But here the faces are part of a dramatic sequence and participate in the rhythm of the film's structure of suspense rather than fully breaking the continuity. Hooked up to the telephone, the faces of the wife and husband move quickly, almost mechanically, while their intensive expressions convey the pressure of their drive to communicate their anxiety and fear. Their faces are instrumentalized by the film's mechanization and commodification of time and space: the insistent, restless tempo of the suspense structure; the cutting-up of space; and the pervasive speeding up effected by the various technologies deployed in the narrative (telephone and automobile).

In *Le médecin du château*, the telephone-face draws us into the narrative, but it also subjects us to estrangement and objectification through the conjoining of face and machine and the fragmentation, mechanization, and recombination of bodies, spaces, and times effected by the film. Wife and husband direct their faces to the mouthpiece and the indeterminate and unknown space off-screen, duplicating and paralleling each other's position and action and propelling their intensified affect over the telephone lines and across the frames of the film. Their faces do not face, and the close view the film offers suggests both the drive to reunite the couple and the contrary forces—not just criminal—that work to separate them. The new technologies of telephone and film produce both connection and separation, proximity and distance, "true" affect and its evacuation through mechanization and repetition. The moral injunctions the film espouses—protect the innocent, fight evil, preserve the (patriarchal) family—are compromised by the visceral thrills the suspense generates.[28]

A somewhat different filmic use of the telephone and the close-up, also involving a married couple, would be realized on the screen in Cecil B. DeMille's

27. Tom Gunning, "In Your Face," p. 21-25.
28. For a classic discussion of the contradictory effects of new technologies see Wolfgang Schivelbusch, *The Railway Journey: The Industrialization of Time and Space in the 19th Century*, Berkeley, University of California Press, 1977.

Figs. 6-8. Cecil B. DeMille, *The Cheat*, 1915.

The Cheat (1915), a film famous, among other things, for the restrained performance of the Japanese actor Sessue Hayakawa and for faces made expressive by
dramatic lighting rather than exaggerated expression. In this film, the telephone
is an important link between the protagonists—the socialite Edith Hardy ("The
Butterfly"), her stockbroker husband Richard, and her Japanese/Burmese suitor
and blackmailer, the "ivory king" Tori/Arakau—and motivates a series of shots
"at the telephone" with distinct facial movements and expressions.[29] A crucial
scene in which the final assignation between Edith and Tori is arranged by telephone—she owes him sexual favors in repayment of a loan—is shown in a succession of medium close-ups. Preceding the call, Edith and Richard celebrate
their financial success—ironically the Hardy's money troubles have just been
solved—but their celebration is contaminated by Edith's memory of her bargain
with Tori: in the midst of her giddy excitement she suddenly slumps and stares
out of the frame. Seated at his desk at home, Tori sighs, checks his pocket watch,
looks at the telephone, and makes his call. Edith flashes a nervous false smile
when she realizes who is on the line and switches the earpiece to the opposite
side, away from her husband, who remains busy with his stock certificates on
the right of the frame, gazing at them greedily and shuffling them obsessively.
We see Edith's expression of fear and foreboding in reaction to Tori's command
"Come tonight" (spelled out by his subtle facial expression and the intertitle),
but her reaction goes unnoticed by her husband. As Edith's fear mounts her face
becomes fixed, and again she stares off-frame to the left. (Figs. 6-8)

As in *Le médecin du château*, off-screen space plays an important role in
a close-up of a face expressing fear and dread. Edith switches the phone from
one side to the other as she tries to keep Arakau's voice and her reaction to it
from her husband; she leans further and further to the left, splitting the frame
and polarizing the couple more and more, often fixing her gaze—wide-eyed,
the whites ablaze, the pupils rolled all the way to the left—on the space beyond
the frame or at an oblique angle that suggests absorption and vulnerability. The
alternation between sidelong gaze and unfocused stare produces an oscillation
between intensive and reflective/reflexive faces: the first breaks up the face's

29. On *The Cheat*, see Sumiko Higashi, *Cecil B. DeMille and American Culture:
The Silent Era*, Berkeley, University of California Press, 1994, p. 100-112. Due to shifting
U.S.-Japan relations in the period of World War I, in 1918 the exotic Japanese "Tori"
played by Hayakawa was converted into an exotic Burmese named "Arakau." *The Cheat*
begins with a telephone call, as the hard-working, stressed-out Richard calls his wife at
home to tell her to "economize" until his investments pay off. Edith refuses and when Tori
walks in she claims that her husband is complaining about her "extravagances—and you."
Tori reacts angrily and lunges for the phone, but Edith stops him from making the call.

unity and points to off-screen space (and thus to Tori, the imminent meeting, the unknown), while the second signals absorption in fearful thoughts. After hanging up, Edith slumps and leans even further into the left corner of the frame. The contrast of faces in this sequence—between Tori's contained concentration and the Hardys' disconnection, distraction and quick shifts and reversals of expression—is striking. With its subdued expressiveness and micromovements, Tori's face gathers its energies and spends them thriftily. Edith alternates between rapid nervous expressions and fixated ones with gaping eyes. Richard's face is exuberantly, greedily gleeful, testifying to the face-shaping powers of capital—it is only before the call that what passes for happiness is interrupted briefly by his recognition that all is not well with his wife.

This sequence from *The Cheat* suggests the complex interplay of proximity and distance, intimacy and alienation effected by the facial close-up in early film. With one arm on the telephone while the other casts a menacing shadow on the wall behind him, Tori/Hayakawa hooks up to the network of faces and restrains his own, the self-possessed master of the new technologies of face, phone, and film (fig. 7); meanwhile Edith and Richard's polarization of affect and divided attention suggest the contradictions, instabilities, and shocks to which subjectivity, individuality, and intimacy are increasingly subjected in Western modernity.[30] (Figs. 6 and 8)

INTER-FACES

For Simmel, the face has a privileged status within modernity: as a visual focus for reciprocity and inter-individual seeing; as a model of the unity in variety of society; in its special relation to interiority and appearance; and in its complex aesthetic significance. His critical concepts of the mutual dependency of internal and external life and of proximity and distance within modernity suggest the importance of spacing for the face. Proust writes of the monstrous kiss, the faces of paroxysm and doubling, and the telephone-face equivalent of the alloy of intimacy and voyeurism in genre painting. Redon produces hybrid and serial faces with composite and centrifugal structures, uncanny and desubjectifying effects, and ambiguous affects. Cinematic close-ups of expressive faces are situ-

---

30. Tori's dominant individualism, self-control, and sadistic power will be punished in the final courtroom scene, where the white, bourgeois, Western couple will triumph through self-sacrifice and the assertion of "natural" superiority: Richard protects his wife by assuming guilt for shooting Tori; to save her husband Edith displays the branding of her body by the perverse, evil Tori, and the righteous vengeance of the courtroom mob is barely held in check by the Law.

ated within suspenseful filmic compositions of space and time, articulating a complex dialogue of communication and separation. Proust's novel invokes painting and photography and contrasts reading and seeing; Redon produces faces in the interplay of image and text; the films' marriage of suspense and technology is shaped by theatrical and literary precursors. From fictive genre painting to dream to melodrama, from monstrous kiss to monstrous hybrid to monstrous mechanized spouse, these works mobilize complex spacings and aestheticizations of the face, conjoining the too close and the too far, reconceiving interiority and exteriority, replaying modernity's losses and thrills and reorganizing its forms. So close yet so far away: such faces are suspended in a matrix of changing media and the spatiotemporal dislocations of modernity.

102

Visage et ornement.

Remarques sur une préhistoire de la visagéité photographique dans la modernité allemande chez Simmel et George

GUIDO GOERLITZ

D ans l'Allemagne de la République de Weimar, après la catastrophe qu'a représentée la Première Guerre mondiale, un nombre d'intellectuels importants (notamment Béla Balázs, Siegfried Kracauer, Walter Benjamin) entreprennent d'analyser les conséquences dans la dynamique du champ social de la rupture médiologique causée par l'avènement de la photographie et de la cinématographie. Ils s'intéressent plus largement aux transformations que ces médiums entraînent par rapport à la « lecture » de la réalité ou de l'histoire. Le nouveau traitement du visage humain dans les médias techniques joue un rôle central dans les essais théoriques de ces penseurs et la surface de l'image photographique et cinématographique y est problématisée selon le paradigme de la physiognomonie, de la lecture des visages. Ainsi, Balázs se fait explicitement le défenseur d'une physionomie cinématographique et salue le cinéma comme le moment charnière d'une culture visuelle à venir, qu'il oppose au médium de l'écriture[1]. Dans son livre *L'homme visible*, qui est en même temps une des premières esthétiques du cinéma, il vise à réaliser une nouvelle sémiologie du monde visible, fondée sur les affects, inconsciente et prélogique, inaccessible au discours. Il lui prête une véritable portée anthropologique : elle aidera à créer un nouvel homme, une nouvelle communauté universelle parmi les hommes.

---

1. « L'invention de l'imprimerie a peu à peu rendu illisible le visage des hommes. Désormais, ils pouvaient lire tellement de papier imprimé qu'ils en sont arrivés à négliger la mimique de la communication. » Il insiste sur le fait que l'homme de cette culture visuelle engendrée par la caméra « ne remplacera pas les mots par les gestes. [...] Ses gestes signifient des concepts et des émotions qui ne pourraient absolument pas être exprimés par des mots. [...] Tout ce qui sera exprimé ici réside dans les couches profondes de l'âme. » dans Béla Balázs, *L'homme visible* [1923], repris dans *L'esprit du cinéma*, trad. Jacques M. Chavy, Paris, Payot, coll. « Bibliothèque historique », 1977, p. 42.

Kracauer et Benjamin reconnaissent, tout comme Balázs, le potentiel uto-pique de la cinématographie. Toutefois, c'est en opérant un détour par l'épisté-mologie négative de la photographie (de son esthétique d'une surface supposée « idéologique » pour Kracauer, et de la destruction de l'aura, de l'unicité et du caractère rituel de l'image reproductible pour Benjamin) qu'ils soulignent ce potentiel émancipateur. Dans son célèbre essai, « L'œuvre d'art à l'époque de sa reproduction mécanisée », Walter Benjamin a assigné un statut particulier au thème du visage humain. Dans le cadre d'une histoire de la déchéance de l'aura dont la modernité serait profondément marquée², il constate un dernier degré de la valeur rituelle dans la représentation du visage sur les anciennes photographies du XIXe siècle. Dans les daguerréotypes, le visage occuperait précisément une place ambivalente, à l'intersection des valeurs de la tradition et de celles des nou-veaux pouvoirs du médium technique, lesquelles promeuvent ce que Benjamin appelle « la valeur d'exposition ». Le visage se situerait à la même place concep-tuelle que la résistance du culte de la beauté, de la doctrine de « l'art pour l'art » qui, selon Benjamin, n'est qu'une « théologie de l'art » (OA, p. 714), contre les lignes de fuites révolutionnaires de la technique moderne.

> Dans la photographie, la valeur d'exposition commence à refouler sur toute la ligne la valeur rituelle. Mais celle-ci ne cède pas le terrain sans hésiter. Elle se retient dans un ultime retranchement : la face humaine. Ce n'est point par hasard que le portrait se trouve être l'objet principal de la première photographie. Le culte du souvenir des êtres aimés, absents ou défunts, offre au sens rituel de l'œuvre d'art un dernier refuge. Dans l'expression fugitive d'un visage humain, sur d'anciennes photogra-phies, l'aura semble jeter un dernier éclat. (OA, p. 718)

En revanche, Benjamin avait clairement dégagé la nouvelle signification qui revient aux visages dans le nouveau médium de la cinématographie : il s'extasiait devant les magnifiques « galeries physionomiques » qu'un Eisenstein aurait mises à nu. Dans l'œuvre photographique d'un August Sander (*Antlitz der Zeit*, 1929) qui avait présenté avec une « collection de visages » un aperçu de toutes les cou-ches sociales de la République de Weimar, Benjamin trouvait réalisée la même tâche critique, opposée au culte du souvenir.

Dans l'essai sur « La photographie » de 1926, Kracauer situe celle-ci entre une conception métaphysique de l'écriture et de la mémoire qui relève de la mys-

---

2. La disparition de l'aura serait due au fait que la masse moderne « revendique que le monde lui soit rendu plus accessible » et qu'elle déprécie « l'unicité de tout phénomène en accueillant sa reproduction multiple. » (Walter Benjamin, « L'œuvre d'art à l'époque de sa reproduction mécanisée » [1936], trad. Pierre Klossowski, dans *Gesammelte Schriften*, Rolf Tiedemann et Hermann Schweppenhäuser (éd.), Francfort, Editions Suhrkamp, 1978, p. 713). Désormais, les références à cet ouvrage seront indiquées par le sigle « OA », suivi de la page et placées entre parenthèses dans le corps du texte.

tique eschatologique, d'un coté, et de la cinématographie caractérisée par le procédé « révolutionnaire » du montage, de la réorganisation des morceaux de réalité représentés, de l'autre. Kracauer considère la photographie comme « la dernière étape dans la série des représentations imagées », commençant par le symbole qui traduirait « l'identité de l'homme et de la nature[3] ». Au cours de l'histoire, l'image prendrait de plus en plus une signification dérivée, immatérielle, à mesure que grandit la domination sur la nature. La représentation symbolique devient alors de plus en plus « allégorique ». Tout comme pour Benjamin, les vieilles photographies marquent chez Kracauer un seuil dans ce processus de la sémiotique des images : « Du temps des vieux daguerréotypes, la conscience est encore si impliquée dans la nature que les visages rappellent des contenus qu'il est impossible de détacher de la vie naturelle. » (P, p. 55) Par contre, « le fondement naturel vide de signification fait son apparition en même temps que la photographie ». (P, p. 55) Si ainsi les « archives photographiques collectionnent les derniers éléments d'une nature aliénée au vouloir dire » (P, p. 56) elles présenteraient pourtant en même temps un pressentiment d'un nouvel ordre par « le provisoire de toutes les configurations données ». C'est finalement à la cinématographie (par le montage) que revient la possibilité utopique d'un jeu avec la nature dispersée en direction d'une « organisation valable » (P, p. 57).

Les nouvelles conceptualisations de Balázs, de Benjamin et de Kracauer possèdent néanmoins leur généalogie. Si la question de la rupture médiologique dans la modernité est associée dans leurs modèles critiques à celle d'une herméneutique du processus historique, et si le visage humain comme paradigme d'un lieu privilégié de la « lecture » devient un point névralgique dans ces théories d'une histoire de la conscience affranchie, il faut reconnaître que le réseau conceptuel qui configure les notions de visage, d'herméneutique, de sujet et de pouvoir est déjà préfiguré dans les débats esthétiques de la génération précédente.

Balázs et Kracauer sont tous les deux à leur façon des élèves du philosophe et sociologue Georg Simmel (1858-1918). Benjamin de son côté fut fortement fasciné par la poésie de Stefan George, le représentant le plus important de la poésie symboliste en Allemagne vers 1900, dont Simmel se servait comme exemple majeur pour exposer sa philosophie de l'art. Il y a donc un certain intérêt à étudier les rapports entre ce penseur des débuts de la modernité bourgeoise et la pratique esthétique dominante à son époque, c'est-à-dire celle de l'esthétisme, de

---

3. Siegfried Kracauer, « La photographie » [1926], dans *Le voyage et la danse. Figures de ville et vues de films*, textes choisis et présentés par Philippe Despoix, trad. Sabine Cornille, Paris, Presses universitaires de Vincennes, 1996, p. 54. Désormais, les références à cet article seront indiquées par le sigle « P », suivi de la page, et placées entre parenthèses dans le corps du texte.

la poésie de « l'art pour l'art » d'un Stefan George, et de mesurer l'influence qu'ils ont pu exercer sur la génération suivante des intellectuels, qui a su théoriser de manière exemplaire l'impact des nouveaux médias. En d'autres termes : il s'agit de dégager la préhistoire, la généalogie des conceptions médiologiques avancées dans les années 1920, durant la République de Weimar, à partir d'une constellation de problèmes apparus au tournant du XXᵉ siècle. Car avant que le visage et la surface phénoménologique ne puissent être pensés dans le registre d'une histoire révolutionnaire et selon le modèle d'un matérialisme dialectique, il fallait d'abord penser et façonner une esthétique de la surface pure, qui se suffirait à elle-même. Ainsi, le concept d'une surface esthétiquement autonomisée (Simmel) et une nouvelle poétique intermédiale qui juxtapose la photographie et le symbolisme de l'écriture (George) ont préparé le terrain pour une« politisation » du visage et de la surface.

106

Pendant vingt ans, dans divers essais écrits autour de 1900, jusqu'à son grand livre sur Rembrandt[4] et à « Das Problem des Porträts » (1918), le dernier article paru de son vivant, Georg Simmel avait réfléchi à la question du visage et sur les problèmes que pose la représentation de la figure humaine dans le portrait. Dans son essai « La signification esthétique du visage », paru en 1901, il théorise le visage comme une catégorie esthétique décisive dans les arts plastiques qui, en plus, s'adapterait le mieux à une économie expressive du signe visuel, étant donné que c'est le rôle même de l'esprit que « d'unifier le multiple dans les éléments du monde extérieur » et que « l'organisme représentant, dans ce sens, le premier degré de l'esprit », c'est « le visage, qui possède au plus haut point cette unité intrinsèque[5]. » Simmel signale comme preuve de cette unité supérieure le fait suivant : « une modification ne concernant, en réalité ou en apparence, qu'un seul élément du visage change aussitôt son caractère et son expression dans leur entier, par exemple un tremblement des lèvres, un froncement du nez, une manière de regarder, un plissement du front ». (SEV, p. 137) Pour Simmel, « aucune partie ne peut être touchée par un destin quelconque sans que, comme à travers la racine commune qui les tiendrait ensemble, chacune des autres ne se trouve également atteinte par lui ». D'autre part « une unité ne prend jamais de sens et d'importance que dans la mesure où elle a en face d'elle une multiplicité dont elle constitue précisément la cohérence » (SEV, p. 138). C'est ainsi à travers cette qualité d'agencement que la « visagéité » apparaît, pour Simmel, plus qu'un

4. Georg Simmel, *Rembrandt, Ein kunstphilosophischer Versuch*, Leipzig, Kurt Wolff, 1916.

5. Georg Simmel, « La signification esthétique du visage » [1901], dans *La tragédie de la culture et autres essais*, trad. Sabine Cornille et Philippe Ivernel, Paris, Éditions Rivages, 1988, p. 137. Désormais, les références à cet ouvrage seront indiquées par le sigle « SEV », suivi de la page, et placées entre parenthèses dans le corps du texte.

principe structurant d'organisation formelle, comme le modèle par excellence du système herméneutique, reposant sur l'idée d'interaction réciproque et d'inter-dépendance significative des parties et du tout. Cela dit, Simmel souligne que l'efficacité et l'intérêt esthétique de ce système sont avant tout dus au fait que « les éléments du visage sont étroitement tenus ensemble dans l'espace et ne peuvent se déplacer que dans des limites très étroites. » (SEV, p. 139) Il précise le caractère spécifique de l'unité esthétique du visage par rapport à la pluralité et la diversité de ses éléments constitutifs en soulignant l'importance du « lien avec le centre », qu'il traduit par la formule d'une « domination visible de l'esprit sur l'environne-ment de notre être ». (SEV, p. 139) Cela implique alors en même temps toute une théorie du pouvoir et de la soumission esthétique : à l'herméneutique de la tota-lité du sens, même si Simmel la pense comme une « coopération » des éléments constitutifs (SEV, p. 138), correspond néanmoins l'idée politique de domination centralisée.

C'est de ce point de vue que Simmel rejette finalement la sculpture baro-que[6] : elle désavouerait « l'humanité », « tout écartement et écartèlement des par-ties » étant laid, « parce qu'il interrompt ou affaiblit le lien avec le centre. » (SEV, p. 139f) Le visage idéal est ainsi défini comme l'opposé exact de l'expression des figures baroques, figées dans des attitudes extrêmes et passionnées. La structure du visage prototype (dominé pour ainsi dire par un impératif catégorique) ren-drait, selon Simmel,

> quasi impossible pareille centrifugalité, pareille déspiritualisation. Là où elle se produit pourtant, par une bouche béante et des yeux exorbités, non seulement elle est particulièrement inesthétique, mais en outre, ces deux mouvements-là sont jus-tement [...] l'expression d'un esprit pétrifié, d'une paralysie psychique, d'une perte momentanée de notre propre maîtrise spirituelle. (SEV, p. 139f)[7]

6. Le rejet du baroque signale encore à d'autres endroits de l'œuvre de Simmel un rejet de l'instant mécanique et artificiellement figé en faveur de la « modernité du mouvement », qui reste cependant par une dernière ficelle attachée à la subjectivité. L'hé-raclitéisme de Simmel est ainsi balancé par une structure d'organisation qu'il faudrait rapprocher de son concept de visagéité. Voir à ce sujet Lilyane Deroche-Gurcel, *Simmel et la modernité*, Paris, Presses universitaires de France, 1997, p. 264.

7. Sans que Simmel le dise explicitement, c'est encore tout le débat sur le groupe *Laocoon* et les problèmes sémiologiques qu'il a soulevés chez les auteurs allemands du XVIIIe siècle (Lessing, Herder, Goethe) qui retentit dans ces formulations. La bouche entrouverte de Laocoon donnait lieu à des interprétations contradictoires : était-elle l'expression de la douleur ou au contraire montrait-elle la volonté sublime de la suppri-mer ? Voir à ce sujet Inge Baxmann, Michael Franz, Wolfgang Schäffner (dirs.), *Das Lao-koon-Paradigma. Zeichenregime im 18. Jahrhundert*, Berlin, Éditions Akademie, 2000.

Or, ces déviations et ces déformations qui mettent à nu un inconscient visuel, ayant échappé au contrôle de l'esprit, sont en même temps précisément celles que le dispositif photographique a le pouvoir de dévoiler. Au sein même de sa prétention à une conception classiciste de l'expression et d'une sémiotique généralisée de la visagéité, l'esquisse théorique de Simmel témoigne ainsi des puissances déterritorialisantes et historiquement déterminées du médium photographique, contre lesquelles elle protège justement son territoire métaphysique d'âme. La conception du visage que développe Simmel constitue, en fin de compte, un geste de défense contre la technique de reproduction de la photographie qui paraît ébranler l'idée de la domination de l'esprit sur les traits du visage[8].

Malgré le verdict que, parmi d'autres, le célèbre historien de l'art C. J. Burckhardt avait énoncé à la fin du XIXe siècle à propos du portrait peint qui serait remplacé par la photographie[9], quelques années plus tard, dans un autre essai, « Ästhetik des Porträts[10] », Simmel insiste sur la valeur d'unité esthétique que seul le travail du peintre pourrait faire ressortir. Il reprend la question du rôle du visage dans l'œuvre d'art en tant que moteur herméneutique et analyse les problèmes concrets qui découlent de sa conception du visage (comme agencement d'une surface d'éléments visibles qui sont maîtrisés par l'unité d'une âme) pour le travail artistique du peintre portraitiste.

Dans un premier temps, Simmel expose les conséquences théoriques qu'une autonomisation de la vue entraînerait. Il constate que déjà le monde extérieur, considéré comme purement visible, comme pure surface sans signification, comporte déjà dans les relations entre ses éléments des notions d'harmonie ou d'antagonisme, de généralité typique ou d'individualité, de tranquillité ou d'agitation.

8. Cette peur de perdre le contrôle de l'esprit sur le corps, dont l'esquisse de Simmel témoigne *ex negativo* et que le dispositif photographique a le pouvoir de révéler, est décrite de façon suggestive dans ses aspects, peu flatteurs pour le sujet, par Marcel Proust : « Mais qu'au lieu de notre œil, ce soit un objectif purement matériel, une plaque photographique, qui ait regardé, alors ce que nous verrons, par exemple dans la cour de l'Institut, au lieu de la sortie d'un académicien qui veut appeler un fiacre, ce sera sa titubation, ses précautions pour ne pas tomber en arrière, la parabole de sa chute, comme s'il était ivre ou que le sol fût couvert de verglas. » (Marcel Proust, *Le côté de Guermantes* [1920], dans *À la recherche du temps perdu*, Paris, Éditions Gallimard, coll. « Quarto », 1988, volume II, p. 439)

9. Voir Jakob Burckhardt, *Die Anfänge bürgerlicher Portraitmalerei*, dans *Vorträge zur Kunst – und Kulturgeschichte*, Rudolf Pillep (éd.), Leipzig, Éditions Sammlung Dieterich, 1987 [1918], p. 213.

10. Georg Simmel, « Ästhetik des Porträts » [1905], repris dans *Aufsätze und Abhandlungen (1901-1908)*, Ottstein Rammstedt (éd.), Francfort, Éditions Suhrkamp, 1993. Cet essai n'étant pas traduit en français, on suivra mon propre compte rendu et mon commentaire.

L'impression purement sensuelle provoque ainsi déjà des sentiments qu'on aurait l'habitude d'attribuer aux choses envisagées elles-mêmes. Comme l'art du peintre n'a immédiatement à sa disposition que des «visibilités», sa signification première serait donc de rendre à la conscience lesdites relations et qualités (hylétiques, présémiotiques pour ainsi dire) qui existent entre les formes et les couleurs. Le portrait déchaîne et abstrait la visibilité de la totalité de l'homme. Selon la définition de Simmel, sa première tâche est alors de faire apparaître dans une représentation le sens de l'apparence humaine (de sa phénoménalité) — et non pas le sens *derrière* son apparence. Cela ne va pas de soi, souligne-t-il, pour la simple raison que cette pure surface qu'il se propose ici d'extraire artificiellement n'est pas du tout claire et évidente dans la réalité empirique. Étant donné la prédominance du psychique dans les relations entre les hommes, la représentation qu'on se fait de l'autre ne s'arrête pas à l'extérieur, l'image humaine consiste plutôt dans une confusion et une imbrication d'impressions sensuelles et psychiques. C'est à ce point de sa réflexion que Simmel prend position contre le nouveau médium de la photographie et ses bases épistémiques, c'est-à-dire contre une conception naturaliste et mécanique du monde. Si c'est le travail du portraitiste que de faire abstraction de la représentation vitale originaire (qui est hybride), de ce que nous pourrions voir de l'individu si notre œil était suffisamment indépendant et autonome, c'est pourtant *le sens* de l'apparence (même si c'est en tant que pure apparence) qui est en question ici : c'est-à-dire le droit, la nécessité, la signification de chaque trait extérieur dans sa relation à chaque autre, et non pas l'apparence physique et contingente telle que la photographie, selon lui, la produirait mécaniquement. La photographie est donc par cette voie exclue de manière stricte du monde du sens, qui pour Simmel ne peut être que le résultat d'un travail herméneutique de l'esprit.

Il reste cependant ce paradoxe que, en deçà des codes, des significations stables, des relations directes au sens, il y aurait au travers du travail de l'artiste une sorte de sémiotisation autre de ce domaine de l'apparence que Simmel avait eu soin au début d'isoler comme pure surface présémiotique, détachée du psychique et des significations. C'est pourquoi il est amené à mettre en lumière la différence spécifique de l'art. Dans l'art, il y aurait une nouvelle forme de nécessité qui est en opposition à la causalité naturelle. Celle-ci comprend une apparence par une autre, la déclare nécessaire en vue d'une autre, en supposant des mouvements et un échange d'énergies invisibles en dessous des surfaces (et non pas des surfaces qui s'engendreraient de manière immédiate). Dans l'art, en revanche, il existerait une telle causalité entre les surfaces. À titre d'exemple, Simmel mentionne l'arabesque dont un morceau suffit pour faire éprouver une certaine suite comme nécessaire, une autre par contre comme contingente, non issue d'une relation à l'élément visuel premier. De la même façon, il y aurait un rapport strict entre les traits d'un visage dont l'artiste par sa manière de le représenter

109

nous persuaderait[11]. Il précise qu'il y a pour le visage une justification mutuelle des éléments de surface comme entre les incurvations ornementales dans l'arabesque, qui serait seulement plus compliquée, composée d'infiniment plus de relations. En associant ici l'ornement et le visage en vue de leur fonctionnalité esthétique, on aperçoit nettement les affinités de Simmel avec le *Jugendstil*[12].

Si Simmel isole un terrain de l'apparence pure, il passe dans un deuxième temps à l'idée traditionnelle qu'il avait mise entre guillemets dans la première partie de sa réflexion : la prétention du portrait à représenter l'âme par le corps, avouant l'insatisfaction par rapport à l'interprétation précédente qui mettait le visage et l'arabesque sur le même plan esthétique. Sa réflexion théorique le force à admettre que des relations formelles du monde visible ne s'épuisent pas dans les simples lois de la surface. Simmel affirme que dans le portrait, l'âme possède une valeur uniquement en tant qu'âme de ce corps visible qui est montré, pas en soi. De cette façon, l'art réside dans une inversion de la relation pratique entre le corps et l'âme. L'art du portrait utilise le rapport qui, dans la vie réelle, fait de l'un le symbole de l'autre, pour arriver par son matériau à l'unité, la forme et la clarté qui seules sont sa fin. En opposition diamétrale à la pratique de la vie, l'art interprète l'extérieur de l'homme par son intérieur. Pour la production du rapport d'éléments visibles qui rend compréhensible et significatif chaque trait par rapport aux autres, l'artiste utiliserait comme le meilleur instrument et critère le fait qu'ils sont censés exprimer une âme déterminée, caractérisée d'une certaine façon. L'âme est donc le moyen pour l'induction d'une herméneutique du visible dont l'unité du visage est le paradigme.

Si les éléments visuels sont envisagés en vue de leur unité, de leurs lois et de leur organisation en tant que pures « visibilités », toutes ces relations se nouent

---

11. On retrouve le même paradoxe que nous avons rencontré plus haut : par la mise en forme artistique, le matériau purement visuel, non codé, regagne une force rhétorique (donc linguistique) comme le signale le terme de *persuasion*, utilisé par Simmel pour désigner l'esthétique de la visagéité.

12. À propos de ce rapport, David Frisby explique que « *Between 1897 and 1907, Simmel frequently contributed to the Munich* Jugendstil *journal* Jugend. *Between 1900 and 1903, seven contributions consisting largely of parables appeared under the title* "Momentbilder sub specie aeternitatis"—*literally, snapshots viewed from the aspect of eternity. At that time,* Momentbild *was the word in use to describe snapshots. It still retained the literal meaning of a fleeting or momentary image or picture. But, interestingly enough, the literary "snapshots" are not accompanied by actual snapshots since* Jugend *was firmly committed to* Jugendstil. *Simmel's contributions are surrounded by* Jugendstil *designs, and other graphics that belong to an aesthetic movement which sought to preserve individual creativity against the reproducibility of new art forms thrown up by capitalism, such as photography.* » (David Frisby, *Georg Simmel*, London, Chichester, 1984, p. 102)

pourtant dans le regard du spectateur. L'âme ne peut cependant réussir à effectuer ce travail unificateur grâce à sa capacité, elle-même irréductible, à relier ses contenus dans l'unité du moi, dans la conscience de soi-même, et encore n'y parvient-elle pas arbitrairement à partir de tous les éléments. Plutôt, ceux-ci doivent offrir certaines constellations formelles et structurelles pour éveiller l'énergie unificatrice de l'âme. Ce qui apparaît comme un renforcement du caractère expressif, de la transparence des rapports et de la légitimité de leur disposition, synthétisé comme l'unité de l'apparence, n'est alors rien d'autre que la détermination à travers laquelle les puissances unificatrices de l'âme contemplative sont incitées au plus complet et au plus fort. Si la médiation à travers laquelle la mise en forme de la pure apparence se joue est en même temps l'expression sans ambiguïté de l'âme, c'est que l'unité psychique qu'elle vivifie dans le spectateur est transférée dans l'apparence. Dans la mesure où l'âme ressent sa propre activité dans une substance, elle anime cette substance elle-même, lui attribue la même unité intrinsèque et le même caractère vivant qu'elle a rappelé en elle. C'est ainsi que le cercle se clôt : l'âme, dans la mesure où elle peut être symbolisée par l'extérieur, n'est rien d'autre que le rapport unitaire des traits, les éléments du visage (et même l'œil) tiré de leur environnement, n'ayant aucune expression à eux seuls. Le travail de fond sur les visibilités, le dégagement de leur rapport nécessaire par l'artiste, conclut Simmel, n'est rien d'autre que la mise en évidence de l'âme, laquelle ne peut être pour l'artiste que le « foyer » où tous les rayons de l'apparence convergent[13]. À partir d'une certaine étroitesse et d'une nécessité convaincante, le rapport des traits devient alors le signe d'une âme, qui, pour ainsi dire, se cristalliserait dans ses rapports. Il s'agit là d'une sémiotique indirecte, secondaire, relationnelle[14]. En termes de sémiologie : le signe relationnel est en même temps

III

13. Cette métaphore du foyer est la trace de conceptions néoplatoniciennes qui dans la tradition allemande, à l'époque du classicisme, ont été recodifiées par K. Ph. Moritz dans le cadre de la discussion sur la question de l'*ekphrasis* et de la compréhension adéquate de la statuaire antique, notamment l'*Apollon du Belvédère*. Moritz développe, en opposition à une description dans la forme d'une narration mythopoétique telle que propose Winckelmann, un modèle généralisé et symbolique de l'idéal plastique, où les parties sont les émanations d'un point métaphysique ultérieur. Pour une analyse de cette question, voir Guido Goerlitz, *Plastische Rhetorik. Allegorische und symbolische Modelle der Kunstbetrachtung bei Winckelmann und K. Ph. Moritz*, dans Eckart Goebel et Achim Geisenhanslükke (dirs.), *Kritik der Tradition, Festschrift für Hella Tiedemann*, Würzburg, Éditions Königshausen und Neumann, 2001, p. 37-46.

14. Pour désigner le caractère « discret » du seuil sémiologique, Simmel parle encore d'un renversement d'un ordre dans un autre ordre des choses. Il le compare à une expérience scientifique où le courant électrique donne à voir un jeu de couleurs dans le *tube Geissler* à partir d'une certaine intensité du courant électrique.

le plus univoque par l'intensité des relations entre les éléments, qui eux-mêmes sont encore pensés comme en dessous de la formalisation significative.

Il reste cependant une autre difficulté méthodologique : la présupposition que l'apparence d'un individu ne puisse pas seulement être portée au point de révéler sans ambiguïtés une âme, mais encore que ce soit la même âme que l'individu possède dans la réalité (psychique). Simmel résout le problème qui se pose pour le travail de l'artiste en supposant une non-correspondance physiono-mique entre les éléments des séries physiques et psychiques. La mise en forme ne pourrait que se poursuivre dans la direction de l'apparence, et non par une déviation ou un ajout hétérogène en faveur d'une âme qui pour l'expérience tout simplement ne sera pas symbolisée par l'apparence physique donnée. Il se tire d'affaire en arguant que l'artiste devrait développer les traits d'un visage en fonction d'une âme idéale, indépendamment de son appartenance à un homme réel ou non. L'article se termine sur une analogie avec le poème lyrique, où il faut recourir à la catégorie d'une « âme fictive » qui donne la consistance et la cohérence au produit artistique.

Déjà, dans l'essai de 1901, le parallélisme entre système herméneutique, régime significatif et subjectivation (chrétienne) était associé aux problèmes reliés à l'esthétique de la « poésie pure », qui pour ainsi dire est soumise aux mêmes exigences éthiques d'un *self-control* que le « visage catégorique » postulé là. Or, Simmel fut un des premiers à établir, auprès d'un public élargi, la réputation du poète Stefan George (1868-1933), qui fut le représentant le plus important de l'esthétisme et d'une poésie artiste, sophistiquée et autoréflexive en Allemagne. George est, comme le signale Jean-Louis Vieillard-Baron, commentateur des écrits esthétiques de Simmel, « un poète méconnu en France, sauf par l'élève de Simmel que fut Charles le Bos[15]. » Habitué des fameux « mardis » de Mallarmé dans les années 1890 à Paris, Stefan George fut un traducteur éminent de Baude-laire et introduisit l'esthétique du symbolisme français en Allemagne. Sa propre poésie est caractérisée par une langue hiératique et dure, par un travail rigoureux sur le matériau linguistique. Même ses adversaires devaient reconnaître qu'il avait élevé le langage poétique, surtout sur le plan phonétique et musical, à un nouveau degré de perfection. Il est mort à Locarno, en exil volontaire, après l'accession de Hitler au pouvoir. Cependant, à cause de son antidémocratisme déclaré et de ses tentatives d'exercer à partir de son esthétisme un pouvoir charis-matique, de former avec son Cercle un état d'élite au cœur même de la société, il fut rapproché plus tard, notamment par les penseurs de la théorie critique,

15. Georg Simmel, « *Stefan George. Une recherche de philosophie de l'art* » [1901], dans *Philosophie de la modernité*, introd. et trad. Jean-Louis Vieillard-Baron, Paris, Édi-tions Payot, 1990, p. 129 (note du traducteur).

sinon aux tendances préfascistes, du moins à la déchéance des valeurs politiques de l'ère bourgeoise. Dans son essai « Stefan George. Une recherche de philosophie d'art », Simmel expose, bien qu'il ne parle pas explicitement du visage, des réflexions de métaphysique artistique qui, par leurs analogies frappantes avec ses analyses sur le visage, suggèrent pourtant assez clairement un réseau conceptuel commun[16]. En rupture avec l'épistémè naturaliste qui traverse toute la poésie lyrique du XIXe siècle (la *Erlebnisdichtung*), chez George, le contenu serait conçu comme un moyen pur et simple de constituer des valeurs purement esthétiques. Simmel donne alors une définition de la poésie « artistique » qui cite presque littéralement celle sur le caractère des traits de visages : « Plus la logique interne de l'œuvre d'art est serrée, plus cette unité intime se manifeste dans le fait que toute altération, même la plus légère de ce qu'on appelle forme est aussitôt une altération du tout, est donc aussi de ce qu'on appelle contenu, et inversement[17]. » De plus, l'argument sur le processus projectif dans la production d'une unité esthétique par le spectateur-lecteur est identique : la personnalité créatrice à laquelle l'œuvre d'art est attribuée ne serait que la condition intrinsèque de notre propre perception, une fonction de l'œuvre d'art donnée elle-même, elle n'est pas une cause extérieure comme la personnalité historique, mais une loi immanente de cohérence. Il est d'ailleurs significatif que, selon Simmel, c'est le thème de la résignation érotique ou de la domination des affects dans la poésie de George qui incarnerait le mieux, sur le plan du contenu, le moment de distance par rapport à la « vie naturaliste » dont témoignerait essentiellement sa composition artistique rigide sur le plan de la forme. L'accent qu'il met sur la maîtrise de soi de la part de George s'accorde bien avec l'horreur que Simmel éprouve devant l'attitude passionnée de la plastique baroque, aussi bien que devant les moments non contrôlés, contingents, vidés de sens, que la photographie, selon lui, sait tirer de la réalité.

La poésie de George est, comme il a été souligné avec insistance dans la recherche récente[18], profondément marquée par son caractère rituel. On a ainsi relevé la signification des éléments eucharistiques et catholiques dans la politique

113

16. C'est le genre lyrique lui-même qui acquiert ici le statut de visagéité par sa densité et son organisation rigoureuse : « S'il est vrai que l'essence de l'âme est l'unité du divers — tandis que toute corporéité est condamnée à une insurmontable extériorité — aucune forme d'art sinon la poésie lyrique, en raison de sa petite dimension qu'on peut embrasser d'un seul regard, n'est plus apte à faire ressentir et à faire agir cette force et ce secret de l'âme. » (Georg Simmel, « *Stefan George* », p. 129)

17. Georg Simmel, « *Stefan George* », p. 132.

18. Voir Wolfgang Baumgart, *Ästhetischer Katholizismus, Stefan Georges Rituale der Literatur*, Tübingen, Editions Niemeyer, 1997 et Rainer Kolk, *Literarische Gruppenbildung am Beispiel des George-Kreises (1895-1945)*, Tübingen, Éditions Niemeyer, 1998.

culturelle et la pédagogie de son cercle éminent de poètes et de savants, qui visait à une restauration nationale par le travail poétique d'une restauration de la langue. Adorno avait déjà associé auparavant cet aspect de la figure de George au phénomène du narcissisme[19].

> George a bel et bien pratiqué, de diverses manières, le geste d'ésotérisme : d'abord celui de l'exigence esthétique, excluant, selon ses propres termes, celui qui ne pouvait ou ne voulait pas concevoir l'œuvre poétique comme une création formelle ; plus tard celui d'un cercle de restauration culturelle et politique, regroupé de manière informelle autour de sa personne, incarnant soi-disant une Allemagne secrète. [...] C'est précisément le ton ésotérique, ce narcissisme distant, qui, selon Freud, permet aux personnages de chefs politiques d'exercer un effet psychologique sur la masse, qui y contribua [...] La langue anglaise dispose pour cela d'une expression intraduisible et parfaite : *self-styled*[20].

Benjamin aurait, selon Adorno, sans doute été « le premier à rattacher l'œuvre poétique de George au *Jugendstil*, si manifeste dans l'ornementation typographique de Lechter [l'illustrateur des livres de George et du Cercle]. » (AG, p. 381) À partir de ce rapprochement, la poésie lyrique de George devrait être conçue comme celle d'un « ornement inventé, d'une impossibilité. » (AG, p. 381) Dans la nécessité de l'inventer par contre, elle serait plus que simplement ornementale, « elle est l'expression d'un besoin aussi critique que désespéré » (AG, p. 381). En effet, les stratégies de George dans la publication de ses œuvres réunissaient l'art et l'artisanat. Il faut y voir des stratégies qui rendaient possible de publier pour la masse et de conserver en même temps une exclusivité. George maniait les éditions publiques de façon à faire référence aux éditions de luxe qui les précédaient. Ainsi il arrivait à faire apparaître celles-ci comme un remplacement acceptable des précieuses éditions privées. Mais il y a plus. Selon Adorno, même

> [...] la vie de communauté souhaitée par George a une coloration décorative [...]. Avec les choses, les individus sont eux aussi victimes du déclin vers les arts décoratifs : la décoration est le stigmate de la beauté émancipée. Elle succombe dès que les nouveaux sujets, techniquement maîtrisés, peuvent être produits à volonté, à bon marché et deviennent commercialisables. George n'est pas loin d'en être conscient dans le poème final des *Pilgerfahrten* (Pèlerinages, 1891) qui fait la transition vers

19. Cette lecture rejoint les propos de Simmel sur la fonction de la « résignation » pour le régime de signes mis en œuvre dans sa poésie. Simmel avait aussi forgé la formule clé d'une « intimité monumentale » pour la désigner.

20. Theodor W. Adorno, « George » [1967], dans *Notes sur la littérature*, Paris, Éditions Flammarion, 1984, p. 374. Désormais, les références à cet article seront indiquées par le sigle « AG », suivi de la page, et placées entre parenthèses dans le corps du texte.

Algabal (1892)[21]. Il évoque l'idéal de la beauté par l'image de l'agrafe : « Je la voulais en froid métal / Semblable à une languette lisse et ferme, / Mais dans les puits, sur tous les rails, / Aucun métal n'était mûr pour la fonte. / Maintenant cependant je la veux ainsi : / Telle une étrange et grande ombrelle, / Formé d'or rouge feu / Et de riches pierreries étincelantes. » Si « aucun métal n'était mûr pour la fonte », les conditions de la vie matérielle refusant la possibilité objective du beau qui s'ouvre au contraire, telle « une étrange et grande ombrelle », surgissant de façon chimérique dans la négation de la vie matérielle, alors celle-ci absorbe à son tour la chimère par l'imitation. La simple agrafe produite par les arts décoratifs en fer à bon marché représentait de façon allégorique l'agrafe qu'il fallait couler en or parce que le fer véritable faisait défaut. La correspondance ne laisse aucun doute sur le caractère chimérique des choses exquises. Elles sont le produit de machinations économiques[22].

Comme exemple de cette disposition, Adorno rappelle que le « pathos bibliophile » de George avait inventé des caractères d'imprimerie qui imitent sa propre écriture (une écriture sans majuscules qui était aussi pratiquée comme un signe de reconnaissance par les membres du Cercle). Il y voit « le mensonge Art déco » d'un produit de la technique de masse qui se présente comme une chose originelle et qui « est dû à la nécessité d'une mise en scène qui ne dispose d'aucun critère objectif du beau mais seulement du maigre programme : d'innover. » (GH, p. 223) Le beau symboliste de George serait doublement déformé : par une croyance au matériau, et par une ubiquité allégorique. « Sur le marché Art déco », conclut Adorno, « tout peut tout signifier. » (GH, p. 223)

Il est cependant raisonnable de rattacher également le poème sur l'agrafe à la question des pratiques médiatiques, car on peut y lire à travers la concurrence des matériaux une autre concurrence, liée aux modes de représentation. Si la première agrafe est en dehors de sa substantialité ferme désignée par l'attribut de la froideur, la seconde contient une qualification de couleur (« rouge feu ») et de lumière (« étincelantes »). Or, l'association de la matière de l'or (comme le référent stable reterritorialisant du système monétaire) et de la nature chimérique de « l'étrange ombrelle » dans la seconde, combine justement les aspects ambivalents de la photographie : sa référentialité manifeste et son caractère à la fois contingent, incertain, fantomatique de « non-signe », de « non-langage » (Barthes).

21. C'est-à-dire l'empereur de la Rome décadente dont le royaume artificiel était dans la poésie de George le chiffre de *l'art pour l'art*.

22. Theodor W. Adorno, « George et Hofmannsthal. À propos de leur correspondance (1891-1906) » [1940], dans *Prismes*, trad. Geneviève Rochlitz et Rainer Rochlitz, Paris, Payot, 2003, p. 222. Désormais, les références à cet ouvrage seront indiquées par le sigle « GH », suivi de la page et placées entre parenthèses dans le corps du texte.

On peut finalement dégager les traces d'une telle constellation qui chancelle entre la substantialité de l'écriture symbolique et la représentation photographique dans la pratique poétique même de George. Celle-ci implique également le calcul stratégique du paratexte et de l'aspect visuel du livre. Cela dit, parmi les moyens employés par le poète pour exercer un véritable pouvoir charismatique, l'image faciale possède un statut éminent. Nombreux sont les exemples où le visage de George acquiert aux yeux de ses disciples une fonction cathartique qui (en accord avec ce que Simmel dit sur la forme de la résignation) sert de remède thérapeutique en domptant des forces « dionysiaques »[23]. Elle donne un centre à la vie des adeptes. La domination symbolique que George a exercée en premier lieu dans son Cénacle est fondue dans son apparence physique et sa présence physionomique même en son absence, soit dans l'image (reproduite, photographiquement). Ainsi, déjà de son vivant, les photographies de George étaient célèbres et largement répandues.

Si Simmel avait conçu la poésie artistique symboliste de George en parallèle avec le modèle d'un visage catégorique, centralisateur et dominateur, il avait pourtant strictement exclu la surface photographique du domaine de ce travail esthétique et éthique. George s'est par contre lui-même largement servi du nouveau médium technique afin de produire des « effets de visagéité » dans le public. Dans une lettre de 1912[24], Friedrich Gundolf, le plus proche de ses élèves, réclame la mise à disposition des photos du maître en recourant à l'argument que depuis longtemps sa tête serait devenu une *affaire publique*, et que c'était l'effet cathartique et la conception de la *réalité* du poète qu'elle dégagerait qui devraient être propagés en vue d'une reconnaissance générale. En effet, déjà en 1904, George avait inséré dans les *Blätter für die Kunst*, le principal organe de publication du Cénacle, un collage (fig. 1) réunissant les photos de poètes amis, proches de

23. C'est ainsi que dans une lettre du 4 décembre 1898, Rilke demande à un ami la reproduction photographique d'un portrait de George en expliquant : « *Stephan Georges Verse vollenden sich ja in ihm. Man muß das weise Schweigen dieser Lippen schauen, um die Rhythmen ihrer Beredtsamkeit zu begreifen.* [Les vers de Stephan George s'y accomplissent. Il faut voir le sage silence de ces lèvres pour comprendre les rythmes de leur éloquence.] » (Je traduis) Pour Rilke, le visage certifie et authentifie l'œuvre ; il est le lieu même où la personne et l'œuvre s'unissent. Le poète George a été sensiblement attentif à tous ces aspects rituels de la communication artistique. Aucun auteur de la modernité allemande n'a occupé et contrôlé avec une pareille conscience les zones marginales de son œuvre (tout ce qui, selon la terminologie de Genette, relève du « paratexte »). Voir Wolfgang Braungart, *Ästhetischer Katholizismus, Stefan Georges Rituale der Literatur*, Tübingen, Éditions Niemeyer, 1997, p. 124f.

24. Stefan George – Friedrich Gundolf, *Briefwechsel*, Munich, Éditions Küpper, 1962, p. 236.

Fig. 1. *Dichtertafel, Blätter für die Kunst*, 1904. Avec
l'aimable autorisation de l'archive Stefan George,
Württembergische Landesbibliothek Stuttgart.

son programme artistique, centrées autour de la sienne (ce qui est absolument
extraordinaire à cette époque-là, les collages n'étant devenus une technique privilégiée par les cubistes que bien après). Or, ce *Dichtertafel* (tableau de poètes)
se rapportait explicitement à une collection de vers (dans le cycle lyrique *L'année
de l'âme*, 1897) concernant justement le souvenir des représentés. Elle portait
comme titre : «VERSTATTET DIES SPIEL : EUERE FLÜCHTIG GESCH-
NITTENEN SCHATTEN ZUM SCHMUCK FÜR MEINER ANDENKEN
SAAL[25]». Photographie et écriture sont alors effectivement placées au même
rang, traitées comme des équivalents. Enfin, après la mort d'un jeune membre
du Cercle, Maximilian Kronberger, à l'âge de 17 ans, George initia un culte
l'élevant à la position d'un dieu, «Maximin». Sur le frontispice d'un livre de
poésies en souvenir du défunt (*Maximin – Ein Gedenkbuch*, 1907), George fait
figurer une photographie du poète adolescent qui est encadrée par un ornement

25. «Permettez ce jeu : vos ombres fugitivement coupées comme ornement pour la
salle des mes souvenirs.» (Je traduis)

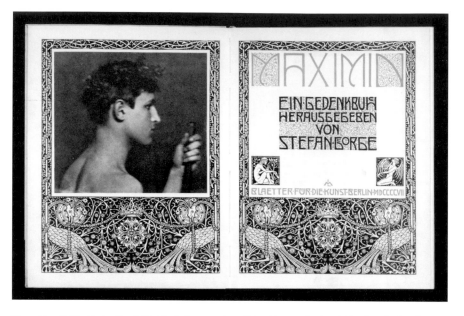

Fig. 2. *Frontispiz, Gedenkbuch für Maximin*, 1907. Avec l'aimable autorisation de l'archive Stefan George, Württembergische Landesbibliothek Stuttgart.

de riches arabesques réalisé par Melchior Lechter (fig. 2). Cornelia Blasberg a raison quand elle souligne que ce n'est pas Maximin, le dieu sacralisé par le médium de l'écriture qu'on voit sur la photo, mais bien Maximilian, le mortel, un garçon ordinaire[26]. Simmel avait comparé l'arabesque et la formalisation de la « facialité » dans le portrait peint par opposition à la photo. Ici, dans la photo du frontispice, il est cependant significatif de constater qu'on n'a pas une vue frontale du visage — la tête est détournée vers le fond de l'image à droite, dans la direction du cadre ornemental, dans un lieu invisible où la vie se transforme en art. En même temps qu'il reprend le *topos* de la « nécessité » du visage par la mise en scène quasi sculpturale du profil, George semble néanmoins retenir au sein de l'art, à travers la sémiologie de la photographie, la différence entre l'art autonome et la mortalité en tant que contingence de l'instantané.

26. Cornelia Blasberg, « Stefan Georges *Jahr der Seele*. Poetik zwischen Schrift und Bild », dans *Hofmannstahl-Jahrbuch*, Freiburg, Éditions Rombach, 1997, p. 236.

C'est encore Adorno qui avait souligné cette description de rêve dans le seul recueil de prose laissée par le poète George, un véritable cauchemar :

La tête qui parle

On m'avait donné un masque d'argile qu'on avait accroché au mur de ma chambre. J'invitai mes amis afin qu'ils me voient faire parler cette tête. Je lui ordonnai distinctement de dire le nom de celui que je désignerais et comme elle restait muette je tentais d'écarter ses lèvres avec mon doigt. Alors elle grimaça et me mordit le doigt. Je répétai l'ordre à haute voix et avec une volonté extrêmement tendue en désignant quelqu'un d'autre. Alors elle prononça ce nom. Nous quittâmes tous la pièce saisis d'horreur et je sus que je n'y reviendrais jamais. (AG, p. 383)

Adorno commente en ces termes : « La violence obligeant encore une fois à prononcer le nom, son triomphe et l'horreur infinie qu'il provoque parce qu'il se détruit lui-même — voilà l'énigme de George. » (AG, p. 383) Si l'idéologie de « l'art pour l'art » a amené George à une herméneutique stricte de la surface esthétique, d'un matériau linguistique affiné et lissé, à un « régime de signes signifiants » allégorique où « tout peut tout signifier », le poète indique pourtant le prix de cette entreprise (le pouvoir charismatique auquel précède une mise à mort, la forme de la résignation, dont la photographie, « fonction du temps qui s'écoule » (P, p. 48), est le reflet), manifeste dans sa pratique intermédiale et son appui à la poétique de la photographie à laquelle il confronte le symbolisme de l'écriture.

En suivant le fil conducteur d'une herméneutique du visage et de la surface phénoménale dans l'œuvre d'art, notre discussion de Simmel et de George nous a permis de voir dans quelle mesure l'idéologie « bourgeoise » de la stabilité du sujet s'est engagée dans une constellation paradoxale, révélée par les problèmes que pose sa représentation dans les médias techniques. Il nous est alors permis de comprendre pourquoi la génération suivante devait dynamiser la question du visage. La totalité du sens qu'on lui avait imputée comme une substance inaliénable paraissait désormais, après la catastrophe de la Grande Guerre, après l'expérience historique d'une destruction et d'une fragmentation inouïe, obsolète.

119

Face of the Human and Surface of the World:

Reflections on Cinematic Pantheism

WALID EL KHACHAB

I n this article, the surface of the world is envisaged as a face. Cinema as a record of this surface, and as a medium which historically made a significant "re-invention" of the face, especially through the close-up shot, makes it possible to reflect on the status of the human subject in the universe. Pantheism is the key concept in this investigation. This article is a case for the acknowledgment of the pantheistic nature of the cinematic medium, its "panthed" (*panthée*) *modus operandi*, as Élie Faure puts it.[1]

Pantheism here does not refer to the "spirit" of history animating the becoming of Being. Rather, as in Spinoza's thought expressed in his *Ethics*, it is the assumption that God is Nature.[2] The corollary is that transcendence—whatever name it bears—is simply part of the world of immanence. As some pantheist philosophers would say: transcendence emerges with immanence. It is not located in a specific part of the world or "mixed" with a particular body. It is not in the world nor out of it. It simply has no location.[3] It functions as an energy, coextensive of matter and does not belong to a separate stratum.

Hence, pantheism in this article means to acknowledge that transcendence is produced from an immanent starting point and that transcendence and immanence are coextensive on the surface of the world, where no stratum is managing the other.

---

1. Élie Faure, *Fonction du cinéma*, Paris, Éditions Gonthier, 1964. Henceforth, references to this text will be indicated by the initials "FC," followed by the page numbers, and placed between parentheses in the body of the text.

2. Baruch Spinoza, *The Ethics & Selected Letters*, trans. Samuel Shirley, Seymour Feldman (ed.), Indianapolis, Hackett Publishing Co., 1982.

3. *Cf.* Jozjani in Henri Corbin, *Avicenne et le récit visionnaire*, Paris, Éditions Verdier, 1999, p. 395.

This "radical" definition of pantheism restores the equality in power between immanence and transcendence. The democratic agency of pantheism lies in its opposition to a hierarchical worldview where transcendence is considered as superior to immanence (or the opposite). Another egalitarian consequence of pantheism is that the status of the human is no more privileged as the occupier of the upper stratum of immanence, or as the hyphen connecting it to transcendence.[4]

As much as cinema and screen media theory are concerned, cinematic pantheism is the way by which film produces equally and simultaneously transcendence and immanence, and materializes the unity of both. In cinema, all beings are equally flattened on the screen's surface and are equally submitted to the oppositional intensity of light and darkness. The act of filming renders the multiplicity of beings in a unified flattened form, where both immanence and transcendence are unequivocally the simultaneous result of that act, since both come to being when projected on the screen.[5] It is thus safe to argue that cinema materializes the "unity of Being," which is a medieval formulation of the concept of pantheism.[6]

Élie Faure underlines this equalization and unification of beings operated by cinema, which amounts to the performance of the unity of Being. According to him, cinema is the material proof of that unity: "*L'infinie diversité du monde offre pour la première fois à l'homme le moyen matériel de démontrer son unité* [thanks to cinema]." ("Mystique du cinéma," FC, p. 67)

Élie Faure's contention that cinema is pantheistic explains the connection between the agency of the medium on the one hand, and the resolved tension between the unity and the diversity of the world, on the other hand. Faure does not restore a spirit, an *anima* of the world. Rather, he draws a parallel between cinema's animation of things, and the animated movement of becoming. The mere projection on screen of "inanimate" things, such as a wood or a city panorama, provides them with a "murmuring animation." The latter reveals the complexity of becoming and provides evidence that: "*nous ne connaissions encore que par fragments discontinus le vrai visage de ce monde, qui est un devenir infatigable et complexe vivant cependant dans le même moment et dans le même lieu que nous.*" (FC, p. 64-65)

The face of the world, or its sur-face, especially in a cinema that is conscious of its pantheistic nature, ultimately functions like the face of the human.

4. For a full discussion of the epistemological and political implications of cinematic pantheism, see Walid El Khachab, *Le mélodrame en Égypte. Déterritorialisation, intermédialité*, Ph. D. thesis, Université de Montréal, 2003, *e.g.* p. 264-267 and p. 275-277.

5. *Cf.* Walid El Khachab, "Un cinéma soufi? Islam, ombres, modernité," *Cinémas*, Vol. 11, No. 1, "Écritures dans les cinémas d'Afrique noire," automne 2000, p. 133-149.

6. Ibn Arabi, *Traité de l'amour*, Introduction, translation and notes by Maurice Gloton, Paris, Albin Michel, coll. "Spiritualités vivantes," 1986, p. 235.

The status of the human as subject in cinema is essentially one of a fragment of Being. In spite of the fact that the close-up of the face very often takes part to the human's valorization, cinema is epistemologically the site of the de-subjectification of the human. It is the place where the human is restored to its own humility. The human has a modest size on the scale of the universe recorded by cinema. He is part of nature on film, not a *homo faber* manipulating natural resources. Faure insists on the aspect of humility—of which I underscore the political implications—inherent to his pantheism:

> [...] le Cinéma ne se contente pas de réintégrer l'homme dans l'univers, de lui rendre ses rapports réels et permanents avec le temps, l'espace, l'atmosphère, la lumière, la forme et le mouvement. [...] Il nous apprend peu à peu à replonger notre voix même dans la totalité de l'Être comme l'une des plus humbles — puisque condamnée à obéir consciemment à son rôle — entre les sonorités et les images innombrables qui font de l'Être même une incantation multitudinaire où il se cherche dans sa propre exaltation. (FC, p. 58)

123

Another theorist of cinema emphasizes the nature of the medium as one of the flux of life, which does not proceed from the modernist distinction between man and nature. In Siegfried Kracauer's theory of cinema, man, nature and culture are part of the same "visible phenomena." "The cinema in this sense is not exclusively human. Its subject matter is the infinite flux of visible phenomena—those ever-changing patterns of physical existence whose flow may include human manifestations but need not climax in them."[7] I interpret this understanding of cinema as a materialist acknowledgment of its pantheistic nature. Life and its constant becoming are the principle of (a unified) Being. Both are the subject matter of cinema as well as of pantheism. This "unity of Being" means that the human is only part of Being, not necessarily its major Subject.

Kracauer's contention, following Delluc, that the human is only a fragment of matter, is more than an assertion of the materiality of cinema. When he says that: "[...] Louis Delluc tried to put the medium on its own feet by stressing the tremendous importance of objects. If they are assigned the role due to them, he argued, the actor too 'is no more than a detail, a fragment of the matter of the world,'"[8] Kracauer aligns himself with an "ecologically" democratic worldview supported by the materiality of cinema, in which the human is not hierarchically superior to other beings. Kracauer is not making the case for the objectification of the human. He is subverting a predominant discourse of hierarchy.

7. Siegfried Kracauer, *Theory of Film. The Redemption of Physical Reality*, New York, Oxford University Press, 1960, p. 97.
8. Siegfried Kracauer, *Theory of Film*, p. 45.

FACES OF FACIALITY

Gilles Deleuze and Félix Guattari propose that a face is also a surface.[9] A face is not just an attribute of the human, magnified in cinema by the close-up. It is the product of an abstract machine they name "faciality," located at the intersection of two semiotic systems. The white surface (of the face) is the base of significance and the realm of the signifier's semiotic system. The face is marked by two black holes—the eyes—, which operate the subjectification process. (MP, p. 205) "*Le visage construit le mur dont le signifiant a besoin pour rebondir, il constitue le mur du signifiant, le cadre ou l'écran. Le visage creuse le trou dont la subjectivation a besoin pour percer, il constitue le trou noir de la subjectivité comme conscience ou passion, la caméra, le troisième œil.*" (MP, p. 206)

The semioticized face is hence the absolute cinema shot, where the screen of significance is inseparable from the camera of subjectivity. But in the following, it will be clear that subjectification through faciality is but one of the many processes resulting from cinema's pantheistic *modus operandi*.

The production of the face as an autonomous entity—a talking head—, a face cut from the location of the subject—its body—, is not the only example of faciality in cinema. The facialization of the whole human body is a process by virtue of which the body becomes a face, *i.e.* a surface and a site of the concomitant production of significance and of subjectivity. The latter is a set of discourses and practices about a rhetorical self, not a manifestation of a transcendental consciousness and an acting anthropomorphic entity one may call subject.

Indeed, Deleuze and Guattari argue that the entire body also can be facialized: "*La bouche et le nez, et d'abord les yeux, ne deviennent pas une surface trouée sans appeler tous les autres volumes et toutes les autres cavités du corps.*" (MP, p. 209) Cinema by default transforms all beings into surfaces—both on film and on screen. In other words, it operates by facialization and surfacialization.

The views of another theorist of the face in cinema shed a different light on the facialization process. Béla Balázs argues that close-ups reveal "The Face of Things" and his account of this process implies that the camera, in the same movement, operates a surfacialization which invites the viewer to "skim over life—and over film. […] By means of the close-up, the camera in the days of the silent film revealed also the hidden mainsprings of a life which we had thought we already knew so well […]. We skim over the teeming substance of life."[10]

9. Gilles Deleuze, Félix Guattari, *Mille plateaux. Capitalisme et schizophrénie*, Paris, Éditions de Minuit, coll. « Critique », 1980, p. 208. Henceforth, references to this text will be indicated by the initials "MP," followed by the page numbers, and placed between parentheses in the body of the text.

10. Béla Balázs, *Theory of Film. Character and Growth of a New Art*, trans. Edith Bone, New York, Arno Press & The New York Times, 1972 [1930], p. 54-55.

Balázs' metaphor of revelation is mystical and his phenomenology is twisted by a contradictory movement towards both the realm of spirituality and that of enlightenment, thanks to the trope of the veil: great metaphysical mysteries are *veiled*, and rationality is a secular process of *unveiling* the truth. This double movement explains why Balázs' metaphysics lying on the face of things is unable to free itself from the assumption of Man's centrality in the semiotics of the world. When the film close-up strips the veil of our imperceptiveness and insensitivity from the hidden little things and shows us the face of objects, it still shows us man, for what makes objects expressive are the human expressions projected on them.[11]

Béla Balázs' reading of the expressiveness of objects conforms to Deleuze's theory about the close-up. Both objects and faces can act as surfaces of intensiveness and of expressiveness and thus participate in the production of subjectivity. But Deleuze does not formalize expressions and passions as attributes of the subject entity. He dissolves all articulations of significance and subjectivity into what he views as intensities and speeds. Ultimately, the screen for him is a plane of immanence on whose surface intensities of light and darkness speed variably. There is no mold for the incarnation of the subject in Deleuze's ultimate speculations on cinema.[12]

Yet Balázs' restoration of Man is not one of absolute transcendence. He establishes a connection between the material production of the soul and the faciality of the close-up. In the silent film, facial expression, isolated from its surroundings, seemed to penetrate strange new dimension of the soul. It revealed a new world—the world of microphysiognomy which could not otherwise be seen with the naked eye or in everyday life.[13] Ultimately, Balazs himself dissolves the subject into details of facial expression, themselves being ones among infinite other microscopic fragments of the world. The metaphysics of revelation acquire here a technical dimension, whereas revelation is part of the machinic process of magnification by lens, as in the close-up.

FACIALITY AND LANDSCAPITY:

I will explore in the following pages the ways in which the flattening of the subject's image and its transformation into a sur-face is also applicable to the world. The concept of faciality describes the surface when it operates as the interface of the body in its interaction with other bodies in (/and) the universe, media, and the divine. The latter is understood here as figured by the surface of the world,

11. Béla Balázs, *Theory of Film*, p. 60.
12. Gilles Deleuze, *Cinéma I. L'image-mouvement*, Paris, Éditions de Minuit, coll. "Critique," 1983, p. 132-135.
13. Béla Balázs, *Theory of Film*, p. 65.

or as the universe conceived of as a surface. Thus faciality is also landscapity, as Deleuze and Guattari remark: "*Or le visage a un corrélat d'une grande impor- tance, le paysage, qui n'est pas seulement un milieu mais un monde déterritorialisé. […] Le gros plan de cinéma traite avant tout le visage comme un paysage, il se définit ainsi, trou noir et mur blanc, écran et caméra.*" (MP, p. 211-212)

Faciality refers to the common proprieties shared by both face and land- scape. This comparison originates in Deleuze's analysis of the close-up. A close- up is defined by a relationship of either intensive tension or reflection, between a surface and a spot located on it, *e.g.* the eye marking the surface of the face, or the hand indicating time and suspense on the surface of a clock.[14] Deleuze's concept approaches "landscape" (and the world) as "face"—that is as a plane of immanence—organized around tension between close-up and wide-shot, as well as between intensive and differentially speeding points between seemingly fixed plane and dynamic or vectorized points. These types of assemblages could also inform a landscape, if tension or reflection between a surface and two holes could be found.

Both concepts of faciality and landscapity actually refer to face and land- scape, as far as they are organized as a particular assemblage of two semiotic regimes, constantly articulated between the semiotics of signification—domin- ated by the signifier—, and those of subjectification, dominated by the Subject.

Deleuze argues that the body as well as the landscape can be facialized, *i.e.* treated as a face. He gives evidence of that from Carl Dreyer's films. In *La passion de Jeanne d'Arc* (1928), extreme facialization occurs, in the guise of a strong concentration of close-ups on the French saint's face. In his following films, Dreyer does not emphasize the face nor the close-up, but his landscapes are surfacialized, *i.e.* treated as surfaces.[15]

Therfore, I argue that cinema is *per se* the technical means to transform, not only the body, but the whole world, into a surface and to surfacialize "deep" transcendence, since it re-produces landscapes, bodies and objects in the guise of a celluloid surface, then re-actualizes these on the surface of a screen. The reverse cognitive process is also possible: cinema is the means to rediscover the world as an immanent divine face of God, through the techniques of cinematic pantheism. In this sense, film—literally *epidermis*—is somehow the surface of the world and the material form of (the surface of) God.

Surface is understood here in two ways: as the skin, the outer envelop, and as an extended two-dimensional area. Film is the skin of the world and is also

14. Gilles Deleuze, *L'image-mouvement*, p. 125-126.
15. Gilles Deleuze, *L'image-mouvement*, p. 150-152.

the ersatz of extended matter[16]. Given the pantheistic nature of cinema on the one hand, and the (almost) synonymy between world and God within this article's theoretical frame, film's connection with pantheism sheds a light on the supernatural and spiritual functions of the media and of its fetishes, particularly the screen and the celluloid reel. The need to be exposed to images or to be in presence of a screen is probably the trace of ancient magical practices and experiences of the sacred, where the unity of Being or the mythical memory of a primordial paradise were reiterated through rituals of union between man and the world, human and divine. Most importantly, in these rituals, the human body was part of Being, without holding any privileged or predominant position. In that context, there was a particular spiritual need for ritual bidimensionnal objects (*e.g.* batiks, frescos, *mandalas*, rugs), where the trace of flattened, surfacialized gods is concrete. This alleged need explains the relationship I argue between pantheism and the celluloid film which functions as a ritual rug or skin. Film creates a secular modern connection between human and Being, in other words, between the human and the divine[17].

Not surprisingly, the facialization of landscape and the flattening of the universe are intimately linked to the trope of the cinema screen as rug. This trope is forcefully present in contexts where the rug is a cultural icon, such as in central Asia. The rug is one of the first artifacts produced by humans to function as a magical skin, which covers the world (by means of covering walls and floors) and flattens Being on a bidimensional surface.

Sergei Paradjanov is probably the first modern filmmaker to epitomize the connection between rug and film in the performative flattening of landscape he introduces in *Sayat Nova* (*Color of the Pomegranate*, 1968). Wide shots featuring

16. Laura Marks has extensively written on the tactile aspect of the audiovisual image, she rightfully calls "the skin of the film." My ambition is to explore the potential of the reversed proposition: the implications for film theory of an approach of "film as skin." See Laura Marks, *The Skin of The Film. Experimental Cinema and Intercultural Experience*, Ph. D., New York, University of Rochester, UMI Dissertation Services, 1996, p. 241-265.

17. See for example: Mircea Eliade, *Patterns in Comparative Religion*, New York, Sheed & Ward, 1958, p. 451, where he argues what the ritual function of *batik* is about: "becoming one with the cosmos;" Mircea Eliade, *Briser le toit de la maison*, Paris, Éditions Gallimard, 1986, p. 311-314, particularly p. 311, about *mandala* as *imago mundi*: "*Le terrain plat est l'image du Paradis ou de tout plan transcendant;*" Mircea Eliade, *Histoire des croyances et des idées religieuses*, vol. I, Paris, Éditions Payot, 1976, p. 29-30, about the shamanic dimension of Paleolithic frescos: Edgar Morin, *Le cinéma ou l'homme imaginaire*, Paris, Éditions de Minuit, 1956, p. 19 et 35, on frescos and shadow performances in Paleolithic caves as archetypes of cinema.

dozens of rugs disposed over the soil and over roofs, or hanging, some of which showing the sky in the upper part of the frame, are a seminal moment in a cinematographic pantheistic process. These shots are preceded by images showing the manufacturing and the coloring of threads. They are a reminder of the process by which cinema manufactures and colors the world as well as of the becoming of Being. Rugs seen from the sky appear as separate frames, parts of an imaginary film of life, covering the face of earth, like a magical skin or a film enveloping the world. The alternation between the view from the earth and that from the sky intensifies the "communion" between the two "poles" of the universe, the upper and the lower ones. The rug's presence at the heart of this sequence is a strong indication that this artifact is seminal to the pictorial perpetuation of sites of fusion between fragments of beings, which fusion aims to reenact the unity of Being.

It was only three decades later that Mohsen Makhmalbaf articulated a similar act of cinematic pantheism in *Gabbeh* (1996) featuring the *Gabbeh*, *i.e.* the rug, as the central ritual piece in a process of cinematic pantheism.[18] In this film, the face is explicitly filmed in the reverse process of the body's fusion with the rug and the landscape. The central character "emerges" from the rug, through a dissolve between two medium shots, one showing the artifact bearing a female figure, the other showing the actual female character as if coming out of the rug. Elsewhere in the film, the rug is semioticized as the textile of the universe, thanks to a wide shot where the landscape—a green plane surface—is filmed through the threads of a loom in the foreground, as if the act of filming landscape was equivalent to that of weaving the world. Thus, Makhmalbaf visually states the unity of Being, by underscoring the parallels between face, landscape and rug, and through the camera's agency which shows the pantheistic process of fusion between the subject and the universe.

The cinematic rug is then a relative of the ultimate iconic piece of textile: Veronica's veil, on which Christ's face was imprinted. According to legend, Saint Veronica used her veil to wipe the sweat off Christ's face on the Via Dolorosa. The Holy Face was miraculously imprinted on the cloth. Deleuze and Guattari might have thought about the cult of the Holy Face when they proclaimed that: "*Le visage, c'est le Christ. Le visage, c'est l'Européen type, [...] il invente la visagéification de tout le corps et la transmet partout (la Passion de Jeanne d'Arc, en gros plan).*" (MP, p. 216-217)

As a matter of fact, Veronica's veil is one of the first close-ups of our era. The comparison is not only justified by the similarity of the human face's scale both

18. For a thorough analysis of cinematic pantheism in *Gabbeh*, see Walid El Khachab, *Le mélodrame en Égypte*, p. 320-327.

on the cloth and in a standard close-up. Veronica's veil is one of the first material productions of a close-up through impression. This artifact is unique because it illustrates the idea of transcendence materialized in the process of printing an image. Saint Veronica's gesture is one of the first instances of secularization of our era. By putting the image of God (or that of his son) on "film," she included the divine in history, since her veil bore the "analogical" image of the divine.[19]

The close-up and cinema in general are not only sites where the modern Subject is produced. They are also the *locus* where the Subject is "undone" and fused in the landscape, on the face of the world, on the face of God as universal landscape, on the surface of the universe.

FLAT EDEN

Nikita Mikhalkov's film, *Urga* (*Close to Eden*, 1992) opens with the landscape *par excellence*. A wide shot of Mongolian steppes, on the frontiers between Mongolia, Russia and China. It is rather the scene of frontiers' negation, of constant deterritorialization, because of its permeability to people coming from behind political boundaries. Montage alternates wide shots with close-ups featuring the head and legs of a horse and the rider's face.

The visual tension at the beginning of the film between the different shot scales, and the auditory one produced by the alternation of magnified sounds in close-ups and the wind in the large shots, exemplifies Deleuze and Guattari's views on the facialized landscape. The plane of the landscape (or that of the face) is the realm of significance, while the "black holes," *e.g.* the eyes or other points recorded on the plane, are the windows of subjectivity.

19. The cult of Christ's face is dedicated to many relics, chief among which are the Mandylion and the Holy (Turin) Shroud, besides Veronica's veil. The Mandylion's legend is about a piece of cloth on which Christ himself imprinted his own image. Glenn A. Peers devotes a remarkable interpretation of the Mandylion's legend in this issue (see Glenn A. Peers, *Masks, Marriage and the Byzantine Mandylion: Classical Inversions in the Tenth-Century*, p. 13-31). The Turin Shroud allegedly enveloped Christ's dead body and features an imprint of a whole face and body. In *Mille plateaux*, Deleuze and Guattari refer to that Shroud, in a laconic way, as an example of the facialization of the whole body. I chose to refer to Veronica's veil because it used to feature a face in the scale of a close-up, and because it is not a self-portrait, which is a special case in the mediated production of the human face. The study of the Holy Face's cult can be a useful basis for a new understanding of the relationship between cinema and the sacred. The Islamic concept of the face of God as "readable" on the surface of landscape can also be of help. The last section of this article, "Man-Face and Body-Eye," develops this notion.

In the film, the steppes are the plane of immanence on which the semantics of hospitality and "feeling at home" are inscribed thanks to the movements of the Mongolian shepherd Gombo and his new friend, the Russian distressed truck driver Sergei. In the wide shots, characters appear as almost black points on the surface of the landscape dominated by homogeneous vivid colors, mainly yellow and green. The landscape frames the Mongolian family's hut, which acts as the major signifier, the ultimate home and the absolute realm of hospitality, where the urban "civilized" foreigner finds refuge. The movement of the black-hole truck and that of the black-hole horse, together with the bodies of both the shepherd and the truck driver whom he saved, results in the subjectification of the two men. The film produces Gombo as the nomad wild subject in constant movement amid nature, as opposed to Sergei, the urban one, rooted in culture, in spite of his perpetual travels.

The film sets clear cut spheres: the steppes, realm of spirituality, of pantheistic fusion between man and nature, body and ether, on the one hand, and on the other, the city, realm of rationalized modernity, of the transcendence of technique regulating the course of bodies' movement within a rather predictable space. The end brings—unconsciously?—the death of the gods to the foreground, as the separate transcendence of history, of (ancient) civilization invading the realm of the non-separated, the steppes/face of the world, where the face of the Human is inscribed.

The materialization of pantheism in *Urga* occurs within two techniques. The first is a linear narrative one. Its most blatant example is the communion between nature and the (dead) body of Gombo's uncle. The unburied body lying on a hill under the sky, in the middle of grass, eaten by vultures, is in constant contact with the elements and is literally transformed and absorbed into nature. The second technique, a pictorial one, is inherent to the tradition of landscapes' filming, where wide shots—of steppes in this case—show the encounter between land and sky in the horizon. These images act as metaphors of the communion between earth and heaven.

The fusion between the two types of pantheistic techniques is epitomized by the dissolve, which involves a combination of at least two shots. A traveling starts from the grass in which the uncle's body lies, and progresses forward in an accelerated movement, then tilts up, creating the impression of an energy (a soul?) departing from the body and traveling across the land, then flying in the sky, as if joining heaven. This traveling is echoed by the medium shots of a vulture flying in the sky, as if it were an incarnation of the dead man's soul joining heaven, or as if it materialized the course followed by the body in the process of its unification with the world.

The film opposes the non-territoriality of the steppes, the "white" plane, when void of a predominant signifier, to the urghas, the long sticks used by the shepherds of Mongolia, which mark a territory when plunged into the ground. Urghas are the plane's frame. Mongolian shepherds plant them in the steppes when they have moments of intimacy with their women, so that the others notice them from distance and refrain from intruding. The film almost ends when Gombo plunges his urgha in the ground and—for the first time in the film—successfully makes love to his wife. The long stick appears as a material hyphen between earth and sky, and functions as a phallus inseminating the earth, while the bodies of man and woman unite, in communion with both soil and sky at the same time, since they meet in the wilderness under the sun. The trope of communion between human and landscape, and between the male and female principles of Being (man/woman; earth/heaven) is here a crystallized instance of cinematic pantheism.

This narrative intensively performing the unity of Being is blurred by the agency of the TV antenna outside Gombo's hut, shattering the sky with its verticality. The antenna is here reminiscent of the urgha driven in the soil at the outset of an act of love and of physical union. This cinematic comparison between the urgha and the antenna eroticizes the medium and implies a parallel between God as viewed in modern media, and the nature conceived of as the realm of an immanent God. The antenna hyphenates the hut and the ether. It mediates the magical skin of flattened transcendence and brings it to the screen in the hut.

Yet, the antenna gives evidence that although TV deterritorializes the images thanks to its transnational transmission, it performs an act of territorialization. Unlike cinema, TV marks even the deterritorialized world of the steppes and transforms it into a space framed by visual and political boundaries. It is TV that connects the steppes to the geopolitical remapping of the world after the end of the cold war. Right after the steppes are "split" by the antenna, the Mongolian family watch the American and the Soviet presidents expressing their wish to create a "new world order," in the news.

The transformation of the landscape's infinity into a territorialized milieu is paralleled by the territorialization of history and of memories on the body. Sergei, the Russian driver, bears a tattoo on his back, featuring his favorite folk tune transcribed on his skin. In a way, he always moves within history, under the grip of its transcendental order. In the Chinese city's nightclub, he removes his shirt and sings. The orchestra reads the notes on his back and accompanies him. The performance of music in communion with the club's audience is a reduplication of the ecstatic experience of Sergei's body infusing his own history transcribed on his back, into the world. This communion appeases his nostalgic remembrance of his homeland and of his national history, as they irrupt in a black and white flashback, featuring scenes from World War II.

A similar intrusion of history in the world, in the subject's present, occurs forcefully towards the end. Back from the city, Gombo holds a TV set in a box,

131

an iconic epiphany of the modern medium. He opens it and lays the set in the middle of the steppes. We see the dark screen as a catalyst of the screen-*epidermis* magical and/or pantheistic function, as it reflects the image of landscape.

Then, we see the image of Ghenkis Khan leading his army, reflected on this "absolute" screen, unconnected with any source of electricity. The screen becomes a black hole, through which history enters. At this point, we witness a process of subjectification by history. In this intriguing allegory, film shows how screen media produce the historical subject. The trope of Ghenkis Khan in this film is not the example of a war machine nomadic operator, who destabilizes the state, as in Deleuzian thought. It is rather that of an emperor, an icon of the state in its imperial stage. In the scene where the emperor reprimands his "subject" Gombo for not having enrolled in the imperial army, the Khan is a figuration of historical depth and an illustration of how a state-based past glory would help to construct the nomad as a historical Subject.

Urga presents a tension between, on the one hand, the facialization of the landscape and the landscapation and "immanentization" of the divine, and on the other hand, the "transcendentalization" of history. Screen dominated media, like cinema and television, appear in the film as a plane of consistency, as the surface of immanence on which the semiotics of faciality operate. They so do in two contradictory ways, either in the sense of desubjectification, or in that of subjectification.

In some instances, the screen desubjectifies the body, *i.e.* it deconstructs the conception of the body as an autonomous and hegemonic subject. This is the case in the close-ups and the wide shots where Gombo's body is fragmented or is shown as a tiny spot fusing into the steppes. The body is here part of the surface of Being. In other instances, the screen subjectifies the body, *i.e.* it constructs the body as subject. This is the case in the Khan sequence, where the production of the specifically historicized subject takes place. The pantheistic images of man fusing into the landscape, freed from the conception of a subject opposed to nature, are conflicting with the scenes where history emerges as a means to construct man as a subject inscribed on the page of the steppe's landscape.

After the fantasy sequence of Ghenkis Khan coming back from the dead, Gombo installs the TV in his hut. From that point on, the screen plays an ambiguous role. It becomes the window, the black hole of history transforming the nomad family into modern subjects of media consumers, witnessing Bush Sr. and Gorbatchev in a joint press conference preparing the end of the cold war. Yet, the TV screen also functions as a magical skin, a filmic *epidermis* of the world, when it features the nomadic couple running joyfully across the steppes, uniting with nature.

This ambiguous skin performs its modernized functions in another unexpected way. After the installation of TV, Gombo's young son wears a robe made of the set's white plastic wrapping. Hence, he reverses the idea of the screen and the film, both being magical skins or ersatz skin of the world. The white wrapping acts as a surplus of mediated images supplanting the magical film/skin/rug. Instead of perpetuating cinema's function as the instance which provides the body and the world with magical celluloid skin, here television formats the surface of the world—or at least that of the body—in a uniform guise. It simply turns the body into a white surface, that of the white wrapping, waiting for images to erupt from the TV screen and to be inscribed on the youngster's new body, in order to construct him as a subject. In this case, TV screen does not facialize the body. It transforms it into an arid plane void of significance, waiting to receive any signifiers to be painted on it, through the antenna.

This predicament is balanced by a final moment of cinematic pantheism, coinciding with the last frames of the film. Gombo's wife goes out of the hut, in the open air. Yet we see her only on the TV screen, set on the hut's central wall. This is the advent of medial modernity: we do not see the world through the window, but through the cathodic or electronic screen. The irruption of history—as a discourse, not as a phenomenon of accumulation of experiences and prints on the body—brings off the interruption of man's direct inscription is nature. It also alienates man—not through mechanized labor—but through the mediation of man's intercourse with the world. The scene where Gombo fully and physically unites with both landscape and his wife's body is not immediate. It is mediated by media, and hence the intensity of this union is altered.

Nevertheless, this scene is still refreshing, because it features the perpetuation of the epidermal pantheistic function of both the screen and the film, resulting from the landscapation of the world. In these last images of the film, the world is re-produced as a large clear plane where Gombo and his wife run, like two black nomadic holes taking part in the production of the semantics of fertility, while being constructed as the subjects of love. This face of the world is ultimately the face of transcendence produced by the speed of two humans. By the very end of the film, the face of the world and the face of the human unite, performing the unity of Being.

MAN-FACE AND BODY-EYE

The concept of "faciality" (*Wajhiah*) has first appeared in the 13th century, in the writings of Andalusian pantheistic mystic Ibn Arabi. It described the state of a human who is "wholly a face" and who could thus "face" God in every position or posture, whichever direction he takes.[20] In this context, God is not a destination, but an orientation (*Wejhah*), a dynamic factor giving meaning to the vectoriza-

20. Ibn Arabi, *Al Futuhat Al Mecciah* (Spiritual Illuminations of Mecca), Cairo, GEBO, 1989.

tion of the territory, binding the physical human to the metaphysics of geography, without becoming a "separate" principal organizing the world from "above".

If God were cinema and the human were the viewer, the consequences would be important for an understanding of the agency of face, and specifically of Deleuze's face semiotic machine in film experience. Face, the absolute cinema shot in Deleuze's semiotics, can also inform our understanding of film experience, not as subjects/viewers, but as faces and bodies "facing" film, if we take Ibn Arabi's speculations into account.

A man who is a mere face seems to be the prototype of film viewer and of media consumer in general, because experiencing media is not only a matter of gaze. It is a predominantly visual experience, but where the whole body "watches" the film. In this experience, the entire body—at least its surface, the skin— becomes an eye. Using the same words, the medieval mystic, Iranian poet Attar, describes his body becoming an eye, in order to sense God. This man-face, this body-eye is the body-film produced by cinematic experience. He is not a cameraman but a man-camera. The man-face is ultimately not a subject, but a pure energy of vectorization, unrelated to the specific point of transmission or caption.

Ibn Arabi's man-face secularizes the world, since he becomes the focal point of transcendence, always facing it. As a precursor of the assemblage of camera and film, both vectorized on the plane of the landscape, he is the emblem of the act of seeing-and-being-seen. This act transforms the world into a skin which simultaneously envelops oneself and the world. This is basically the magical sur-facialization function of film, as described in the above.

One can argue, for the purpose of a theory of cinematic pantheism, that Ibn Arabi's facial mystical (read pantheistic) human is at the same time camera and spectator, acknowledging that matter is coextensive of the divine—or at least of transcendence—through the agency of the (face's) gaze. Thus, activating the camera means "transfiguring" the human (or the landscape) into face and introducing a vis-à-vis: the face of God, the face of immanent transcendence. In that sense, cinematic mysticism, as in Paradjanov's, Makhmalbaf's and Mikhalkov's films, is pantheistic.

Yet, the films of these directors re-enact the process of the simultaneous production of immanence and transcendence, and even give evidence that it is immanence that produces transcendence. The latter claim can also be attributed to Deleuze. The transcendence of the signifier is only produced by the white surface of the face: significance only occur when the materiality of the face is articulated. Since the cinematic shot is the absolute face, one can safely claim that the camera's effect is pantheistic in essence. Camera operates as an instance of production of transcendence and at the same time as a vector flattening this transcendence in a plane of immanence, through a process of "facialization" of both the human and landscape.

134

« Ô ton visage
comme un nénuphar flottant »
(thème et variations)

ANNE ÉLAINE CLICHE

D'abord, ce poème de Gaston Miron :

VÉRITÉ IRRÉDUCTIBLE

Ô ton visage comme un nénuphar flottant
et le temps c'est le chœur des aulnes
à regretter continu sur des rives insensées

ton âme est quelque part
sur les collines de chair oubliée
et le temps c'est mon soulier
à creuser contre le ciel

à vivre mon angoisse poudrait
éclairait l'obscure arête de ma transparence
le temps c'est ton visage à aimer blanc

dans cette ville qui m'a jeté ses mauvais sorts
ton passage dure encore creuset de feu
le temps c'est une ligne droite et mourante
de mon œil à l'inespéré[1]

ARIA. LE VISAGE MÉTAPHORE

Un visage est toujours le lieu d'une rencontre et d'un déchiffrement. Énigme, surface d'écriture équivoque, programme, histoire, composition à la fois mobile, mouvante, étonnante et définie, limitée, ouverte et fermée, fuyante et comblante ; le visage est l'humaine matière livrée au temps, à son travail de pétrissage et de gravure, à son outrage : il est sa chair toujours disponible, la pâte dans laquelle il s'incarne comme héritage et destin, passé et futur, immédiateté, instant et

1. Gaston Miron, *L'homme rapaillé*, Montréal, Typo, 1996, p. 29.

mouvement. Parce qu'il est cette physique du temps, un visage parle de l'âge, du sexe ; il est cette plage pour la mémoire qui n'en retient parfois aucun trait, aucune trace, seulement l'expression, le calme, le désordre, le lisse, le relief, la rondeur ou la pointe. Et quand cette plasticité s'efface à son tour et disparaît, le visage reste encore, devenu cet effacement même « à aimer blanc », cette surface vidée tel l'invisible faisant retour dans un regard qui l'aurait connu, chéri, reconnu puis oublié.

Le poème de Miron évoque la mort toujours déjà au cœur du visage, dans « les collines de chair » qui, une fois perdues, laissent à nu cette part « flottante », « obscure arête » d'une transparence chaque fois aperçu, supposée, sollicitée et pourtant voilée par la vie ou l'« âme ». Un visage impose sa variabilité, comme il affirme la stabilité de sa figure : nez, bouche, yeux, cheveux, joues, oreilles, menton, morceaux distincts, singuliers et pourtant jamais saisissables autrement que dans leur étroit assemblage d'intelligence ou de bêtise, de beauté, de laideur, d'équilibre ou d'asymétrie.

Le visage, en effet, est écran, au sens de voile, de « faire écran », au sens de bouclier, de masque ; et cet écran, tel une surface de projection, se fait aussi miroir, capture. Si le visage offre au monde la part la plus visible, la plus reconnaissable, la plus identifiable d'un être, il n'en demeure pas moins radicalement en retrait de cette « identité », en deçà du visible et du saisissable. C'est justement dans la mesure où il est écran que le visage donne à voir et que, de ce fait, il disparaît, s'éclipse de la projection dont il est le support. Dans sa vie même, le visage apparaît comme la matérialisation, l'incarnation de la métaphore ; il accomplit une métaphore de chair et d'os. De là, sans doute, sa part de promesse, sa force de captation, sa puissance de séduction et de jeu ; de là aussi sa disposition à retenir les signes de la jouissance qui y refluent, viennent s'y exposer, rompant l'opacité apparente et factice du corps. Lieu privilégié et mystérieux du sens, échappant au visible qu'il ne cesse pourtant de définir, de délimiter, de convoquer, le visage peut toujours devenir l'infiniment désirable.

Dire que le visage est métaphore, c'est dire qu'il est parole, adresse, appel. Lorsqu'un objet inanimé semble avoir un visage, nous sentons qu'il est sur le point de nous dire quelque chose, qu'il a déjà commencé à parler, avec ce que cela peut produire d'ambivalence et d'ambiguïté, d'amour et d'agression.

Dans le poème de Miron, le temps est ce qui reste du visage quand le visible n'est plus... ce qui reste quand tout a disparu. Paradoxe que cet invisible qui perdure et revient à la mémoire. Paradoxe aussi que cette « vérité irréductible » qui, on l'entend, se résume à cette disparition, forme irréductible de la métaphore dont le visage serait la dernière ou la première incarnation : « comme un nénuphar flottant ».

136

PREMIÈRE VARIATION : INCONCEVABLE NUDITÉ

La condition métaphorique du visage affirme simplement son appartenance à l'être, c'est-à-dire son devenir, son existence la plus immédiate en même temps que sa transcendance par rapport à l'ordre du voir, du visible, du phénoménal. Parlant ainsi du visage, on ne peut pas ignorer le travail de Lévinas, son éthique « excessive », « extravagante » et impraticable qui confère au visage la fonction la plus originaire en même temps que la plus radicale[2]. Dans cette pensée, le visage « n'est pas du monde[3] », il surgit dans un « monde d'avant la réduction intersubjective ». « C'est à l'encontre de ce monde où l'intersubjectivité est emmurée et fermée sur soi que va être pensée une autre intrigue qui va tracer à cette proximité une voie inédite par où sortir de l'être et de son affirmation[4]. »

En faisant du visage l'enjeu d'un *autrement qu'être*, en lui refusant toute phénoménalité en tant que visage, Lévinas en fait la notion clé de son éthique en affirmant sa « nudité » comme exigence, son altérité comme décisive de ma sujétion, de mon « obsession » à le servir, à répondre pour lui.

137

> Le « Tu ne tueras point » est la première parole du visage. Or c'est un ordre. Il y a dans l'apparition du visage un commandement, comme si un maître me parlait. Pourtant, en même temps le visage d'autrui est dénué ; c'est le pauvre pour lequel *je peux tout* et à qui *je dois tout*. Et moi, qui que je sois, mais en tant que « première personne », je suis celui qui se trouve des ressources pour répondre à l'appel[5].

Que le visage d'autrui fasse de moi « l'otage » de sa misère, le serviteur sacrifié de sa pauvreté et de sa vulnérabilité, apparaît en effet extravagant sinon insoutenable ; et sur le plan de l'expérience — qui n'est pas, il faudrait le rappeler plus souvent, celui de la pensée lévinassienne —, ce « tout pouvoir pour lui » ressemble à l'exercice d'une terreur incontestable[6].

2. Voir entre autres Michel Abensour, « L'extravagante hypothèse », *Rue Descartes*, n° 19, 1998, « Emmanuel Lévinas » (sous la dir. de Danielle Cohen-Levinas), p. 55-84, qui montre comment la critique de Heidegger et de Hobbes conduit Lévinas à un saut superlatif vers ce qu'il appelle lui-même « l'extravagante générosité du pour-l'autre ».

3. Emmanuel Lévinas, *Totalité et infini*, La Haye, Nijhoff, 1965, p. 172.

4. Michel Abensour, « L'extravagante hypothèse », p. 67.

5. Emmanuel Lévinas, *Éthique et infini : dialogues avec Philippe Nemo*, Paris, Librairie générale française, coll. « Le Livre de poche. Biblio essais », 1984 [1982], p. 83 (je souligne).

6. Comme le rappelle Daniel Sibony : « L'*autre* de Lévinas est toujours sur le point de mourir, il émeut quiconque l'approche, son visage est forcément démuni. [...] Cet *autre* est donc ce sur quoi on peut projeter sa violence mais sous forme inversée car sans lendemain, puisqu'il est mourant. Cette inversion ressemble à un don, mais sa teneur agressive, les « psys » ne l'ont pas inventée, elle leur crève les oreilles. [...] Il y va non d'une présence partagée mais d'un rapport où l'enjeu est moins d'aider l'autre *réellement* que de *se donner à lui pour l'annexer à soi* ; c'est moins l'autre qu'il faut sauver que le sujet qu'il faut parfaire. » (Daniel Sibony, *Don de soi ou partage de soi ? Le drame Lévinas*, Paris, Odile Jacob, 2000, p. 126-127)

Cet idéal sacrificiel et, disons-le, christique — où chacun doit devenir le Messie rédempteur de l'autre[7] —, affirme une pureté du sujet (Moi, réduit au Même) et d'Autrui défini comme extériorité, irrémédiablement voué à la « substitution ». Ce refus de l'être, chez Lévinas, le conduit à faire du visage l'impossible lieu d'une rencontre au sens d'échange et de réciprocité ; le visage est l'apparaître qui *m'oblige* en deçà de toute intentionnalité. « Pourtant, en quelque sens qu'on l'entende et quelle que soit la critique que l'on puisse faire de l'abaissement heideggerien du sujet humain, voire de l'intersubjectivité, l'être ne se laisse pas ramener au Même[8]. » Les défenseurs de cette éthique oublient souvent de dire qu'elle ne repose pas sur la *relation* à l'autre et ne convoque aucun *acte*, dans la mesure où, pour Lévinas, la responsabilité s'éprouve antérieurement à tout choix, à toute prise de position. Elle est immédiateté. « Ma tâche ne consiste pas à construire l'éthique ; j'essaie seulement d'en chercher le sens[9]. » Dans ces conditions où je suis responsable *pour l'autre*, c'est-à-dire aliéné à sa demande — comme si répondre à la demande de l'autre était la condition de toute éthique —, le visage accède à une nudité « inconcevable », si ce n'est idéelle (comme ce *Dieu qui vient à l'idée*) : quelque chose comme de l'autre à l'état pur, ni objectivé ni objectivable, une nudité déduite de l'impossible possession ; une pureté ou une authenticité réductible à elle-même, sans image : épiphanie, appel inconditionnel à mon oblation. Lévinas soutient en effet que « c'est lorsque vous voyez un nez, des yeux, un front, un menton et que vous pouvez les décrire, que vous vous tournez vers autrui comme vers un objet. La meilleure manière de rencontrer autrui

138

7. Messie au sens d'*Isaïe*, 53, très souvent cité par Lévinas, c'est-à-dire selon la version tardive du messianisme, retenue d'ailleurs par le christianisme, qui met de l'avant le *Serviteur souffrant* qui prend sur lui les péchés des autres, se fait sauveur, « consolateur ». « Le fait de ne pas se dérober à la charge qu'impose la souffrance des autres définit l'*ipséité* même. Toutes les personnes sont le Messie », écrit Lévinas dans *Difficile liberté*, Paris, Albin Michel, 1976 [1963], p. 120.

8. Michel Haar, « L'obsession de l'autre. L'éthique comme traumatisme », dans Catherine Chalier et Miguel Abensour (dirs.), *Emmanuel Lévinas*, Paris, Librairie générale française, coll. « Cahiers de l'Herne », 1993, p. 527.

9. Emmanuel Lévinas, *Éthique et infini*, p. 85. Lévinas ajoute : « On peut sans doute construire une éthique en fonction de ce que je viens de dire, mais ce n'est pas là mon thème propre. » Il est cependant difficilement concevable de construire une éthique à partir de cette pensée. Comme le souligne Michel Haar : « La responsabilité, et par conséquent l'éthique de Lévinas, n'est paradoxalement pas une relation, ou une communication, mais un mouvement irrelatif, absolu, interne au sujet : le passage du Moi au Soi, du volontaire au non-volontaire. La responsabilité est l'essence du sujet qui ne peut, par conséquent, pas échapper à sa responsabilité pas plus qu'il ne peut échapper au don-arrachement. [...] Acculé à la responsabilité, persécuté par les autres, le sujet lévinassien [...] revendique totalement sa liberté, revendique totalement son accablement et sa persécution. » (Michel Haar, « L'obsession de l'autre », p. 533-534)

c'est de ne pas même remarquer la couleur de ses yeux[10]. » Étrange rencontre que ce refus d'apercevoir ce qui *est* et participe de l'être et du temps. Lisant Lévinas, la question se pose toujours de savoir *comment* peut être rendue possible cette « rencontre ». « Comment s'opère l'invraisemblable contraction du visage éthique, pur et absolu commandement, respect transcendantal, et du visage empirique, dont les traits dans le présent où ils se montrent ne semblent pas pouvoir être oubliés et effacés[11] ? » Cette seconde vue, cette non-perception qui est dévoilement de l'autre dans sa misère repose sur ce que Lévinas appelle, quasi à contresens, la responsabilité. Une responsabilité non libre, non volontaire, inintelligible parce que rattachée à la passivité la plus radicale. Hyperbole que cette « hémorragie du pour-l'autre[12] ». Que peut donc être une responsabilité dictée, obligée ?

Dans cette logique, la phénoménalité du visage, qui est un appel à la réciprocité, à l'intersubjectivité, fait obstacle à l'éthique. S'il s'agissait d'appliquer dans le réel cette « attitude », il faudrait aussitôt imaginer la scène où je suis l'autre d'un autre. Question qui ne concerne pas du tout la pensée lévinassienne qui, si on décide de la comprendre, correspond à une tentative de décrire non pas l'éthique, mais ce que le philosophe considère comme la condition de possibilité de toute éthique, à savoir une scène originaire d'assujettissement où, en effet, je me suppose « tout pour l'autre[13] ». Scène originaire dont la psychanalyse a montré qu'elle est appelée à se fracturer précisément sur le visage de l'Autre qui, brusquement, s'ouvre sur un inconnu et devient, par cette étrangeté brutale qui ne me répond plus, mon *prochain*.

Simon Critchley a montré avec beaucoup de pertinence le lien entre l'éthique lévinassienne, où le Moi s'immole, et l'origine de la subjectivité qui pourrait se définir comme ce moment où « je me fais cause de ce dont je suis l'effet[14] », et qui est en effet ce moment où je prends sur moi la responsabilité d'un manquement de l'Autre. Scène traumatique et fondatrice qui inscrit mon

139

---

10. Emmanuel Lévinas, *Éthique et infini*, p. 79.

11. Michel Haar, « L'obsession de l'autre », p. 531.

12. Emmanuel Lévinas, *Autrement qu'être ou au-delà de l'essence*, La Haye, Nijhoff, 1974, p. 93.

13. « Philippe NEMO : Mais autrui n'est-il pas aussi responsable à mon égard ? Emmanuel LÉVINAS : Peut-être mais ceci est *son* affaire. [...] C'est précisément dans la mesure où entre autrui et moi la relation n'est pas réciproque, que je suis sujétion à autrui ; et je suis "sujet" essentiellement en ce sens. C'est moi qui supporte tout. » (Emmanuel Lévinas, *Éthique et infini*, p. 94)

14. Selon la formule du psychanalyste Marc-Léopold Lévy, *Critique de la jouissance comme Une. Leçons de psychanalyse*, Paris, ÉRÈS, 2003, p. 28 : « L'être-sujet se définit tout entier dans l'ordre de l'aliénation. Jamais directement identique à soi-même, il se déduit après coup de la permanence et du retour de l'Autre. »

assujettissement à l'Autre, à son désir, à sa jouissance. Cette condition subjective est incontestablement le fondement de toute possibilité éthique, mais elle fait de l'Autre mon semblable *et* mon prochain, le Même *et* l'Autre.

Cependant, l'éthique comme pratique, devoir, intentionnalité, ne saurait promouvoir cette condition comme idéal, alors qu'il s'agit d'une «logique traumatisante de la substitution, une logique très sévère, presque masochiste, où je suis responsable pour la persécution que je subis, et où je suis même responsable pour mon persécuteur[15]. » À rejouer cette scène du trauma originaire, on ne peut qu'atteindre une posture perverse où l'assujettissement absolu se fait pouvoir suprême qui dépossède l'autre de sa responsabilité, cette fois au sens le plus courant du terme. S'il s'agit de dire l'impossible possession ou appropriation d'autrui — *impossible* logique, effectif, et non pas interdit qui supposerait la transgression —, cette logique va jusqu'à soutenir que la non-relation, la non-réciprocité du lien à l'autre exige que je me donne, que je sois possédé, persécuté par autrui. Selon cette éthique toujours si peu concevable, et surtout impraticable, la jouissance (sauf masochiste) m'est refusée. Comme l'ont bien montré certains commentateurs (Sibony, Critchley), l'éthique de Lévinas est constitutive d'un trauma. En cela elle accède avec une acuité imparable à cette scène originaire dans laquelle le Moi se fonde dans et pour l'Autre. Mais de cette révélation, Lévinas ne retient pas, et va plutôt jusqu'à refuser, l'incontestable altérité du sujet à lui-même.

> Plus gravement, la polémique contre l'être tombe franchement dans le manichéisme, lorsque l'être (qui est pourtant accusé par ailleurs d'être le Neutre, l'indifférence, l'égalisation se trouve désigné comme le principe de la *guerre*, alors que l'Autre, qui pourtant déchire absolument la totalité, serait le principe de la *paix*. [...] La subjectivité se trouve vidée par l'abîme de l'Autre de toute assise en elle-même, de tout repos en un quelconque lieu. Dans la passivité hyperbolique de la dépossession, frappé d'«extradition obsidionale», dénucléé, le sujet se reconnaît comme «interdit de séjour en soi», fautif et dénudé, désintériorisé, dépecé de sa peau elle-même, dépouillé de sa substance et de ses attributs [...][16].

Dans cette passivité radicale qui me voue à l'autre, le visage, tout comme le féminin qui est, pour Lévinas, son équivalent (fécondité et maternance) m'apparaît comme cette «virginité essentiellement inviolable[17] », et fait de moi un

15. Simon Critchley, «Le traumatisme originel. Lévinas avec la psychanalyse », n° 19, 1998, «Emmanuel Lévinas », p. 171. «Lévinas essaie de thématiser le sujet qui est, selon moi, la condition de possibilité pour le rapport éthique, avec le concept de trauma. Le sujet est traumatisé, l'éthique est une traumatologie. » (p. 167)

16. Michel Haar, «L'obsession de l'autre », p. 527.

17. Emmanuel Lévinas, *Totalité et infini*, p. 235 et suivantes.

martyr, un Dieu ou un fou[18] qui ne peut répondre au précepte éthique reconnu comme le plus fondamental : «Tu aimeras ton prochain *comme toi-même*».

DEUXIÈME VARIATION. LE VISAGE, MON PROCHAIN

Le moi est par avance constitué par et dans le regard, le visage de l'Autre où il surgit. Le sujet lévinassien semble demeuré suspendu à cette première aliénation qui est, *dans l'expérience*, au contraire de l'utopie lévinassienne, le champ de la férocité et de l'agressivité[19]. S'il est vrai que cette scène traumatique et originaire est constitutive du sujet éthique, de son *devenir* éthique, ce n'est que parce que le moi y apparaît comme Autre, seul accès au Je qui fonde l'éthique, sa pratique, son acte, comme rapport, réponse, secours à l'autre. Le visage nu que décrit Lévinas, sans qu'il soit possible de le décrire, est on ne peut plus *imaginaire*, non pas en ce qu'il est image au sens de phénomène — Lévinas le situe au-delà ou en deçà de toute image —, mais en ce qu'il opère cette fonction aliénante et destitutive... qui fonde ma causalité dans le leurre et la fascination, dans la captation nécessaire au surgissement du sujet... qui n'est pas moi. Si, dans cette aliénation fondatrice, c'est bien le moi qui surgit, le face-à-face se révèle illusoire, car ce moi ne se reconnaît d'abord que comme un autre : inadéquat à l'image qu'il cherche à rejoindre. Et c'est dans cette inadéquation que le Je trouve son espace de jeu, son *topos*, sa demeure, son lieu.

141

S'il y a bien un au-delà du visage, cet au-delà n'existe pas *en soi* (ce que Lévinas reconnaît d'ailleurs tout à fait, bien qu'il s'impose de le postuler) : il est justement cette part née du regard de l'Autre, de son attente, de son étonnement, de son amour, de sa demande. Car le visage est toujours, avant le mien, celui de l'Autre où je me baigne et me perds, et d'où m'arrive cette ouverture sur le dehors insondable. Je nais pour emplir, combler, obturer ce regard. Et c'est parce que je ne peux pas y parvenir que je deviens sujet, car le sujet surgit en deux temps : premier temps de l'aliénation où il se suppose tout pour l'autre ; second temps où il se découvre manquant par le manque de l'Autre. L'au-delà est donc aussi ce trou, ce «blanc» qui permet la réversibilité de tout visage regardé en visage

---

18. Lévinas, en effet, décrit le sujet éthique comme une «psychique déjà psychose» ou «une conscience devenue folle». Au dire même du philosophe, «le sujet dans la responsabilité s'aliène dans le tréfonds de son identité», Emmanuel Lévinas, *Autrement qu'être*, p. 180.

19. Voir Jacques Lacan, «Le stade du miroir comme formateur de la fonction du Je telle qu'elle nous est révélée dans l'expérience psychanalytique», *Écrits I*, Paris, Éditions du Seuil, 1966, p. 89-97.

regardant, dès lors constitutif de mon image et de mon être comme *chose du monde*, fragment du paysage.

Malgré son violent rejet de la psychanalyse, Lévinas la rejoint en situant le moi dans ce qu'il appelle le «pré-ontologique». Le moi, pour la psychanalyse, n'est pas le sujet, mais un objet libidinal. En mettant en évidence, dans le stade du miroir, la naissance du moi, Lacan montre que le narcissisme primaire définit un être tout au dehors, d'emblée livré à l'Autre, assujetti à l'événement. Mais dans cette scène où c'est l'Autre qui fait fonction de miroir, c'est l'image, la forme corporelle de l'autre qui préfigure mon avènement comme Un. Et voilà que dans cette image unifiante et fascinante où je risque de m'abîmer et où je n'entre-vois mon salut, ma sortie de l'aliénation, que dans l'abolition de l'autre, s'ouvre une brèche : quelque chose dans son visage me parvient et désigne, au-delà, un manque, un appel d'être[20]. C'est cette ouverture vertigineuse et menaçante dans mon semblable qui est mon *prochain* : au-delà du visible qui ne se donne que parce que le visible est premier et dernier. Ce prochain est mon devenir éthique, puisqu'il exige une sortie de l'aliénation.

Ainsi, si le visage est «invisible», c'est qu'il me capte, me capture en même temps qu'il se retire. Il ne peut révéler son invisibilité autrement que par le masque, l'image où je me suis vu et où, tout à coup, je ne me reconnais plus. La composition du visage de l'autre est déjà une histoire, une attente, un ensemble de traits signifiants, une écriture qui m'appelle au-delà de l'image à dire et à me faire voir. Dans l'expérience, il arrive que nous éprouvions à quel point le visage s'expose *au devant* du sujet, et parfois *en dépit* de lui ; mais le sujet demeurerait inaccessible sans lui. Que me dit le visage de l'autre ? Il dit, par exemple : «Jamais tu ne me regardes là où je te vois[21]». Et ce regard qui m'arrive de derrière l'écran et me saisit au-dehors, n'en est pas moins ce qui me donne accès au visible, ce par quoi j'entre dans la lumière. Le visage ne se donne, il est vrai, que dans sa mimi-que : si «authentique» soit-elle, elle est masque, figure, toujours façonnée entre le tragique et le comique, toujours adressée. Le visage ne se donne jamais nu, la nudité de la peau se défend par les vêtements de l'être. Il est toujours l'occasion

---

20. Philippe Julien, dans *Pour lire Jacques Lacan*, a bien résumé la fonction de l'agressivité au cœur de cette aliénation : «Par le stade du miroir, Lacan [montre que] le narcissisme et l'agressivité son *corrélatifs*, en ce moment de la formation du moi par l'image de l'autre. En effet, le narcissisme, selon lequel l'image du corps propre se sou-tient de l'image de l'autre, introduit une *tension* ; l'autre en son image à la fois m'attire et me repousse ; en effet, je ne suis qu'en l'autre et en même temps il demeure *alienus*, étranger, cet autre qu'est moi-même est autre que moi-même.» (Philippe Julien, Paris, Éditions du Seuil, coll. «Points Essais», 1990, p. 50)

21. Jacques Lacan, *Le séminaire. Livre XI, Les quatre concepts fondamentaux de la psychanalyse*, Paris, Éditions du Seuil, 1973, p. 95.

d'une lecture, d'une tromperie, d'une illusion, d'une séduction, d'une adresse, bref d'une métaphore. Il est aussi toujours pris dans le sens de qui le dévisage. Si le visage est le lieu d'une rencontre, elle ne peut se faire que sous le signe du temps comme événement physique, partagé. Temps qui est celui de la parole.

Le visage m'appelle. Pourquoi devrait-il être nu et pauvre, attendant mon secours? Et qui suis-je pour devoir m'abolir pour l'autre qui peut-être ne veut pas de mon aide? Toute-puissance que cette éthique du *pour-l'autre* confère au Moi qu'elle prétend en même temps abolir et immoler. Ce beau visage qui me regarde m'appelle à devenir qui je suis, me demande de prendre en charge ma liberté, ma solitude, cet amour *en mon nom*, d'assumer *ma* responsabilité. Le maternel, s'il consistait à «donner sa peau à l'autre», comme le veut le fil conducteur de la pensée lévinassienne, ne pourrait jamais que laisser l'autre à son aliénation infantile, place de nourrisson entièrement pris en charge par ce *don inconditionnel* qui est un don de soi... mortifère[22]. Le maternel qui donne la vie est au contraire la mise à disposition de la métaphore, un don non pas de soi, mais d'altérité, qui indique la sortie vers le symbolique.

Dans l'expérience de l'enfant, une question surgit, immédiatement repérable dans les intervalles du discours de l'Autre: *Il me dit ça, mais qu'est-ce qu'il veut?* Entre les signifiants, quelque chose fuit, échappe, court, que nous pouvons appeler le désir. Le désir de l'Autre est appréhendé par le sujet, à l'origine, dans ce qui ne colle pas, dans les manques du discours de l'Autre; et tous les *pourquoi?* de l'enfant désignent moins un questionnement sur la raison des choses que l'énigme du désir de l'Autre qui se présente sous la forme d'un *pourquoi est-ce que tu me dis ça*[23]*?* Il y a là l'imputation d'un dire à la place de ce qui ne peut se dire et qui apparaît sous la forme d'une question sur le désir. Le signifiant articule donc, par sa structure de chaîne, cet irreprésentable qu'est le désir de l'Autre où je me repère. Et son visage est le support des signifiants, lieu où se tourne mon interrogation, surface où je cherche le surgissement d'une réponse autre.

Ce n'est qu'en se percevant comme adresse de la parole que le tout petit enfant encore *infans* se saisit comme existant. Mais il ne sait pas ce que cela veut dire. S'il y a une coupure, une ouverture entre énoncé et énonciation, c'est parce que, pour nous, le sens précède la signification. Le sujet de la parole ne pourra donc se dire qu'en écart par rapport à ce qui le représente.

Dans l'aspiration à l'impossible unité (impossible totalité) pour le sujet qui tente vainement de résoudre cet écart, Freud a situé la pulsion de mort. Car, dans la coïncidence recherchée entre Je et Moi, entre Moi et l'Autre, c'est une

22. La clinique ne cesse de montrer que cette maternité consolante et comblante, peut surtout être étouffante, au risque de tuer ce qu'elle prétend protéger de tout mal.
23. Jacques Lacan, *Le séminaire. Livre XI*, p. 194.

143

abolition qui est assurée, celle du sujet qui est en même temps celle de l'Autre. Si la psychanalyse peut revendiquer une fonction éthique, c'est dans la mesure où elle ramène dans le savoir du sujet la vérité de son désir, c'est-à-dire le sens de sa division et donc de sa responsabilité. Ce n'est donc pas à Dieu qu'elle se mesure, ni à la sainteté (Lévinas), mais à la Loi. La psychanalyse fait tenir sa pratique sur un devoir qui, pour citer Beckett, n'est pas autre que celui de *continuer à dire*. Continuer à dire alors que tout incite à se confiner au senti, aux instincts, à se précipiter dans le faire; trouver le moyen de rétablir la communication alors qu'elle semble empêchée et impossible. «Il faut continuer, dit *L'innommable*, là où je suis, je ne sais pas, je ne le saurai jamais, [...] il faut continuer, je ne peux pas continuer, je vais continuer[24].»

L'éthique, c'est aussi ce visage qui se refuse au dévoilement et à la nudité, qui laisse partir, qui bénit sur le seuil, laisse l'autre à son altérité qui n'est pas misère mais devenir.

«Aime *pour* ton prochain comme tu aimes *pour* toi-même», serait la traduction la plus proche de l'hébreu qui a inventé ce précepte. Seul sens recevable d'un pour-l'autre. *Ne fais pas à ton prochain ce que tu ne veux pas qu'il te fasse.* Comment pourrais-je vouloir que l'autre prenne sur lui ma responsabilité? Comment vivre après cela, sinon dans un endettement féroce où l'autre est pour moi une puissance, d'autant plus puissante qu'elle me serait entièrement assujettie? La clinique freudienne nous apprend que c'est dans le maternel que se révèle mon prochain comme ce qui, brusquement, me la rend, elle, ma mère, étrangère voire hostile, et qui est l'enjeu de sa jouissance qui m'exclut, me jette dehors. Le féminin n'est pas cette «virginité inviolable», étrangement proche, encore une fois, des figures de la chrétienté. Elle est ce qui dans la mère s'ouvre sur sa sexuation et son sexe d'où je chois, séparé, divisé, pour parvenir à être.

Freud ne fait pas de la psychanalyse une théorie du bien et du mal, mais il montre qu'elle conduit ni plus ni moins le sujet à reconnaître et assumer sa causalité qui est parole, métaphore. Elle implique donc de penser des lois pour la culture qui répondent à cette exigence, et soutiennent les possibilités pour le sujet de se réaliser.

TROISIÈME VARIATION. LE VISAGE MIROIR

Je ne supporte pas qu'on me regarde pendant huit heures par jour (ou davantage). Comme je me laisse aller au cours des séances à mes pensées inconscientes, je ne veux pas que l'expression de mon visage puisse fournir au patient certaines indications qu'il pourrait interpréter ou qui influeraient sur ses dires. En général, le

---

24. Samuel Beckett, *L'innommable*, Paris, Éditions de Minuit, 1992 [1953], p. 213.

patient considère l'obligation d'être allongé comme une dure épreuve et s'insurge là contre, surtout lorsque le voyeurisme joue, dans sa névrose, un rôle important. Malgré cela, je maintiens cette mesure qui a pour but et pour résultat d'empêcher toute immixtion, même imperceptible, du transfert dans les associations du patient, et d'isoler le transfert[25].

Freud n'a pas sans raison décidé de se placer derrière ses patients. D'une part, dit-il, parce qu'il trouvait épuisant de soutenir toute la journée les mimiques et séductions que ces derniers lui adressaient. Non pas parce que c'étaient des hystériques, mais parce que ces patients lui parlaient à lui, et que, lui parlant, ils faisaient comme nous faisons tous lorsque nous parlons à quelqu'un : ils sollicitaient son attention, sa compassion, son intérêt, son assentiment, sa sympathie, sa reconnaissance ou son jugement. Freud va donc se placer derrière celui ou celle qui parle, pour se soustraire en quelque sorte à la capture (ou à la demande) que constitue tout visage. Mais cette décision relève aussi, d'autre part, d'un souci de ne pas donner prise inutilement à l'interprétation ou au déchiffrement de son propre visage.

145

Le transfert tel que le définit Freud, ce n'est pas tant le fait que le patient s'éprenne de son analyste — ce qui n'arrive pas nécessairement —, mais plutôt qu'il va rejouer et revivre ses affects infantiles en les attribuant à une personne, l'analyste, qui n'a strictement rien à voir avec cette histoire. Le transfert, on s'en souviendra, c'est cette possibilité de reporter sur l'analyste, de les théâtraliser sur la scène de l'analyse, les modalités du lien à l'Autre dont on ne saurait rien dire ni reconnaître. Il s'agit de faire revenir en acte ce qui ne peut se dire en langue. Travail de traduction, disait Freud, que la scène de l'analyse, son cadrage, permet de déchiffrer. On comprend, de là, que le corps de l'analyste, sa présence, sa personne soit une concrète surface d'inscription pour celui qui s'adresse à lui. Mais cela n'est possible que si ce corps se met à la disposition de cette « projection », et donc efface autant que possible les traces de sa propre écriture. C'est pour cette raison qu'il importe de mettre le visage qui écoute en marge de la scène, de le réduire provisoirement à une pure surface... pour l'autre. C'est une comédie nécessaire au surgissement de ce qui pour le sujet parlant ne peut être entendu.

Freud affirme donc qu'il s'agit, pour lui, de ne pas être capté, d'une part, et de ne pas se donner à lire, d'autre part. Affirmant qu'il adopte cette position pour des raisons personnelles, Freud découvre tout de suite que ce sont là les conditions d'une écoute particulière. Ne pas donner, le temps d'une scène, son visage à déchiffrer est une condition pour faire entendre au sujet qui parle, qui s'adresse

25. Sigmund Freud, «Conseils aux médecins sur le traitement analytique » [1912], dans *La technique psychanalytique*, Paris, 1985, Presses universitaires de France, p. 61-71.

à ce visage retiré, sa propre demande[26]. Mais il ne s'agira jamais de disparaître complètement, puisque l'analyste doit être là en chair et en os, son visage toujours offert au regard au seuil de la scène : à l'entrée, à la sortie, comme rappel qu'il y a bien là regard, écoute, corps désirant.

Il faut dire en passant qu'aucun analyste sensé n'aura l'idée de s'asseoir derrière, par exemple, un paranoïaque. Il y a donc beaucoup d'analyses qui se déroulent en face à face. Freud recommande alors aux analystes d'offrir, dans ces cas-là, un « visage impénétrable ». Il dit : « À la manière d'un miroir, ne faire que refléter ce qu'on lui montre[27] ». Il ne s'agit donc pas d'afficher une impassibilité, encore moins un masque mortuaire. Freud a reconnu que le visage de l'autre à qui je parle est constamment sollicité de répondre à la demande sous-jacente à toute parole, qui est demande d'acquiescement, de reconnaissance. Le cadre de la séance analytique n'est pas un espace mortifère mais un théâtre, une scène construite pour créer les conditions d'une échappée hors de l'imaginaire et de sa fascination, de son leurre, de son aliénation. Il s'agit de retrouver la fonction de la parole et, pour l'analysant, c'est-à-dire le patient, d'entendre sa demande depuis un lieu où, enfin, on ne lui répondra pas ce qu'il attend.

Un visage-miroir serait donc un visage qui renvoie à celui qui parle, non pas l'effet qu'il produit sur l'autre (ce qui arrive presque toujours dans l'interlocution courante), mais la figure de sa propre énonciation. C'est bien d'un théâtre qu'il s'agit, au sens de jouer la comédie, et cela, au nom d'une « vérité irréductible », pour reprendre le titre de Miron. On voit aussi que l'éthique peut — et même *doit* — relever du masque, puisque la vérité a structure de fiction, qu'elle ne se donne que travestie, en l'occurrence revêtue ici d'une sorte d'extériorité, de disponibilité au dehors. Le masque-miroir n'est en effet pas un « visage nu » ou livré à sa « pauvreté essentielle » ; il peut répondre, sourire, marquer la réception, il peut, par ses traits même donner prise aux affects, à la mémoire ; il doit rester vivant, incarné, visible, pour que la parole perdure et se trouve relancée. Mais c'est encore un masque dans la mesure où ce qu'il montre, c'est le visage de l'écoute ; le visage qu'aurait l'écoute, si elle en avait un. Que *ça* ne tombe pas dans l'oreille d'un sourd et que *ça* soit de ce fait retourné à l'envoyeur, du lieu même où il se voit regardé non pas comme image, mais comme parlant. Il s'agit somme toute de conjurer la fascination du visage.

Parce que le visage de l'autre nous parvient toujours dans l'obstacle de son théâtre, même « authentique », dans sa composition, dans son âge comme dans

26. Dans cette logique, on soutient donc qu'une demande ne réclame pas *nécessairement* une réponse, un comblement — répondre à la demande peut annihiler le sujet qui demande… que sa demande soit reconnue comme demande. Faire en sorte que le sujet entende sa demande, c'est donc lui redonner une part de lui-même assujettie à l'Autre où sa demande trouve sa source.

27. Sigmund Freud, « Conseils aux médecins sur le traitement analytique », p. 69.

son type qui n'est pas l'être, mais seulement sa figure par avance décentrée, déportée, déphasée par rapport à ce qu'on appelle l'être; parce qu'il est toujours théâtre, le visage peut se mettre à la disposition du jeu. On peut aussi, comme dans le théâtre japonais, le réduire à son masque. L'expressivité devance les traits (nez, bouche, yeux), elle les voile en un système codé, culturel, discursif. Le visage montre ainsi toujours ce décalage: on voit bien qu'il n'est pas l'être, qu'il est seulement fenêtre, ou encore être feint, joué, mis en scène, même vrai. Le visage se montre, s'offre comme métaphore: ce qui reste au-delà de lui est en lui, irréductible à sa matière et pourtant pris en elle, matérialisé dans sa chair. C'est aussi pour cela qu'on le vise souvent dans l'insulte. Comme si on pouvait, d'un seul coup, lever le voile.

L'éthique freudienne soutient donc qu'on ne doit pas répondre à la demande du visage, ne pas se faire le Messie de l'autre en se précipitant pour prendre en charge, restaurer, combler ce qui s'éprouve et même s'offre comme pauvreté, misère, manque. Dans cette «pratique» du visage, dans ce théâtre, il s'agit de restituer au sujet son manque non comme frustration, manquement, défaillance, impuissance mais comme responsabilité, condition de sa liberté et de sa jouissance. Donner à son histoire, à son désastre ou à sa volonté de jouissance et de puissance l'occasion de la métaphore.

QUATRIÈME VARIATION. LES FACES

> Maudite face! Face à deux faces! Face de carême! Face de bœuf! Face plate! Face à claques! Face de rat!

La face serait peut-être quelque chose comme la réduction du visage, son aplatissement, car le visage est pluriel, multiface, prismatique comme ces têtes que peint Picasso et qui offrent à la fois leurs profils, leur plan frontal, diagonal ou encore une coupe particulière, inédite. La face, c'est aussi, et d'une manière pas toujours immédiate, une apparition brute de son propre visage dont nous serions en quelque sorte prisonniers. Proust est sans doute l'écrivain qui a composé les plus remarquables variations sur cette aliénation, cette prison qu'est le visage. Le narrateur aperçoit, par exemple, dans le visage en fleur des jeunes filles, «les points imperceptibles qui, pour l'esprit averti dessine déjà ce qui sera, par la dessiccation ou la fructification des chairs [...], la forme immuable et pré-destinée de la graine[28].» Quelque chose de l'être, trouve, dirait-on, à s'exposer, le masque du visage devenant moule, empreinte partielle, diffuse ou disparate de l'esprit de famille, de l'appartenance à la lignée.

28. Marcel Proust, *À la recherche du temps perdu*, Paris, Éditions Gallimard, coll. «Quarto», 1999, p. 698.

147

M. de Cambremer ne ressemblait guère à la vieille marquise. Il était, comme elle le disait avec tendresse, «tout à fait du côté de son papa». [...] son nez avait choisi pour venir se placer de travers au-dessus de sa bouche, peut-être la seule ligne oblique, entre tant d'autres, qu'on eût eu l'idée de tracer sur ce visage, et qui signifiait une bêtise vulgaire, aggravée encore par le voisinage d'un teint normand à la rougeur de pommes. [...] Il est possible que les yeux de M. de Cambremer gardassent dans leurs paupières un peu de ce ciel de Cotentin [...], mais ces paupières lourdes, chassieuses et mal rabattues eussent empêché l'intelligence elle-même de passer. Aussi, décontenancé par la minceur de ce regard bleu, se reportait-on au grand nez de travers. Par une transposition de sens, M. de Cambremer vous regardait avec son nez[29].

La cruauté et le comique proustiens révèlent ainsi à quel point le visage peut être une trahison, ou encore une chance, une issue pour le sujet qui s'y trouve façonné par le temps:

> De sorte qu'il y avait telle femme qu'on avait connue bornée et sèche, chez laquelle un élargissement des joues devenues méconnaissables, un busquage imprévisible du nez, causaient la même surprise, la même bonne surprise que tel mot sensible et profond [...]. Autour de ce nez, nez nouveau, on voyait s'ouvrir des horizons qu'on n'eût pas osé espérer. La bonté, la tendresse, jadis impossibles, devenaient possibles avec ces joues-là. On pouvait faire entendre devant ce menton ce qu'on n'aurait jamais eu l'idée de dire devant le précédent. Tous ces traits nouveaux du visage impliquaient d'autres traits de caractère[30].

Ainsi subissons-nous l'effet de notre visage puisqu'il est, dans le monde, l'enjeu d'un accueil, d'une réception, d'une interprétation à laquelle nous finissons sans doute par adhérer, même inadéquate à ce que nous croyions être. Le respect, la distance que nous ne sentions jamais chez nos jeunes interlocuteurs, viennent un beau jour nous apprendre que les rides ont modifié la perspective dans laquelle nous avions pris l'habitude de nous déplacer. Les variations de notre géométrie ont changé les êtres autour de nous. On vous parlait comme à une fille, comme à une femme, on vient désormais spontanément à vous comme vers une mère, une personne d'expérience. Ce que nous pensons montrer n'est pas toujours ce que nous donnons à voir. Notre visage est en avance ou en retard sur nous. Il change, résiste, travaille, et modifie les regards, les paroles qui lui sont adressés. Sans doute est-ce par lui que nous sommes appelés à retrouver le temps.

Le visage est au cœur de la Bible, et la langue hébraïque a beaucoup à nous apprendre sur ce qu'il en est du visage comme métaphore, masque et voile. Le peuple juif a inventé ce Dieu au visage voilé qui pourtant parle à Moïse «face à face» (*panim el panim*). Visage, en hébreu, se dit donc *PaNim*. C'est une forme

29. Marcel Proust, À *la recherche du temps perdu*, p. 1443.
30. Marcel Proust, À *la recherche du temps perdu*, p. 2307.

plurielle (Chouraqui traduit d'ailleurs fidèlement ce terme par « les faces »). Le mot est construit sur la racine *PN* qui signifie *s'orienter, se tourner vers*, mais aussi *être libre, inoccupé, vide*. *PaNim* a aussi la même racine que *PaNouï*: *être devant, en avant*. Le visage, bien sûr, oriente le corps, mais il oriente aussi vers ce qui le transcende, il voile ce que pourtant il désigne. Il est donc bien le lieu de la rencontre et de la plasticité: matière multiple et complexe habitée, occupée, qui laisse ainsi l'impression de pouvoir être désertée, vidée.

De la même racine, on trouve encore *PNimiout*: l'intériorité, et *PeN*, la crainte, le risque. C'est de là que les rabbins interprètent la communication prophétique qui ne relie pas deux faces réduites à des surfaces, des façades, mais deux intériorités. Ainsi se désigne la fonction du visage qui n'expose pas que deux entités statiques, mais deux intériorités en mouvement, placées sous le signe du *PeN*, du risque, de l'aléatoire et du possible. Ce « faces à faces » prophétique ne se joue pas, comme on pourrait le penser facilement, sous le voile. Ce « faces à faces » indique la rencontre entre l'humain et le divin, c'est-à-dire qu'il suppose que Dieu, pour rencontrer l'homme, doit « voiler » ses faces qui ne peuvent être vues: interdites parce qu'impossibles à voir. L'intériorité que crée le visage est donc radicalement humaine — Dieu n'a pas d'intériorité, sauf s'il passe lui aussi par le voile qui lui permet la rencontre avec l'humain.

Ce *panim el panim* est bien sûr un problème de traduction. Mais l'expression rejoint encore la certitude que le visage n'est pas seulement une face, mais aussi et *en même temps* un impossible à voir, une parole, un regard, l'enjeu d'une métaphore. On pourrait encore traduire l'expression hébraïque par « risque à risque », « possible à possible ». En hébreu, la forme même des lettres a un sens puisqu'elle garde la mémoire de l'image du corps qu'elle refoule en tant que trait, qu'abstraction: chaque lettre est en effet un mot. Le *Pé* [פ], première lettre du mot *PaNim*, signifie *bouche*. L'*Exode* affirme aussi que Dieu parle à Moïse *Pé al Pé*, bouche à bouche. Cette lettre, graphiquement, désigne l'ouverture vers l'avant (si l'on se rappelle que l'écriture hébraïque avance de droite à gauche). Le *Mem* de *paniM* est aussi une lettre ouverte [מ] sauf en fin de mot, comme c'est le cas ici [ם], où elle indique l'achèvement de la potentialité. Les faces se situent donc entre ouverture et achèvement. *Mem* en hébreu, c'est l'eau (*maïm*), c'est-à-dire, par association, la femme, la création placentaire, l'origine. Quand au *Noun* central, c'est la lettre qui désigne la fécondité. Il représente graphiquement la ligne infiniment extensible dans les directions de la hauteur et de la profondeur [נ]. Il est aussi la colonne vertébrale et le serpent (*Nahach*). Bref, aucun visage n'est uniface, et tout visage est parole, limite et ouverture, potentialité, risque, promesse, fécondité, futur et clôture[31].

---

31. Voir entre autres, pour en savoir plus sur cette science hébraïque des lettres, Frank Lalou, *Les lettres hébraïques. Entre science et kabbale*, Paris, Éditions alternatives, 2005.

deux modalités du visage, mais traduites dans les termes de son auteur, en rompant avec le cadre régulier du cinéma narratif classique : si le visage se manifeste chez Marker sur le mode « spectaculaire », c'est comme puissance d'arrêt d'un temps, soustrait à l'enchaînement, et surtout marqué par la cicatrice d'un souvenir. Le visage peut également se présenter sur le mode du « raccord », comme instance d'embrayage d'une série, permettant d'articuler ou de réenchaîner une « fiction de mémoire[9] ».

La jetée, l'éblouissant photomontage que Marker réalise en 1962, se déploie tout entier à partir du visage d'une femme, vu par le héros un dimanche, à Orly, peu de temps avant le déclenchement d'une troisième guerre mondiale qui allait rendre la vie sur terre invivable. L'homme « dont on raconte l'histoire », aperçoit ce visage de femme quelques instants avant d'être le témoin d'un meurtre.

Ce meurtre se révélera, dans la boucle de la fiction, être l'image de sa propre mort. Le personnage, nous apprend le narrateur, se demandera longtemps si cette image était bel et bien un souvenir, ou si elle n'était pas plutôt le produit de son imagination, désireuse d'une image du bonheur en temps de paix, après le spectacle des horreurs qu'il avait traversées. Si le bonheur s'incarne dans un visage de femme, l'horreur de la guerre est sans visage, elle ne présente que des ruines. Mais ces deux images juxtaposées, ces deux « faces » de la réalité, sont le lieu d'une tension féconde, que l'on retrouvera dans toute son œuvre : le visage d'une jeune femme peut côtoyer le visage de soldats émaciés (comme dans son installation vidéo Prelude : The Hollow Men, 2005), la photographie de la star, celle d'une lépreuse (comme dans Souvenir d'un avenir).

Dans La jetée, c'est le souvenir de cette femme, empreinte mouvante et insaisissable, et l'obsession qu'elle suscite qui rend le prisonnier-cobaye apte à voyager dans le temps. Si les scientifiques qui l'ont capturé veulent l'y envoyer, c'est afin qu'il ramène du futur une source d'énergie qui permettra aux hommes de survivre ; lui, il y plonge pour rencontrer dans le passé cette femme, qu'il retrouvera, par bouffées brèves, aux Tuileries, au Musée de l'Homme, etc. Leurs rencontres culmineront dans un instant d'intimité, qui leur sera aussitôt dérobé. La femme semble allongée sur un lit, son visage est cadré en gros plan. Se succèdent alors une série de photos, fondues l'une dans l'autre, de son visage, de plus en plus rapprochées, comme s'il allait s'animer, jusqu'à ce que, soudain, 24 photogrammes consécutifs, en une seconde, défilent sous nos yeux, nous donnant à voir l'image soudain « animée » d'un clignement de paupières, adressé directement à la caméra (figs. 1-2). Cet Augenblick échappe à la règle « photographique » du film, de telle sorte que l'on assiste à une interruption et une réactivation du

9. Jacques Rancière, « La fiction documentaire : Marker et la fiction de mémoire », dans La fable cinématographique, Paris, Éditions du Seuil, 2001, p. 201.

Figs. 1-2. Chris Marker, *La jetée*, 1963 © Argos Films. Avec l'aimable autorisation de Argos Films.

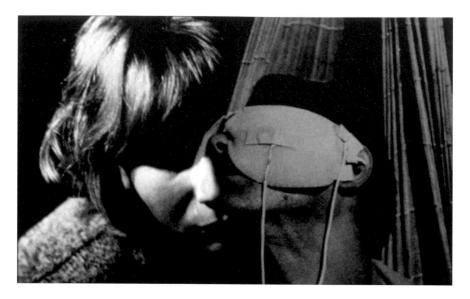

Fig. 3. Chris Marker, *La jetée*, 1963 © Argos Films. Avec l'aimable autorisation de Argos Films.

temps. Le visage de la femme entaille et reprise le temps, y imprimant un nouvel instant de bonheur.

Si l'obsession du héros pour « cette image du bonheur » le prédisposait au voyage dans le temps, c'est aussi elle qui le condamnera à mort. Lorsque les hommes du futur lui donnent la possibilité de retourner dans le temps, il choisit l'instant précis, sur la jetée d'Orly, où le visage s'était, pour la première fois, empreint dans sa mémoire. Courant à la rencontre de la femme, il sera abattu : « on n'échappe pas au temps[10] ». Le visage de la femme est donc la condition d'articulation du récit (sa trame, le principe qui le boucle), et en même temps son arrêt, sa suspension (instant de la mort, empreinte dans la mémoire, arrachement au récit). Plus encore, ce visage de femme est agencé visuellement — dans une série de surimpressions somptueuses (fig. 3) — avec le visage torturé du prisonnier : ce dernier doit souffrir pour l'atteindre. Même lorsqu'il est « pris pour lui-même », le visage est pris dans une série de connexions, entre la voix du narrateur, la succession des plans, la toile du récit. Le travail sur le visage n'exprime pas un quelconque processus d'individuation ou d'expression d'intériorité. Il traduit plutôt une série d'affects intensifs : traits de souffrance, marque du souvenir, éclair de bonheur, aveuglement du désir.

10. Pour mémoire, on se souviendra que l'homme est tué sur la jetée d'Orly par les scientifiques du présent, qui sont allés le chercher dans le passé pour l'assassiner après s'être servi de lui.

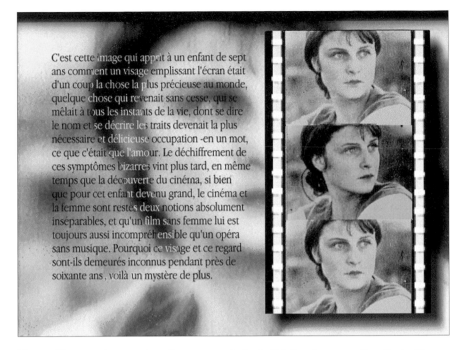

C'est cette image qui apprit à un enfant de sept ans comment un visage emplissant l'écran était d'un coup la chose la plus précieuse au monde, quelque chose qui revenait sans cesse, qui se mêlait à tous les instants de la vie, dont se dire le nom et se décrire les traits devenait la plus nécessaire et délicieuse occupation -en un mot, ce que c'était que l'amour. Le déchiffrement de ces symptômes bizarres vint plus tard, en même temps que la découverte du cinéma, si bien que pour cet enfant devenu grand, le cinéma et la femme sont restés deux notions absolument inséparables, et qu'un film sans femme lui est toujours aussi incompréhensible qu'un opéra sans musique. Pourquoi ce visage et ce regard sont-ils demeurés inconnus pendant près de soixante ans, voilà un mystère de plus.

Fig. 4. «C'est cette image qui apprit...», page extraite du CD-Rom *Immemory One*, Centre Georges Pompidou, 1997. © Chris Marker / Centre Georges Pompidou.

SIMONE GENEVOIS, PREMIÈRE IMPRESSION

La figure du visage, chez Marker, est liée à une empreinte dans la mémoire. Si l'on a pu dire que ses films participent tous, à différents degrés, de l'autoportrait (chaque film serait un «album de famille», une correspondance, un tombeau pour l'ami, Tarkovsky, Medvedkine[11]), nous pourrions faire remonter cette prégnance du visage, dans son œuvre, à un certain «souvenir personnel» — bien qu'il soit impossible de savoir s'il est véritable ou fictif.

Dans la «Zone cinéma» de son CD-Rom *Immemory One*, Marker relate une série de «premières impressions» cinéphiliques. On y retrouve, parmi d'autres un «montage» texte-image dédié à l'actrice française Simone Genevois, aujourd'hui disparue des mémoires, qui avait joué dans un film de Marc de Gastyne, *La merveilleuse vie de Jeanne d'Arc* (1927). Sur la droite de l'écran, trois photogrammes apparaissent enfilés à la verticale, sur une bande de pellicule (fig. 4). À la gauche, on peut lire :

11. Voir sur ce point Viva Paci, «"Je vous écris d'un pays lointain", *Le tombeau d'Alexandre* de Chris Marker», *Sociétés et représentations*, «La croisée des médias», n° 9, avril 2000, p. 249-258.

C'est cette image qui apprit à un enfant de sept ans comment un visage emplissant l'écran était d'un coup la chose la plus précieuse au monde, quelque chose qui revenait sans cesse, qui se mêlait à tous les instants de la vie, dont se dire le nom et se décrire les traits devenait la plus nécessaire et délicieuse occupation — en un mot, ce que c'était que l'amour.

Cette image est lourde de signification. Elle traduit le caractère éminemment privé de son expérience des images (une première image de cinéphile)[12]. Elle se présente sous le signe de l'obsession, elle contamine le temps présent, revenant « sans cesse », se mêlant « à tous les instants de la vie ». Le visage, présent parce qu'absent, posséderait ainsi, tel qu'il nous le livre ici, un caractère premier, commandant en retour toute une pratique du regard et un travail sur la mémoire. Le visage est ce qui se dérobe, et, en même temps, ce à quoi on ne peut échapper et qu'il faut *retenir*, précisément parce qu'on est retenu par lui.

C'est sans doute dans cet écart entre la perte de l'objet familier, de l'objet d'amour, et l'urgence, voire le devoir d'y revenir, de le faire revenir, qu'on touche au plus près l'enjeu de la médiation dans les films de Marker[13]. On comprend dès lors la place qu'y représente la figure du visage, à la fois comme *objet d'une mémoire* et *signe d'une mémoire* : se rappeler un visage, c'est lui reconnaître une place comme objet dans sa mémoire, mais c'est aussi se rappeler que ce visage possède une mémoire (les tisseuses du marché d'Okinawa, le Iakoutsk de Sibérie, les femmes du marché de Bessao).

L'AUTOPORTRAIT MARKERIEN

Chaque film de Marker, nous le disions, serait une forme d'autoportrait. Mais à la différence de Boris Lehman (*Babel : lettre à mes amis restés en Belgique*, 1991), Jonas Mekas (*Diaries, Notes and Sketches*, 1969), Agnès Varda (*L'Opéra-Mouffe*, 1958, ou *Les glaneurs et la glaneuse*, 2000), voire Jean-Luc Godard (*JLG/JLG : autoportrait en décembre*, 1994), qui ont réalisé des autoportraits où ils se mettent en scène, Marker, c'est connu, ne paraît jamais à l'écran, on ne sait pas à quoi

---

12. Voir le très beau texte de Marker qui accompagnait son installation *Silent Movie* : Chris Marker, « The rest is silent », *Trafic*, n° 46, été 2003, p. 57-62.

13. « *[Marker] tranforms the faces of strangers around the world momentarily, fragmentarily, into so many masks–death masks and primal faces of women. These faces ever call to mind the same face: the face, familiar but now lost, of the mother or the beloved. A face that is familiar because lost, and thus always recovered in the multitude of images. It is then, in full media frenzy that mediation once again becomes possible.* » (Johanne Villeneuve, « Utopian Legacies: Memory, Mediation, Cinema », dans Brian Neville et Johanne Villeneuve [dirs.], *Waste-Site Stories: the Recycling of Memory*, Albany, State University of New York Press, 2002, p. 208-209)

ressemble son visage, au mieux saurait-on reconnaître sa voix pour l'avoir entendue dans quelques rares films (*À bientôt j'espère*, 1968, *Le mystère Koumiko*, 1965, *Le fond de l'air est rouge*, 1977, *Level Five*). N'est-il pas alors singulier de parler de la figure du visage et d'une pratique de l'autoportrait chez un auteur dont on ne possède, à tout prendre, aucune photo ?

Une exception semble vouloir confirmer la règle. Une photographie de l'artiste apparaît en effet sur la quatrième de couverture de son livre *Commentaires*[14]. Cet autoportrait photographique montre un visage caché derrière un appareil photo à deux objectifs, tenu par deux mains. La photo semble avoir été prise dans un miroir. On voit clairement un œil droit nous/se fixant. Le reste de l'image est plongé dans l'obscurité. Cette photo nous fait comprendre dans quel sens il faut aborder *l'auto* de l'auto-portrait[15]. C'est la caméra et ce qu'elle photographie (c'est-à-dire elle-même et l'autre) qui tiennent lieu du visage *autoportrait*. L'autoportrait passe par une technique qui en médiatise à la fois le contenu et la forme réfléchie. Le visage de Marker a beau être voilé, la technique, le dispositif photographique (et éventuellement filmique), révèle, en se montrant, son « vrai » visage[16].

Du coup, Marker nous rappelle que, si l'accès au visage suppose un certain rapport de médiation, c'est que, d'une certaine façon, *le visage est toujours médiation*. Sa représentation nécessite un détour qui tient compte de l'interface technique et symbolique du médium. Pour cette raison, toute image du visage est en décalage, elle ne saurait être parfaitement adéquate à ce qu'elle vise, son accès n'est jamais *immédiat*. Mais c'est peut-être dans ce passage, ce détour, cette dissimulation, que se trouve la vérité du visage, que ce dernier peut se dévoiler. Le visage de Chris Marker, après tout, ne devient-il pas « reconnaissable » grâce à tous ces visages, captés au fil de ses voyages ? N'est-ce pas en passant par eux que son regard se révèle ? N'est-ce pas eux qui nous offrent la clé de composition de son autoportrait ?

14. Chris Marker, *Commentaires*, Paris, Éditions du Seuil, 1961. On pourrait bien entendu nous objecter que rien ne garantit qu'il s'agit de Marker sur cette photo, que ce n'est pas nécessairement son œil qui nous regarde, que ce n'est pas sa main qui tient l'appareil, son visage qui se dissimule, mais « un œil », « une » main, « un » visage. Si rien, en effet, ne nous permet de garantir l'identité de celui qui s'est auto-photographié, le dispositif de dissimulation et la mise en scène du processus de « médiation » dans lequel il apparaît, disent bien de quelle façon il nous faut envisager la représentation du visage du cinéaste.

15. Sur cette question, voir Muriel Tinel, « Le cinéma et l'autoportrait : de l'expression de soi à l'expérience d'un support », *Hors champ*, avril 2006, http://www.horschamp. qc.ca/article.php3?id_article=220.

16. Une œuvre de Michael Snow, *Authorization* (1968), s'employait aussi à une telle mise en abyme de la photographie, de la caméra, du photographe et du miroir.

PARADOXES DU DÉCHIFFREMENT OU QUE PEUT UN VISAGE ?

Si le visage est un objet privilégié de la mémoire dans les films de Marker, chaque visage est aussi le siège et le signe d'une mémoire dont la lecture et l'appréhension sensible *passent* par la technique audiovisuelle. La technique nous permet en effet de *traiter* le visage comme objet de mémoire (« je me rappelle ces visages-là ») ou signe d'une mémoire (« derrière chaque visage se cache une mémoire »). Ce serait la promesse. Mais en même temps, que nous dit un visage ? De quoi dépend sa *lecture* ? À quelle intériorité nous donne-t-il accès ? Ce serait sa question. La figure du visage, chez Marker, naît de la confrontation entre cette promesse et cette question.

Déchiffrer un visage, cela peut vouloir dire en libérer les traits, le faire signifier au-delà de son temps historique. C'est à cela que s'emploie *Le souvenir d'un avenir* (2002), film coréalisé avec Yannick Bellon, à partir des photographies — et sur la vie —, de Denise Bellon, une photographe ayant côtoyé, notamment, le groupe des surréalistes dans les années 1930. Ses photographies, tout particulièrement celles de l'entre-deux-guerres, nous permettent de déchiffrer le passé en y lisant les traces de l'avenir, logées dans leur présent-passé. Ce que l'on lit sur ces visages, celui de Marcel Duchamp, de Pablo Picasso, des étudiants de la Sorbonne, des visages défigurés de la première guerre, c'est, anachroniquement, tout ce que ces visages, inquiets, souriants, terrifiés, ne savaient pas encore qu'ils allaient voir. Il s'agit de montrer un passé qui déchiffre un avenir, de montrer comment un après-guerre, pour eux, devient un avant-guerre, pour nous qui, aujourd'hui, les regardons. Denise Bellon témoigne par ses photographies d'un avenir dont le temps nous a permis de lire les traits en les déployant sur le grand écran de l'histoire. C'est le cas de ces soldats défigurés, « rescapés de la grande guerre », qui « se réunissent, [...] se montrent, [...] montrent à tous ce que la guerre peut faire aux hommes, pour témoigner, pour avertir. » Et le commentaire ajoutera : « on sait la suite ». En même temps, ces « gueules cassées » peuvent évoquer pour nous ces visages que peindra plusieurs années plus tard Francis Bacon ; elles nous rappellent les tableaux cubistes qui inauguraient un état *défait* du visage dans l'art moderne, et qui avaient rencontré, auparavant, le « primitivisme » des masques africains, inséparable d'un certain « visage » du colonialisme (que Denise Bellon a également photographié, en Algérie notamment), etc. Nous le disions, les visages nous lisent l'histoire, en nous permettant de lier ces moments disparates…

SÉRIES-VISAGES

Les grands *documentaristes* — Vertov, Wiseman, van der Keuken, Ivens, Perrault, Groulx — ont tous compris qu'un visage est un signe particulièrement riche, parce que, précisément, il est le siège de signes innombrables. Chaque visage, pourvu qu'on s'y applique, *documente un regard du temps*, c'est-à-dire un raccord entre soi et le monde. Dans *Sans soleil*, la narratrice nous dit : « [S]ous chacun de ces visages, une mémoire. Et là où on voudrait nous faire croire que s'est forgée une mémoire collective, mille mémoires d'hommes qui promènent leur déchirure personnelle dans la grande déchirure de l'histoire. » Il est certes impossible de rendre ces « mille mémoires » d'hommes ; il serait toutefois possible d'en présenter « la déchirure personnelle », la suture paradoxale, qui raccorde ce visage et ce regard à l'histoire, à d'autres mémoires, à d'autres images, à une multiplicité.

À la fin du *Joli mai*, Marker s'adressait aux visages d'une foule parisienne, dont la caméra de Pierre Lhomme captait toute l'inquiétude : « Que se cache sous vos visages [...] Avez-vous peur des fantômes ? » Cette question, il se la posera plusieurs années après, aux visages assoupis des passagers du métro de Tokyo de *Sans soleil*, ou aux vieilles tisseuses du marché d'Okinawa de *Level Five*. Les trois exemples que nous venons de citer sont fort révélateurs et méritent que nous nous y attardions.

Dans *Le joli mai*, ces visages des passants, portant, nous dit le commentaire, leur « prison à l'intérieur d'eux », se connectent au *sans visage* des prisonniers dans leur cellule, dont on a entendu précédemment la voix, et à la grisaille du paysage parisien, dans une triple capture, qu'agence, comme sur une partition, la voix du narrateur. La question n'est plus « à quoi pensent-ils », mais à quelles pensées ces visages permettent la circulation ? La voix et le montage décomposent littéralement les traits des ces visages en leur imprimant une peur sourde et muette, qui les désindividualise, les dissémine en une collectivité de spectres inquiets : c'est le visage de Paris, en 1962, lu par Marker.

Dans *Sans soleil*, les lignes de métro de Tokyo deviennent des fils invisibles qui raccordent les rêves des voyageurs dans un grand film immense et impossible, défilant à toute vitesse. Marker nous montre les visages des travailleurs, des femmes, des vieillards, des enfants endormis, emportés par le tracé lumineux des trains, entre lesquels il insère des images de films japonais, visages de fantômes, visages de samouraïs, visages de personnages *manga*. Ce n'est pas seulement alors la projection imaginée des rêves des voyageurs. C'est un agencement qui se produit entre les visages des voyageurs et les visages d'un rêve collectif, lui-même déterritorialisé à l'intérieur du réseau du métro, lui-même inscrit dans un film-rêve, etc.

Dans *Level Five*, une très belle séquence s'ouvre et se clôt sur les visages des femmes du marché d'Okinawa, qui sont, nous dit le commentaire, les « gardiennes de sa mémoire ». Pour lire ces visages, pour leur donner toute leur intensité, Marker les agence avec une série d'évocations et d'images des corps torturés de la bataille, du musée qui essaie de raconter, sans jamais y parvenir, l'horreur d'Okinawa, des photographies des jeunes infirmières de Shoari mortes suicidées dans leur grotte ; des visages des touristes armés de leurs appareils-photos, etc. La série raccorde les visages sur autre chose que lui, que le mystère de ces visages de femmes du marché, porteurs d'une mémoire invisible, a permis de déclencher.

Tout cela existe sur un même plan de consistance qui rappelle ce mot de Deleuze et Guattari, dans *Mille plateaux* :

> [...] chaque trait libéré de visagéité fait rhizome avec un trait libéré de paysagéité, de picturalité, de musicalité, non pas une collection d'objets partiels, mais un bloc vivant, une connexion de tiges où les traits d'un visage entrent dans une multiplicité réelle, dans un diagramme[17].

REGARDS-CAMÉRA

Nous disions qu'il y a, chez Marker, deux grands modes de représentation du visage : soit comme instance de raccord à l'intérieur d'une série, soit comme puissance d'arrêt du temps.

Dans *Sans soleil*, cette puissance d'arrêt du temps est mise en évidence dans le jeu de regard avec la caméra, qui suspend le temps précisément parce qu'il force la caméra et son regard à se montrer. Il est clair qu'il ne s'agit pas seulement de montrer le regard de l'autre, mais de « soutenir le regard ». Soutenir le regard, c'est accepter d'être exposé par lui. C'est d'ailleurs une des questions centrales de *Sans soleil* :

> Comment filmer les dames de Bissau ? Apparemment, la fonction magique de l'œil jouait là contre moi. C'est sur les marchés de Bissau et du Cap-Vert que j'ai retrouvé l'égalité du regard, et cette suite de figures si proches du rituel de la séduction : je la vois — elle m'a vu — elle sait que je la vois — elle m'offre son regard, mais juste à l'angle où il est encore possible de faire comme s'il ne s'adressait pas à moi — et pour finir le vrai regard, tout droit, qui a duré 1/25e de seconde, le temps d'une image[18].

Le « vrai regard », à ce moment, est celui qui s'adresse directement à la caméra, et qui ne dure, effectivement, à l'écran, qu'une fraction de seconde. Or, Marker, montre, tout aussi rapidement, pas moins de quatre autres visages, quatre autres regards à la caméra. Ce « vrai regard », fulgurant, est donc multiplié en cinq instances qui multiplient — et contredisent tout à la fois — le choc singulier, comme s'il s'agissait de représenter les variations d'une trace mnésique, cinq fois reprise (figs. 5-7). À chaque fois que ce regard rencontre celui de la caméra, le médium ne disparaît pas dans ce qu'il représente, mais se manifeste pour lui-même : en même temps que *ce* qu'il montre, il se montre lui-même, s'expose

---

17. Gilles Deleuze, *Capitalisme et schizophrénie : Mille plateaux*, Paris, Éditions de Minuit, coll. « Critique », 1980, p. 233.

18. Chris Marker, « *Sans soleil* (commentaire) », *Trafic*, n° 6, printemps 1993, p. 85.

Figs. 5-7. Chris Marker, *Sans soleil*, 1983 © Argos Films. Avec l'aimable autorisation de Argos Films.

en tant que dispositif. C'est dans cette « exposition », cette mise à l'examen du regard-caméra lui-même que la *rencontre* avec la (ou les) femmes de Bissau se produit, justement parce qu'il permet d'atteindre une « égalité du regard », singulière et en même temps insaisissable dans sa singularité-même.

La dernière image de *Sans soleil* reprend d'ailleurs un de ces visages, comme s'il était un signe-emblème pour tout le film. Cette image a été toutefois travaillée par ce synthétiseur qui, nous dit le commentaire, produit des « images moins menteuses », car « au moins elles se donnent pour ce qu'elles sont, des images, pas la forme transportable et compacte d'une réalité déjà inaccessible[19] ». Cette image manipulée par la machine, immobilisée dans un moulage d'émulsion, est devenue *accessible* : « Il m'écrit que maintenant il peut fixer le regard de la dame du marché de Praia, qui ne durait que le temps d'une image[20] ». La technique permet de faire perdurer l'instant du regard, en maintenant suspendue, en même temps qu'elle le *falsifie*, son caractère propre : la fugacité. Maintenir l'instant du regard en tant qu'instant, comme une persistance de la perception, comme une impression de mémoire, c'est ce que nous montrait *La jetée*, c'est ce que réalisent à plusieurs reprises *Sans soleil*, *Level Five*, *Le tombeau d'Alexandre*.

L'arrêt sur image est, plus souvent qu'autrement, un arrêt sur regard, qui expose à la fois la nudité essentielle du visage *et* sa dissimulation, en même temps qu'il amène le dispositif filmique à se révéler. Ici comme ailleurs, le travail de Marker consiste à arrêter ces images, les ralentir, les répéter, pour les délier, montrer ce qu'elles cachent, ce qu'elles révèlent, tout en les affichant en tant qu'images.

Selon Agamben, une image travaillée par les puissances de l'arrêt et de la répétition « est un "moyen pur", qui se montre en tant que tel[21] ». De la même façon, les regards à la caméra forcent, d'une certaine manière, le jeu de la dissimulation à se montrer, et, « dans la mesure même où ils dénoncent la falsification, ils apparaissent plus vrais[…] ». Agamben, dans son texte « Le visage », ajoute : « ce qui reste caché n'est pas pour [l'homme] quelque chose derrière l'apparence, mais le fait même d'apparaître, le fait de n'être rien d'autre que visage[22]. » C'est,

19. Chris Marker, « Sans soleil », p. 86.

20. Chris Marker, « Sans soleil », p. 97.

21. Giorgio Agamben, « Le cinéma de Guy Debord » [1995], dans *Image et mémoire*, Paris, Desclée de Brouwer, coll. « Arts et esthétique », 2004, p. 75.

22. Giorgio Agamben, « Le visage » (1995), dans *Moyens sans fins, notes sur la politique*, Paris, Payot & Rivages, coll. « Rivages poche / Petite bibliothèque », 2002, p. 107. Il est admis que ce n'est pas le même type de visage qui s'adresse à nous, dans un documentaire et dans un film de fiction. Il demeure que, fondamentalement, dans les deux cas, la caméra est reconnue comme présence, et ne disparaît pas en tant que médium. La « falsification » dont il est question ici n'est alors pas celle de la fiction proprement dite, mais un régime particulier de falsification markérien, qui est celui de *Sans soleil*, du

en somme, cette apparence de l'apparence, qui dit la vérité du visage et, dans ce cas-ci, de sa médiation filmique, sa possibilité et sa fragilité.

« LA MORT AU TRAVAIL »

C'est à un autre niveau discursif que le dispositif est mis en scène par le visage et le regard dans *Level Five*. Il s'agit de la séquence des femmes de Saipei, captées par une caméra cependant qu'elles s'apprêtaient à se donner la mort en sautant en bas d'un récif. C'est en revoyant ces images, en arrêtant leur flux, que l'on peut lire cet instant fatidique où l'une des femmes, croisant le regard de la caméra et se sachant filmée, sent qu'elle doit sauter, *qu'elle n'a plus le choix*. Le caméraman, en somme, « l'abat, comme un chasseur ». Laura, la protagoniste de *Level Five*, associe à cette image, par surimpression, celle d'un autre film, celui de Nicole Védrès, *1900* (1948)[23], où une image d'archive montre un « homme-oiseau », sur le point de tenter une expérience périlleuse en sautant du haut de la Tour Eiffel. Dans les deux cas, c'est à l'instant où le regard des protagonistes rencontre celui de la caméra que Marker fige l'image, qu'un pacte contracté avec la mort est définitivement conclu.

L'arrêt sur image révèle quelque chose de l'image, en permet une lecture, parfois explicite, parfois ambiguë. Il est assez significatif que ce soit presque toujours sur un visage, souvent en gros plan, souvent de femme, souvent sur un regard à la caméra, que l'on retrouve cette pratique chez Marker (*Sans soleil* en compte au moins trois ou quatre exemples). À chaque fois, il semble qu'il y ait une volonté de suspendre le temps évanescent du regard en allongeant « artificiellement » sa durée. Mais n'est-ce pas alors l'embaumer, le momifier, lui imposer un masque mortuaire dans le *moulage photographique* ?

L'arrêt sur image fige le temps, confère à ces visages une valeur d'éternité, tout en arrachant au temps la vie du sujet qu'elle capte. Ce serait quelque chose comme une radicalisation de cette « momie du changement » dont parlait Bazin[24], et dont on trouverait plusieurs exemples dans les films de Marker. On le

sujet-filmeur-supposé, Sandor Krasna, des lettres envoyées, lues par Florence Delay, etc. On pourrait aussi se demander dans quelle mesure il s'agit d'un jeu de séduction, et qui est ce « moi » dont parle le commentaire.

23. *Paris 1900* est un film composé d'images d'archives de la Belle Époque, des origines du cinéma jusqu'à la Grande guerre, hyperboliquement salué à l'époque par André Bazin, « *Paris 1900*. À la recherche du temps perdu », *L'écran français*, 30 septembre 1947, repris dans *Le cinéma français de la Libération à la Nouvelle Vague* (1945-1958), Paris, Éditions Cahiers du cinéma, 1998, coll. « Petite bibliothèque des Cahiers du cinéma », p. 241-243.

24. André Bazin, « Ontologie de l'image photographique » [1945], dans *Qu'est-ce que le cinéma?*, Paris, Cerf, 1997, p. 14.

sait, le visage entretient un rapport précis avec le temps, dans la mesure où c'est sur lui que se lit son œuvre, entre les creux et les plis qu'il lui impose. Le temps a beau être *préservé* sur la pellicule, ces visages captés par la caméra *exposent* l'œuvre du temps, même s'ils le suspendent. Sur ces visages, surface sur laquelle se lit le passage du temps, le cinéma est noué intimement avec la mort. Et le cinéma est allé le plus loin dans son interrogation de la mort, lorsqu'il a compris que c'était là que la mort se *déroulait*[25].

Comme l'avance Jacques Aumont,

> [...] la possibilité du visage est la possibilité de connaître sa propre mort. Le visage est l'apparence d'un sujet qui se sait humain, mais tous les hommes sont mortels : le visage est donc l'apparence d'un sujet qui se sait mortel. Ce qu'on cherche dans le visage, c'est le temps en tant qu'il signifie la mort[26].

C'est en rendant le temps sensible au visage, ou le visage sensible au temps, que Marker, comme plusieurs grands cinéastes, a su filmer la mort en captant la vie. Nous pourrions dire des visages, comme de ces masques, dans *Les statues meurent aussi*, qu'ils « luttent avec la mort. Ils dévoilent ce qu'elle veut cacher[27]. »

C'est à la faveur de cet arrêt sur image que la mort devient aussi le lieu d'une rencontre avec le visage. Comme l'exprime Aumont à la suite de Balàzs, « il faut pouvoir maintenir, ou soutenir, la contemplation, suspendre le temps (de l'action), pour mieux épouser le temps du visage, sans distance[28] ».

VISAGE ET INTERFACE : LE TEMPS DES FANTÔMES

Selon Deleuze, le gros plan, parce qu'il permet de rompre avec la triple fonction du visage (socialisante, individuante, communicationnelle) et le désengage de toutes ses relations, confère aux affects du visage un caractère éminemment fantomatique. « Le gros plan fait du visage un fantôme, et le livre aux fantômes[29]. »

25. Il suffit sans doute de penser à *Nick's Movie* (1980) de Wim Wenders, *Dernières paroles, ma sœur Yoka* [1935-1997] (1997) et *Vacances prolongées* (2000) de Johann van der Keuken, *Near Death* (1989), de Frederick Wiseman, et, pour la fiction, *Cris et chuchotements* (Bergman, 1975), *La passion de Jeanne d'Arc* (Dreyer, 1929), etc. On se rappellera aussi la phrase de Bruno Forestier (Michel Subor), dans *Le petit soldat* (1960) de Godard, durant la séance de photographie avec Véronika (Anna Karina) : « Elle m'a regardé d'un air angoissé et j'ai eu l'extraordinaire sensation de photographier la mort ». À cet instant, au moment où Véronika croisait le regard de la caméra, Godard procédait à un arrêt sur image.

26. Jacques Aumont, *Du visage au cinéma*, p. 197.

27. Chris Marker, « Les statues meurent aussi » dans *Commentaires*, p. 18.

28. Jacques Aumont, *Du visage au cinéma*, p. 85.

29. Gilles Deleuze, *L'image-mouvement*, p. 141.

D'ailleurs, tout *medium* de reproduction-communication, qu'il soit sonore ou visuel, susciterait, d'une façon ou d'une autre, selon l'auteur, des fantômes[30].

Level Five — film peuplé à tous les niveaux de fantômes — exprime bien cet état du visage en gros plan, qui nous regarde et nous parle *d'outre-temps*, dans cette indécidabilité fantomatique de la présence et de son effacement. Le fantôme devient ici un *médium*, qui nous permet, dans le présent de sa manifestation, de nous connecter avec le passé. C'est ainsi que Laura (« *a face in the misty light* »), dans *Level Five*, parle à la caméra en s'adressant à un autre fantôme (son compagnon disparu), qui la *spectralise* d'autant plus. À travers elle, c'est toute une mémoire de l'histoire passée (collective et singulière), qui hante encore le présent, que l'on traverse, par témoignages interposés et images superposées. Ce serait peut-être un troisième mode du visage, après le mode narratif et le mode spectaculaire : le mode *spéculaire*, qui s'impose en flottant dans cet entre-temps, cet entre-deux du monde. Dans *Level Five*, ce mode spéculaire du visage apparaît en tant qu'*inter-face*.

Comme dans un journal filmé, Laura, personnage principal de *Level Five*, s'adresse directement à une caméra vidéo. C'est un des traits frappants de ce film, de tourner tout entier autour d'un visage qui assure la liaison avec les autres niveaux du film et nous connecte avec d'autres visages : les témoins, les généraux japonais et américains, les passants de la ville de Tokyo, les visages numérisés, la « galerie des masques », etc. Les couches successives de fiction et de traces documentaires, de niveaux discursifs et de supports médiatiques qui s'emboîtent dans ce film en font un véritable palimpseste filmique auquel les visages participent activement.

Ce film offre, en quelque sorte, un face à face avec l'*inter-face*, lieu d'inscription et de médiation (informatique et symbolique) qui se maintient en tant que *moyen*. Le visage de Laura, comme l'interface de l'ordinateur — le jeu de la bataille d'Okinawa, le réseau O.W.L. — est à la fois un organe récepteur et un écran-surface de projection (comme ce visage en pierre blanc qui apparaît à plusieurs moments du film). C'est en passant par cette interface que le film assure ses différents raccords, se *met et nous met en réseau*[31]. Le visage est alors un *moyen*, un *milieu* de médiation de l'expression et de l'expérience, qui fait converger une

169

---

30. C'est la distinction de Kafka, que Deleuze reprend à son compte, entre les moyens de communication-translation et de communication-expression (lettre, téléphone, radio, etc.) qui « suscitent les fantômes sur notre route et nous dévient vers des affects incontrôlés ». (Gilles Deleuze, *L'image-mouvement*, p. 142)

31. « *The concept of the interface comes to define, both figuratively and literally, the machinic connectivity of digital culture.* » (David N. Rodowick, *Reading the Figural, or, Philosophy After the New Media*, Durham & London, Duke Univ. Press, 2001, p. 214)

multiplicité de séries divergentes et de supports hétéronomes (film, images numériques, peinture, images vidéo, images télévisuelles, dessins animés, etc.).

Les nouvelles technologies de l'information et des communications ont provoqué des mutations profondes dans notre façon de concevoir l'identité ainsi que les politiques et l'économie identitaires. *Level Five* informe en quelque sorte ce nouvel *état de fait*, où la surveillance à outrance de l'individu se confond avec l'anonymat toujours plus grand des populations. Il témoigne de la profusion des images qui tapissent notre environnement, tout en fournissant des axes de lecture critique qui appellent un arrêt du flux des images, qui nous permettent de revoir ce que nous croyions avoir vu, ce que nous croyions connaître, parmi elles, les images de guerre. Marker en expose la nature, en en refaisant l'histoire. Il s'interroge sur les nouveaux *moyens* de médiation avec le passé qu'ont rendu possibles les nouvelles technologies, tout en montrant les leurres et les dérives de la médiatisation[32].

Les visages sont de plain-pied dans cette recherche. Ils se montrent souvent en images de synthèse, *pixellisés*, formés sur l'écran de l'ordinateur, présentés dans leur existence *technologique*. Sur le réseau, Laura se promène dans la galerie des masques où, comme ailleurs, le visage ne se révèle que dans la mesure où il s'affiche dissimulé, où il expose sa pâte *feuilletée*, ses pelures d'oignons (dirait Rilke). C'est ce que prétendait Agamben :

> le visage découvre seulement dans la mesure où il dissimule et dissimule dans la mesure même où il découvre [...] Parce que le visage n'est que le lieu de la vérité, il est immédiatement le lieu d'une simulation et d'une impropriété irréductible[33].

Le visage de Laura, dont le nom *auratique* est emprunté à une histoire de fantômes (*Laura*, Otto Preminger, 1944), est lui-même un palimpseste qui dissimule en même temps qu'il révèle, qui semble se modifier à chaque apparition (chevelure différente, teint modifié, autre éclat dans les yeux). Laura joue dans ce film, comme Chris Marker, un jeu de dissimulation et de révélation. Elle s'exprime en s'abîmant, en perdant ses coordonnées individuelles, sa spécificité (« mon drame le plus intime, est aussi le plus banal »). De la sorte, il n'est pas possible de dire que le visage de Laura dans *Level Five* traduit un processus d'individuation ; plutôt, il ne cesse d'être traversé par autre chose : il est montré avec d'autres images, d'autres visages, superposé à des lignes de codes informatiques, reflété dans l'écran, recouvert par des masques, etc. Il a beau être *toujours là*, il ne cesse de fuir, ses traits ne cessent de se défaire. D'ailleurs, au bout du film,

---

32. Sur cette distinction, voir Johanne Villeneuve et Brian Neville, « In Lieu of Waste », dans *Waste-Site Stories*, p. 1-29.

33. Giorgio Agamben, « Le visage », p. 106.

son visage disparaîtra, littéralement *floué* (*mis au flou*) par le zoom, par un excès du gros plan. Son visage perd ses traits, ne devient plus qu'une surface blanche et indistincte, une trace de l'oubli : « le gros plan visage est à la fois la face et son effacement[34]. »

RENDRE LE VISAGE

C'est sans doute par là qu'il nous faut passer pour atteindre une vérité du visage, qui ne semble pouvoir devenir le principe d'unité du film qu'en acceptant de perdre ses traits, d'être dévisagé ou traversé par autre chose que lui. *Rendre le visage*, c'est en montrer la multiplicité, la fragilité, l'inquiétude, la perte. Pour parler comme Agamben, on dira que « saisir la vérité du visage signifie appréhender non pas la *ressemblance*, mais la *simultanéité* des faces, la puissance inquiète qui les maintient ensemble et les unit[35] ».

La figure du visage chez Marker est apparue sous une multiplicité de modes : comme image-souvenir, comme signe de mémoire et signe *d'une* mémoire, comme nœud gordien de certains enjeux de figurations du dispositif, et de la relation de ce dispositif au temps et à la mort ; enfin, comme interface, surface d'interrogation et de projection des nouvelles technologies, ainsi que des modalités repensées de la relation entre histoire et mémoire. Le visage a pu apparaître comme une figure de médiation privilégiée dans son œuvre, puisqu'en lui se délient ses questions les plus fondamentales : la mémoire d'un objet perdu, une réflexion sur la non-transparence du médium et de la vérité à contre-temps des images, une éthique du deuil sous le signe, toujours reconduit, de la non-réconciliation.

171

34. Gilles Deleuze, *L'image-mouvement*, p. 142.
35. Giorgio Agamben, « Le visage », p. 112.

Visages-légendes :
de Boris Karloff à Frankenstein[1]

JOHANNE VILLENEUVE

I. NAISSANCE D'UN VISAGE

Dans le roman de Mary Shelley, paru en 1818, l'inventeur décrit ainsi sa créature :   **173**

> *With an anxiety that almost amounted to agony, I collected the instruments of life around me, that I might infuse a spark of being into the lifeless thing that lay at my feet. It was already one in the morning; the rain pattered dismally against the panes, and my candle was nearly burnt out, when, by the glimmer of the half-extinguished light, I saw the dull yellow eye of the creature open; it breathed hard, and a convulsive motion agitated its limbs. How can I describe my emotions at this catastrophe, or how delineate the wretch whom with such infinite pains and care I had endeavoured to form? His limbs were in proportion, and I had selected his features as beautiful. Beautiful!—Great God! His yellow skin scarcely covered the work of muscles and arteries beneath; his hair was of a lustrous black, and flowing; his teeth of a pearly whiteness; but these luxuriances only formed a more horrid contrast with his watery eyes, that seemed almost of the same colour as the dun white sockets in which they were set, his shrivelled complexion, and straight black lips. The different accidents of life are not so changeable as the feelings of human nature. I had worked hard for nearly two years, for the sole purpose of infusing life into an inanimate body. For this I had deprived myself of rest and health. I had desired it with an ardour that far exceeded moderation; but now that I had finished, the beauty of the dream vanished, and breathless horror and disgust filled my heart. Unable to endure the aspect of the being I had created, I rushed out of the room[2]...*

1. Je remercie le Conseil de recherche en sciences humaines du Canada qui a permis la réalisation de cette étude, de même qu'Alain Biage pour son assistance, en particulier pour les recherches effectuées dans les archives du *New York Times Film Reviews*, ainsi que dans le *New York Times* entre 1926 et 1977.

2. Mary Shelley, *Frankenstein; or the Modern Prometheus*, Berkeley, Los Angeles, London, University of California Press, 1984 [1818] (reprise de l'édition Pennyroyal de 1983), p. 51-52. Désormais les références au roman seront indiquées par le sigle « F », suivi de la page, et placées entre parenthèses dans le corps du texte.

Après quoi le docteur va se coucher, troublé par des rêves effrayants dans lesquels sa fiancée apparaît sous les traits du cadavre de sa mère. Il s'éveille, en sueur :

> [...] when, by the dim and yellow light of the moon, as it forced its way through the window-shutters, I beheld the wretch—the miserable monster whom I had created. He held up the curtain of the bed; and his eyes, if eyes they may be called, were fixed on me. His jaws opened, and he muttered some inarticulate sounds, while a grin wrinkled his cheeks. He might have spoken, but I did not hear... (F, p. 53-54)

Selon la description qu'en propose le roman, le monstre créé par le docteur Frankenstein a pour visage celui de l'inadéquation : inadéquation de la peau qui laisse transparaître les systèmes musculaires et sanguins ; inadéquation entre des aspects du visage (les cheveux noirs et les dents blanches), qui devaient révéler la beauté, et un regard fade, perdu dans la cavité des orbites ; inadéquation entre un objet (des yeux) et sa dénomination (« *if eyes they may be called* ») ; inadéquation d'une bouche qui parle mais que l'on n'entend pas. Sur le plan de la chronologie des événements, il s'agit encore de l'inadéquation entre le projet d'une créature prométhéenne et sa réalisation désastreuse. Mais si l'on tient compte de ce qu'un monstre pareil apprend, dans la suite du roman, à parler, à lire et à écrire, l'inadéquation trouve sa résolution dans une mise en forme narrative de l'existence fondée sur l'apprentissage et l'éducation. Devenant peu à peu le sujet de son destin jusqu'à prendre le relais de la narration romanesque, il s'affranchit de ses inadéquations physiques et s'émancipe de son visage. La visagéité du monstre disparaît alors au profit d'une quête narrative, littéraire et existentielle : celle d'une expérience en propre qui passe par l'épreuve éducative et s'achève sur une résolution hautement poétique et spirituelle, alors qu'il est emporté au milieu des glaces de l'Arctique :

> "But soon," he cried, with sad and solemn enthusiasm, "I shall die, and what I now feel be no longer felt. Soon these burning miseries will be extinct. I shall ascend my funeral pile triumphantly, and exult in the agony of the torturing flames. The light of that conflagration will fade away; my ashes will be swept into the sea by the winds. My spirit will sleep in peace; or if it thinks, it will not surely think thus. Farewell." (F, p. 237)

Non seulement la créature a-t-elle acquis, au-delà d'un visage, le langage et la science de l'écriture, mais elle se fait nécrologue en rendant à elle-même ses derniers devoirs. La scène finale constitue en effet un acte d'auto-consumation par lequel l'esprit, arrivé à sa pleine détermination, appréhende sa propre extinction : « *or if it thinks, it will not surely think thus.* » Ainsi, à travers cette auto-*poïesis* qui culmine dans la sublimation de l'esprit par lui-même, la créature lègue-t-elle quelque chose au monde : une exemplarité négative servant à freiner les ambitions faustiennes de l'humanité, mais dont l'issue ne laisse d'exalter la force morale de la civilisation. Emporté par les glaces, la créature écrit encore ; telle est la puissance de la « littératie » et, avec elle, celle de la littérature.

On connaît l'immense postérité du monstre, depuis sa naissance littéraire, puis théâtrale, jusqu'à ses multiples reliquats en images : performances cinématographiques, bandes dessinées, figurines de pacotille, caricatures et masques d'Halloween. Au cinéma, la première adaptation du roman, proposée par les studios Edison, date de 1910[3]. Mais la véritable renaissance du monstre survient, bien sûr, avec la prestation de Boris Karloff dans le film de James Whale en 1931, lequel donne à l'histoire de Frankenstein un visage et en fait circuler le nom. La créature ne cesse de rejouer, depuis lors, le mythe d'une vie après la mort marqué par l'extraordinaire popularité d'un visage qui entraîne sa propre disparité, son inadéquation : pourquoi, en effet, le véhicule d'une telle postérité est-il, justement, un visage ? Pourquoi une telle prospérité, alors que semblent s'être effacés autour de ce visage les lieux et l'époque qui l'ont vu naître ? De quelle histoire participe ce visage ?

Dans l'incubateur où vient se loger le visage élaboré par Mary Shelley, un certain nombre d'ingrédients interfèrent jusqu'à le dénaturer et l'arracher entièrement à sa modélisation littéraire et narrative. Seule demeure, dans la version cinématographique, la conception d'une inadéquation. Depuis Shelley, de multiples éléments travaillent en sourdine le visage de la créature et en préparent la spectaculaire reprise cinématographique. Parmi eux, certainement, l'essor d'un fantastique romantique qui réinvestit le gothique littéraire, lui-même tributaire d'une relecture régressive de l'art gothique depuis le célèbre roman d'Horace Walpole auquel on doit le genre littéraire[4]. Mais au cœur du gothique littéraire, depuis ses premières élaborations jusqu'au début du xxe siècle, se dessine ce que Joëlle Prungnaud appelle « un visage maquillé par les siècles ». Prungnaud s'intéresse pourtant à l'architecture à l'œuvre chez Huysmans. Elle y décrit un art aux prises avec la dégénérescence et la mort, alors que les « ravages du temps sont interprétés comme les symptômes d'un mal physique, d'une infirmité », de sorte que, insiste-t-elle, « l'architecte n'est plus un bâtisseur mais un médecin[5] ». Le médecin est déjà à l'œuvre chez Mary Shelley, comme il le sera plus tard chez Stoker, Wells ou Stevenson (Dr. Van Helsing, Dr. Moreau ou Dr. Jekyll). Car il y a derrière chaque monstre un physionomiste au travail. À rebours, le corps

175

3. Voir Donald F. Glut, *The Frankenstein Legend: A Tribute to Mary Shelley and Boris Karloff*, Metuchen, New Jersey, Scarecrow Press, 1973.

4. Horace Walpole, *The Castle of Otranto. A Gothic Story*, 1764. Notons que le roman de Shelley est lui-même contemporain d'une littérature gothique importante. Polodori publie *The Vampire* en 1819 et Maturin son célèbre *Melmoth* en 1820.

5. Joëlle Prungnaud, *Gothique et décadence*, Paris, Honoré Champion, 1997, p. 261.

humain impose ses ruines, ses bas-reliefs, ses espaces décomposés, ses propres monuments. Mais c'est le cinéma qui, semble-t-il, expose le mieux, par le dévoilement d'un visage, la concrétion d'une telle rencontre entre l'architectural et la médecine, entre la ruine et la couture chirurgicale.

Le visage du monstre donné à voir par Whale est, en ce sens, radicalement différent de celui proposé par le roman : au défaut de consistance que traduit la transparence de la peau à travers laquelle on verrait de manière obscène les veines et les muscles, se substitue, bien au contraire, un surplus de consistance : le visage inadéquat proposé par le film semble fait de pierre et de sutures surexposées. Il est tout à fait significatif que ce qui fasse horreur dans le roman pointe vers une des qualités réputées du cinéma, à savoir la transparence du médium, tandis que le même sentiment dépende, dans le film, de ce qui définit toute textualité, à savoir la consistance d'un tissu, d'une trame. Mais surtout, c'est l'inscription d'un rapport au temps qui afflige le visage cinématographique, au contraire du visage romanesque dont l'importance demeure, du reste, plutôt limitée. L'inadéquation y est schématique et esthétique, mais elle prend dans le film la valeur temporelle d'un visage naissant, quoique déjà usé. L'architecture du visage, pour reprendre le filon gothique, renvoie à des «temps» aussi obscurs qu'étaient évidents les muscles sous la translucidité évoquée par Shelley. Or toute l'entreprise décrite par le roman ne dépend-elle pas, au premier chef, de la mobilisation d'une écriture littéraire capable, justement, de faire preuve de lucidité et de pénétration ? Car depuis ses ténèbres, la créature apprendra pourtant à acquérir une conscience, à pénétrer le monde de son esprit jusqu'à la toute dernière clairvoyance dans laquelle il se verra, paradoxalement, abolir. Dans le film, au contraire, le regard du monstre n'est jamais qu'enfoncé en lui-même, engoncé plutôt dans la masse obtuse d'un visage sans figuralité. Le mouvement de pénétration s'abîme dans la prolifération d'un seul visage ; la créature s'expose, aussi irradiante que pétrifiée, rappelant sans cesse qu'elle n'est que l'*objet* d'une science aveuglée par sa volonté de puissance, et non pas le sujet en devenir d'un roman d'apprentissage. Le monstre de Whale n'apprendra rien. Sa courte pérégrination existentielle s'achèvera sur une pantomime sacrificielle sans commune mesure avec l'assomption grandiloquente du personnage littéraire. Lorsque, dans le film de Whale, la porte s'ouvre pour la première fois sur les plans enchaînés de la créature se découvrant enfin à son créateur, c'est la force de cet aveuglement qui irradie l'image. Celle-ci passe, par fondus superposés, d'un plan d'ensemble de la créature à un gros plan de son visage surexposé comme englué de lumière. À la limite, dirions-nous, se perd dans le film, en comparaison du roman, l'idée prométhéenne ou le complexe faustien de la volonté de puissance pour ne laisser place qu'à l'aveuglement seul. L'acuité scientifique a fini par trouver, dans le trop-plein de lumière et de connaissances, son point d'aveuglement ; aussi, la créature et son créateur commencent-ils, avec le film de Whale, à emmêler leurs identités davantage que leurs destins que confondait le roman jusqu'au périple de l'Arctique. La pénétration optique, qui accompagnait autrefois l'écriture du savant et son art chirurgical s'est révulsée en une matérialisation toute gothique du rapiéçage, du monument empoussiéré et de la massification lourdement exposée. La monumentalité du savoir se perd dans la doublure monumentale de ses matériaux.

Cette résurgence cinématographique de la créature tient encore d'une autre variante du gothique, celle qui se dessine à travers la fantasmagorie de Robertson, une génération précédant le roman de Shelley, et qui consiste à faire apparaître des spectres par les moyens de spectacles optiques, préférablement en des lieux « hantés », tels les châteaux en ruine et les cimetières. À partir des spectacles thématiques de lanternes magiques, jusqu'au « fantascope » (lanterne magique montée sur rail préfigurant les *travellings* du cinéma), la fantasmagorie se plaît à faire apparaître, entre autres, des têtes coupées. Elle permet la confluence des expérimentations scientifiques et des engouements spiritualistes, d'abord plutôt élitistes, bientôt populaires. Or voici comment Robertson décrivait son expérience :

177

> Aussitôt que je cessais de parler, la lampe antique suspendue au-dessus de la tête des spectateurs s'éteignait, et les plongeait dans une obscurité profonde, dans des ténèbres affreuses. Au bruit de la pluie, du tonnerre, de la cloche funèbre évoquant les ombres de leurs tombeaux, succédaient les sons déchirants de l'harmonica ; le ciel se découvrait, mais sillonné en tous sens par la foudre. Dans un lointain très reculé, un point mystérieux semblait surgir : une figure, d'abord petite, se dessinait, puis s'approchait à pas lents, et à chaque pas semblait grandir[6].

L'avancée du spectre depuis son tombeau, ou de la créature depuis le lieu suspect de sa fabrication, constitue le mouvement de prédilection de cette cinématographie gothique des années 1930 aux États-Unis. La séquence de l'apparition de Frankenstein, comme celle où apparaîtra Dracula dans la célèbre version inaugurale de Tod Browning, procède exactement de ce mouvement, bien qu'opérée par un montage de plans, car la couture en est toujours la marque indélébile. Du corps entier de la créature à son visage, il doit nécessairement y avoir césure — modalité du spectacle et de sa rampe, caractérisation de la décollation et du visage en tant que singularité qui envahit l'espace. Ce bref effet de montage produit, en réalité, un effet de découpe qui déconcerte et singularise.

Le Hollywood des années 1930 reprend donc le double filon — déjà usé à la corde — de la fantasmagorie robertsonienne et d'une littérature gothique entrée depuis longtemps dans les limbes de la paralittérature. C'est à ce moment

6. Étienne Gaspard Robert, dit Roberston, cité par Max Milner, *La fantasmagorie*, Paris, Presses universitaires de France, 1982, p. 11.

que naît le visage qui nous intéresse : celui de « Frankenstein » — du nom doublement étrange de son créateur. Doublement étrange parce que, d'une part, sa
consonance longue et brutale offre d'emblée une caricature de l'étrangeté, et
d'autre part, le monstre, qui n'a pas de nom chez Shelley, finira par s'approprier
à l'usure celui de son créateur. Qui, en effet, pense à l'homme de science en
entendant prononcer le nom de « Frankenstein » ? Depuis la version cinématographique de Whale, ce nom suppose un *décorum* ; il plante son propre décor ; il
trahit du masque et scelle une imposture fiduciaire.

2. UN FLOT DE VISAGES : L'INADÉQUATION DE KARLOFF

Le cadrage, soutenait Béla Balázs, élimine le visage individuel, lui donne un sens
« suprapersonnel[7] ». Paradoxalement, ce qui agirait au principe même d'identité,
soit le visage, s'émanciperait, au cinéma, de toute individuation[8]. Ce serait là, en
effet, l'invention fabuleuse de l'image cinématographique : le détail individué
ne s'exprimerait que sous la forme de la démesure. En témoignerait le caractère
hyperbolique et monstrueux d'un œil ou d'une bouche accédant aux dimensions
de l'écran, mais aussi tout autre objet menu dont la visibilité serait amplifiée
et qui, se délestant de son milieu phénoménologique, s'inventerait de nouvelles déterminations et de nouvelles représentations. Ce serait là, finalement, le
caractère monstrueux de l'image cinématographique, intéressée par la mimique
dévastatrice du visible et ses surgissements hasardeux.

Pourtant, la « démesure » elle-même semble occuper un rôle longuement
préparé, patiemment élaboré. Ainsi se construit la prospérité d'un visage, sa prolifération et sa légende, à une époque où, justement, la projection d'un visage
ou celle d'un objet en gros plan produit encore l'effet d'une fantasmagorie où se

---

7. Béla Balázs, *L'esprit du cinéma*, Paris, Payot, 1977 [1930], p. 149.

8. Le visage y devient le « document » d'une micropsychologie ; chacun de ses
détails, lorsque montré en gros plan, devient visage à son tour. À telle enseigne que Gilles
Deleuze verra dans le gros plan en général la faculté de transformer l'image en visage :
l'image, en tant que plaque sensible, réceptive, unité réfléchissante, est *affection* selon un
principe de visagéification ; en tant que tendance motrice, la visagéité de l'image constitue un ensemble de traits d'intensité et d'expressions. Deleuze se défait ainsi des derniers
encombres de la physiognomonie qui faisaient encore dire à Balázs qu'à *l'intérieur* du
visage se trouvaient « des parcelles de physionomie », derniers postulats, peut-on penser,
d'une conception essentialiste du visage. Le visage deleuzien est délibérément machini-
que, sans essence, décrété par une caméra tantôt humaine, tantôt inhumaine. Voir Gilles
Deleuze, *Cinéma 1. L'image-mouvement*, Paris, Éditions de Minuit, coll. « Critique »,
1983, p. 125-172.

superposent la décollation et l'apparition. Depuis 1931, où il incarne la créature de Frankenstein[9], jusqu'à sa mort en 1969, Boris Karloff porte le fardeau d'un visage qu'il ne serait pas même nécessaire de décrire ici tant sa légende l'a rendu *immédiatement* visible[10]. Il suffit de voir les films tournés par Karloff au cours de sa carrière, d'en revoir les affiches et les photographies, pour comprendre à quel point le visage de l'acteur et celui du monstre sont devenus indémêlables[11]. Même sous les traits amplifiés et fardés de Fu Manchu (*The Mask of Fu Manchu*, Charles Barbin, 1932), Karloff a encore ce « je ne sais quoi » qui appartient à Frankenstein. Dans le film *The Raven* (Lew Landers, 1935), c'est encore le visage-légende *frankensteinien* qui transpire sous les traits ravagés du pauvre Bateman joué par Karloff. Et si le visage emblématique de la créature laisse transpirer à son tour celui de Karloff, c'est bien parce que la technique du cinéma de l'époque ne peut effacer, comme il en serait d'un simple modèle ou d'une esquisse, la trace phénoménologique de l'acteur. Mais plus complexe est la persistance du visage du monstre dans le visage de l'acteur et des personnages qu'il incarne par la suite. La plupart des différents acteurs qui prennent le relais de Karloff doivent, eux aussi, soumettre leur visage à une désappropriation abyssale : le succès du film de Whale les oblige à se conformer au visage d'un Frankenstein-Karloff. Une telle

179

9. Karloff a joué le rôle de la créature à deux reprises après sa prestation de 1931 : en 1935, dans *Bride of Frankenstein* (James Whale) et en 1939, dans *Son of Frankenstein* (Rowland V. Lee).

10. C'est là l'effet même du cinéma et de sa popularité, que de confondre légende et immédiateté, tant l'idée d'une transparence du médium y est largement reçue. Or chez ce visage, la transparence expose ironiquement la masse opaque mais grossièrement travaillée du faciès.

11. Voir Richard Bojarski et Kenneth Beale, *Boris Karloff*, Paris, Henri Veyrier, 1975 ; Patrick Brion, *Le cinéma fantastique*, Paris, Éditions De la Martinière, 1994 ; Michael Brunas, John Brunas et Tom Weaver, *Universal Horrors – The Studios Classic Films 1931-1946*, Jefferson, North Carolina, Mc Farland & Company, 1990 ; Ivan Butler, *Horror in the Cinema*, 3e édition révisée, South Brunswick et New York, A.S. Barnes and Co., 1979 ; Laurent Arkin, « Petits arrangements avec les acteurs morts », *Vertigo*, n° 11-12, 1994, p. 115-117 ; Leslie Halliwell, *The Dead that Walk – Dracula, Frankenstein, the Mummy and other Favorite Movie Monsters*, New York, Continuum, 1988 [1986] ; Michael Sevastakis, *Songs of Love and Death – the Classical American Horror Film of the 1930s*, Westport, Greenwood Press, 1993 ; Doug Tomlinson *et al.*, *Actors on Acting for the Screen – Roles and Collaboration*, New York, London, Garland Publisher, 1994 ; Donald F. Glut, *The Frankenstein Legend*, Actes du colloque « Frankenstein – Littérature/cinéma », Liège, Éditions du CÉFAL, Les cahiers des paralittératures, n° 7, 1997.

tendance imprègne jusqu'aux adaptations plus récentes, au cinéma mais également à la télévision et en bandes dessinées[12].

Ce « je ne sais quoi » qu'inaugure le personnage créé par Karloff touche au visage seul. La créature s'impose en effet par cette contamination d'un visage dans lequel semblent pouvoir se couler tous les visages d'acteurs. Au moment où Karloff connaît la célébrité, Bela Lugosi incarne à l'écran cet autre revenant de l'imaginaire gothique qu'est le vampire Dracula[13]. Le personnage créé par Lugosi connaît sensiblement la même trajectoire commerciale que la créature incarnée par Karloff, jusqu'à la reproduction en série d'objets dérivés qui en standardisent les traits ; ce sont encore les traits schématisés de Lugosi que l'on retrouve, par exemple, chez le « Count Counting » dans la série télévisée pour enfant *Sesame Street* au début des années 1970. Les deux acteurs connaîtront une franche rivalité, exaltée, voire exagérée par les grands studios qui y voient le moyen de mousser leurs films[14]. Ils se sont par ailleurs échangé des rôles, ont partagé la vedette, ont été sacrés en même temps *bogeymen*. Mais alors que Lugosi s'est peu à peu identifié à son personnage de vampire, jusqu'à réclamer qu'on le prenne pour le comte Dracula, Karloff s'est admirablement résigné à jouer les seconds, loin derrière Frankenstein. C'est que Dracula était déjà, lui-même, acteur, à l'opposé, donc, de Frankenstein — entendu désormais au sens de la créature —, désarmant de franchise. Alors que Dracula a fini par produire une « attitude » sociale et mondaine dans laquelle s'est vue engloutie l'existence entière de Lugosi, Frankenstein s'en est tenu à la présentation brutale d'un faciès dont la seule présence explique l'horreur et le caractère exceptionnel. Si Karloff se confond avec Frankenstein,

12. Le nombre d'adaptations, de versions, de dérivés parodiques ou génériques est beaucoup trop élevé pour en permettre la nomenclature dans cet article. Peu de « héros » modernes connaissent une telle descendance. Le lecteur intéressé pourra s'en assurer en consultant internet, en particulier l'encyclopédie électronique « Wikipedia.org » et le site consacré au personnage « Frankenstein Castle ». Ce dernier propose d'ailleurs, en ouverture, la formule suivante : « Frankenstein. A Monster with Many Faces ». Il est frappant de constater combien la multitude des « faces » correspond, en réalité, à la multiplicité de répliques et de dérivés d'un visage unique. À de rares exceptions, le visage de Frankenstein rompt avec celui imposé par le film de Whale. Ce fut le cas en 1994, avec l'adaptation cinématographique proposée par Kenneth Branagh dans laquelle Robert De Niro tenait le rôle de la créature. L'entreprise consistait à reprendre le roman de Shelley afin de redonner à la créature son sens originel et à la trame narrative l'ampleur d'une tragédie. Malgré l'audace du film, le public eut du mal à relier le visage plutôt banal du monstre à celui, puissamment « imaginaire », qu'avait su créer Karloff.

13. *Dracula*, Tod Browning, Universal, 1931.

14. Gregory William Mank, *Karloff and Lugosi. The Story of a Haunting Collaboration*, Jefferson, North Carolina, McFarland & Company, 1990.

ce n'est donc qu'en tant que visage; et si ce visage a un effet de «masque», ce n'est pas au sens d'une cache ou d'un jeu, mais au sens plus archaïque d'une «statuaire» dont le caractère brut semble contredire les traces d'une fabrication. C'est la «stature», la «cadrure» qui marque les unes après les autres les diverses incarnations de Karloff et les nombreux dérivés du visage de Frankenstein. C'est cette cadrure qui renvoie à l'idée d'une pétrification d'un visage toujours déjà momifié. Si l'affaire Lugosi est celle d'un acteur qui finit par se prendre pour son personnage, l'affaire Karloff est celle d'un visage, uniquement: une image de visage qui n'arrive pas à sortir de son cadre et qui, pourtant, se prête à toutes les répétitions. Le «cadre», on l'aura compris, n'est pas seulement ici le «contexte» dans lequel est créé ce visage, mais le principe même de son exposition en tant qu'*image* en train de naître au sein même de sa propre mort. À mille lieues de l'élégance spectrale du vampire et de sa virtuosité toute «naturelle» qui en font, par excellence, le modèle du «beau parleur», le visage de Frankenstein *s'expose*, comme on le dirait d'un cadavre, muet et sans expressivité — une pure extériorité paradoxalement fermée sur elle-même. Pure extériorité, parce qu'on y saisit brutalement, à travers la décomposition des traits, les stigmates d'une expérience ratée, une écriture qui ne relate que sa propre entreprise à perte; fermée sur elle-même, parce que ce visage grège, marqué par l'occlusion chirurgicale, au lieu d'exprimer quelque chose, exhibe l'échec d'une naissance. En définitive, la «créature» n'appartient pas au registre habituel du mort-vivant, mais correspond plutôt à la vision que l'on pourrait avoir d'un avorton qui aurait survécu. La survivance est son mode d'être plutôt que la revenance.

Après des semaines de travail intense sur Boris Karloff (des centaines d'heures consacrées à la fabrication de ce visage), le maquilleur Jack Pierce du studio Universal en arrive au résultat que l'on connaît. Dans une livraison de la revue *American Cinematographer* datée de mai 1932, Pierce témoigne: il aura passé des mois à étudier les possibilités anatomiques du monstre. Chacun des effets des parties de visage, chaque relation de ces parties entre elles auraient été scrupuleusement étudiées: «*Every line, every scar, every peculiarity of countour had to be just so for medical reasons; the eyes, for instance, were exact duplicates of the dead eyes of a 2,800-year-old Egyptian corpse*[15].» Le visage de Frankenstein est donc un visage *légendé*: d'une part parce qu'il provient de la nuit des temps, conservé intact en son sarcophage; d'autre part parce qu'il porte sur lui, de manière ostentatoire, la genèse et l'explication de sa naissance. La naissance du monstre coïncide avec celle de sa légende, et sa *fabrique* se lit sur son visage — couches

15. Cité par Bryan Senn, *Golden Horrors. An Illustrated Critical Filmography of Terror Cinema, 1931-1939*, Jefferson, North Carolina, and London, McFarland & Company Inc. Publishers, 1956, p. 22.

181

successives, amoncelées, et pourtant toujours ostensibles, rendues au grand jour d'une mise en scène Grand-Guignol du maquillage. Sommet dans l'art de la tautologie, le grand œuvre de Pierce aura donc consisté à fabriquer la fabrication (*sic*!) d'un visage, à rendre l'artifice de la manière la plus authentique possible, mais aussi, à rendre ostensible une absence d'expressivité, voire une impossibilité à s'exprimer. Aux antipodes de la créature du roman de Shelley qui apprenait justement à parler, à lire et à écrire, le visage construit par Pierce ne peut que témoigner malgré lui d'un mutisme, d'une inadaptation au langage — témoignage rendu possible, néanmoins, à la faveur d'un effet de lecture. De manière encore plus frappante, le visage «expérimental» de la créature est décrété sans expérience, donc sans autre transmissibilité que son cadre de naissance, soit l'échec de sa mise au monde. L'image (en l'occurrence ce visage) signifie donc quelque chose, impose une lecture davantage qu'elle ne la requiert puisqu'elle agit sur le spectateur par l'effet d'un «surplus» de signes et de matière (coutures, stigmates, tracés, exposition délibérée d'un ouvrage raté[16]). Voilà par excellence un visage sans «essence» et sans vocation. La créature incarnée par Karloff ne peut donner lieu à aucun «portrait», car ce qu'il traîne partout comme on traîne ses oripeaux, c'est précisément une absence de vécu, voire le poids que peut constituer un interdit d'expérience. Si le personnage de Mary Shelley empruntait encore la voie d'une éducation sentimentale (à force de persévérance et d'attention au monde, il finit par se constituer une personnalité, un jugement, voire un certain talent dramatique), le Frankenstein joué par Karloff erre, pour ainsi dire, au milieu de ses propres velléités, sans évolution possible. Il n'arrive pas à s'émanciper de sa condition d'errance, comme le visage n'arrive pas à échapper à son cadre d'image. Est-ce également cette fameuse «carrure» qui dessine, non pas *autour* du visage, mais *en lui-même* un tel cadre — la merveille étant, en fait, que son créateur ait pourvu le monstre d'une immense boîte cranienne? La forme de cette boîte saisit le visage tout entier; elle l'«emboîte», le façonne complètement: les traits momifiés, le grain de peau crayeux, comme passé par la poussière et l'argile démiurgique, les paupières happées par les ombres, tout cela tombe sous le coup d'une forme vidée d'expressivité.

Mais qu'est-ce qu'un visage-cadre? Qu'est-ce qu'un visage enfermé dans son cadre d'image? C'est un visage sans extériorité ou, plutôt, dont l'extériorité s'est emparé de l'ensemble: tout est *étranger* à lui-même dans un tel visage, archi-composé, exposant sa fabrique, l'évidence de son aliénation. C'est une image qui ne peut donc circuler qu'en tant qu'image, dont la légende est celle de l'image-monade, inapte: inapte à *figurer*, c'est-à-dire à passer du côté du langage, à engager des délibérations avec d'autres images (en effet, elle ne délibère pas avec

16. Voir Antoine de Baecque, «Le lieu à l'œuvre: fragments pour une histoire du corps au cinéma», *Vertigo*, nº 15, 1996, p. 11-24.

d'autres visages mais les contamine, les empèse, les bloque) ; inapte à s'émanciper du cliché, à s'approfondir. Les récits frankensteiniens sont toujours simples et répétitifs quand ils s'enferment dans *ce* visage karlovien. Si la postérité de Frankenstein passe par un visage, c'est donc parce que ce visage « retient », comme on retient la lumière, tout ce qui s'impose à lui. Rien ne peut l'altérer puisqu'il n'est déjà qu'altération.

Ce visage s'expose encore d'une autre manière : en projetant, dans l'industrie naissante du cinéma hollywoodien des années 1930, un vecteur singulier, celui des films d'horreur. Avec Frankenstein se déverse en effet un flot de visages jusque-là inconnu. Il suffit de prendre en considération les seules affiches de films de l'époque pour comprendre l'importance de ce phénomène. Les films qui s'affichent, et qui constituent ce nouveau genre horrifiant, ont pour carte de visite des visages (des gros plans de visages démesurés, fantastiques) : regard transperçant de Bela Lugosi en Dracula ou en zombie ; faciès de monstres telluriques, de momies et de loups-garous[17]. Au cinéma, le visage, on le sait, est vendeur sous toutes les coutures, car les stars présentent elles aussi leur aura en s'affichant sur des panneaux géants — films d'amour, drames sentimentaux, aventures diverses. Mais ce qui fait la spécificité du genre de l'horreur, c'est qu'à chacun de ces visages en monstration correspond un mode d'être singulier et monadique. En feuilletant une telle collection, on est frappé par cette obsédante réitération de créatures à naître, de défigurations, de duplicités, d'ambivalences, d'inadéquations et de métamorphoses. Le cinéma hollywoodien s'empare d'une monstruosité trop humaine — de ce débordement d'humanité hors d'elle-même, de tout un peuple d'orphelins en marche : créatures errantes, vampires, momies, hommes-singes et zombies.

Les monades prolifèrent sous la forme de modes d'êtres inconciliables les uns avec les autres. Elles offrent alors au regard du spectateur des têtes, tantôt parlantes, tantôt bredouillantes, certes souvent inspirées par la littérature, mais détachées d'elle en tant qu'images. Car ce sont bien les images qui constituent le fond sur lequel s'articulent ces modes d'êtres. Et ces images, aussi monadiques soient-elles, se précipitent toutes vers des formes de *sur*-vivance : vie après la mort, mais surtout, vie en dehors de la vie, vie par-dessus les vivants, vie hors de la vie.

Norman M. Klein rappelait, dans un article consacré aux métamorphoses dans la culture américaine[18], le « choc anamorphique » que constitue, dans la

---

17. Voir William K. Everson, « A Family Free of Monsters », *Film Culture*, vol. 1, n° 1, janvier 1955, p. 24-30.

18. Norman M. Klein, « Animation and Animorphs: A Brief Disappearing Act », dans Vivian Sobschack (dir.), *Meta-morphing: Visual Transformation and the Culture of Quick-Change*, Minneapolis, University of Minnesota Press, 2000, p. 30.

culture urbaine américaine, l'immigration massive. Du point de vue de ceux qui sont nés à l'extérieur du pays et qui y vivent désormais, la culture américaine est en soi une culture de l'inadéquation. Par la force des choses, l'immigrant est sensible à toutes les difficultés d'apprentissage. Le rapport même à la langue produit son lot d'opacités et de régressions. Dans les années 1910-1940, on le sait, l'arrivée massive d'immigrants à Hollywood modifie considérablement l'art de faire des films et contribue à l'essor d'une véritable industrie dont on connaît aujourd'hui la force d'impact économique et idéologique. Rien d'étonnant à ce que le cinéma des années 1930 soit peuplé de visages rappelant la survivance, la transformation et la difficulté d'adaptation. L'extraordinaire force d'adaptation de plusieurs de ses artisans couvre l'anxiété avec laquelle la plupart des immigrants se voyaient projetés dans leur nouvelle vie. À l'excitation du « tout est possible » se lie l'appréhension de la perte et du sacrifice pour les générations à venir, celle également d'une difficile transmission de l'expérience.

184

Mais surtout, la crise économique de 1929 rend parfaitement actuel les motifs de l'inadéquation et de la survivance. Les différents vécus sont alors engloutis dans le désastre social ; le lot quotidien des vies brisées, des familles défaites par les délocalisations et les relocalisations économiques, l'indigence et la nécessité de recommencer à nouveau, tout cela insuffle à l'imaginaire du monstre une fantaisie nouvelle. Les visages de l'horreur s'affichent avec autant d'assurance qu'ils exposent, eux aussi, la paradoxale condition de celui qui, forcé de renaître, rencontre dans sa nouvelle vie la démesure et le bannissement. À la figure destinale se substitue la condition de l'avorton. Ce sont aussi des visages sans nom ou dont le nom ne sera jamais « propre » ; des visages à l'identité trouble, ravagée, voire invisible. Dans le contexte de telles transformations économiques et sociales, où se développe une culture du changement, les monstres peuvent aussi rassurer, en ce qu'ils sont les produits exacerbés de la transformation et les gardiens éternels du passé.

Boris Karloff et Bela Lugosi sont les produits de telles circonstances. Le nom de Karloff — à consonance russe, donc orientalo-européenne, donc lointaine, voire exotique pour un certain public — est un nom d'artiste, acquis dès ses débuts au théâtre par William Pratt, Anglais de naissance. Après des débuts au Canada, William débute une carrière à Hollywood en 1916. C'est toutefois *Frankenstein* qui propulse l'acteur à l'avant-plan et, avec lui, le nom de Karloff et, surtout, un visage. La légende s'empare alors de Karloff et lui assigne une origine tout aussi fantastique que celle de Frankenstein : selon la rumeur qui circule frénétiquement dans la presse de l'époque, Karloff serait le fils illégitime de l'amant égyptien de sa mère. La momie refait surface et, avec elle, le « destin » qui échappe au visage de Frankenstein. Ironiquement, le véritable nom de Jack Pierce, maquilleur-inventeur du visage qui nous occupe, est Janus

Piccoulasvenou, émigrant d'origine grecque, venu en Californie depuis Chicago en 1910. Comme la plupart des artisans émigrés du cinéma hollywoodien, Pierce a occupé tous les emplois dans l'industrie : projectionniste, directeur de théâtre, caméraman, assistant-réalisateur et même acteur avant de joindre le studio Universal en 1926, comme maquilleur. Quant à Bela Lugosi, selon les différentes rumeurs intensément entretenues, il serait né tantôt en 1883, tantôt en 1889, plus vraisemblablement le 29 octobre 1882 en Hongrie. Il a joué des rôles mineurs dans plusieurs films allemands sous le nom de Arisztid Olt avant de poursuivre une carrière bien remplie aux États-Unis où il joua, entre autres, un pirate apache espagnol (*sic*), jusqu'à la consécration offerte par un *Dracula* sur Broadway à partir de 1927 et surtout, par la version cinématographique de Tod Browning en 1931. Pourquoi l'Europe de l'Est ? Sans doute parce qu'elle représente alors la figure inversée de l'Europe civilisatrice : plus ancienne et plus nouvelle dans ses enfantements, espace imaginaire où s'enfoncent les ruines de l'Europe des Lumières. L'ambiguïté commune aux deux acteurs au sujet de leur naissance ne peut qu'alimenter mon propos. Certes, les prête-noms, les pseudonymes et autres noms d'artistes sont choses communes à l'époque. Mais la légende de ces deux acteurs, constamment confrontés l'un à l'autre, ajoute à l'indétermination identitaire, comme si le moment de la naissance devait appartenir, dans leur cas, au domaine de l'image pure, de la « fabrique d'images ». La trajectoire d'errance des acteurs participe du vecteur monadique du visage.

Comme le notait Bryan Senn, dans son ouvrage consacré à l'âge d'or de l'horreur à Hollywood[19], le thème de la séparation entre « l'esprit » et « le bras » — thème séculaire s'il en est un —, est particulièrement important dans l'œuvre des deux acteurs. J'ajouterais : le « sur-vivant » est nécessairement fragmenté, brisé, *inadéquat*, parce qu'il est à la recherche infructueuse de ce qui pourrait lui procurer son sens de l'unité (un nom, une famille, un vécu). Or, la migration, l'implantation souvent forcée dans une autre culture ou dans une « autre vie » implique très souvent une inadéquation entre ce que commande l'*ethos* et l'*affect*. Alors que le sens de l'action et de la vie pratique engagent à la survie comme à la nouveauté de l'environnement, l'affect reconduit vers le territoire délaissé du passé. La légende véhiculée par les visages de l'horreur renverse et gonfle l'équation, car dans ces films, souvent considérés comme régressifs, c'est bien l'action qui est mal conduite, inadéquate, moralement répréhensible parce que tournée vers le passé, prise dans ses tares et dans d'irréparables injustices, alors que l'affect se rattache à la volonté de changement, au désir d'une impossible adaptation ou d'une improbable résolution des grands malheurs à travers elle (de la demande d'affection de Frankenstein à la mégalomanie de Dracula). Si

19. Voir Bryan Senn, *Golden Horrors*, p. 302.

Lugosi meurt d'une adéquation trop parfaite entre lui-même et son rôle, Karloff cultive jusqu'à la fin l'inadéquation entre un visage d'horreur qu'il porte comme un talisman et la réputation d'un «ange». Dans un article datant de 1962 de la revue *Bizarre* consacrée à l'épouvante, Jean Boullet écrit à propos de Bela Lugosi et de Boris Karloff, «monstre malgré lui»: «Ils marchèrent, certes, la main dans la griffe, Karloff avec son auréole, sa trousse de secours et ses ailes de bon samaritain, Lugosi sentant le soufre à cent lieues, sans âme et sans reflet, traînant sa cape de magicien ornée d'une fantastique paire d'ailes de chauve-souris[20]…». À cette allégorie fantastique s'oppose de manière significative la mise en abyme proposée par le film *Targets*, réalisé en 1968 par Peter Bogdanovich et mettant en vedette, pour la dernière fois, Boris Karloff[21]. Celui-ci y joue le rôle d'un acteur d'horreur vieillissant, confiné à la retraite et qui constate combien le quotidien peut dépasser en horreur les films dans lesquels il a joué. Le personnage principal du film, un jeune psychopathe au nom doublement suggestif de «Byron Orlok», tire à travers un écran de cinéma sur des spectateurs venus voir *The Terror* (Roger Corman), film d'horreur mettant en vedette Karloff lui-même en 1963 dans le rôle du Baron Von Leppe. Dans ces deux films, le visage de Karloff évoque encore celui de Frankenstein, au point où les affiches publicitaires en soulignent à l'excès les stigmates et la carrure. À travers cette scène de la tuerie, le testament filmique de Karloff fournit une spectaculaire mise en scène de l'adéquation — sublimation parfaite de l'inadéquation fondatrice mais combien fatale! En effet, l'horreur trouve son effectuation ultime à travers l'écran, *littéralement*, en réponse au vide existentiel d'un acteur à la retraite. Dans le film de Bogdanovich, le spectateur reçoit son dû «en plein visage» (c'est le cas de le dire), rendant pleinement effective l'idée selon laquelle le gros plan produit de la «visagéité». Mais en l'occurrence, c'est bien à l'éclatement du visage, comme à celui de l'écran et de ce qui le sépare de son public, qu'invite le dernier film auquel Karloff prête son visage. Frankenstein-Karloff ne répond plus, comme chez Shelley, du mythe faustien ou prométhéen de l'irréparable expérience scientifique, mais de l'anxiété de l'inadéquation, une anxiété du quotidien, qui ne peut être résolue par la force réconciliatrice et synthétique d'une autorité narrative et de sa probité littéraire, mais qui persiste de manière monadique à travers l'affluence paradoxale d'un visage légendaire vidé de toute expérience.

20. Jean Boullet, «Boris Karloff, monstre malgré lui», *Bizarre*, nᵒˢ 24-25, 3ᵉ trimestre, 1962, p. 75.

21. Voir Isabel Pinedo, «Recreational Terror: Postmodern Elements of the Contemporary Horror Film», *Journal of Film and Video*, vol. 48, nᵒˢ 1-2, printemps-été 1996, p. 17-31.

Artiste invitée
Guest Artist

Facing Severance[1]

MIEKE BAL

INTRODUCTION

Imagine a gallery looking like a living room, where visiting is like a social call. The image is a portrait, bust only, of a woman speaking to someone else (apart from a short introductory sequence that sets up the situation). In some cases, we hear the voice of the interlocutor, in others we hear nothing but the women speaking. Every once in a while, one of them falls silent, as if she were listening to the others.

The women are from various countries—for example, Gordana Jelenic from Serbia, Massaouda Tayeb Mehdi from Tunisia, Ümmühan Armagan from Turkey. They all live in their home country and all saw a child leave for Western Europe. They speak to someone else; the speech situation is personal. Their interlocutors are people close to them, intimates; but the relationship with them has been interrupted due to the migration of their child. If we are to understand and value the contribution of migrant cultures to the European scene, we must first of all realize the enormity of the consequences involved and the changes in the souls of individuals taking this drastic step. We must wonder, that is, why people think they must leave behind their affective ties, relatives, friends, and habits—in short, everything we take for granted to constitute everyday life. As I argue here, a first step to contemplating these questions is a triple act of *facing*.

Facing sums up the aesthetic and political principle of my ongoing video work *Nothing is Missing* that is an attempt to reflect on this severance and its consequences. Through this installation, I attempt to shift laterally both the notion of an individual autonomy of a vulgarized Cartesian *cogito*, and that of a subjecting passivity derived from the principle of Bishop Berkeley's "to be is to be perceived." The former slogan has done damage in ruling out the participation of the body

1. I thank Noa Roei for her expert help with the research for this paper, and Bregje van Eekelen for her keen textual criticism. I am increasingly feeling that what I write is first generated by the productive collaboration with them.

and the emotions in rational thought. The latter, recognizable in the Lacanian as well as a certain Bakhtinian traditions, has sometimes over-extended passivity and coerciveness into a denial of political agency and hence, responsibility.[2]

I try to shift these views in favor of an intercultural, "relational" aesthetic. In order to elaborate such an alternative I have concentrated this installation on the bond between speech and face. Speech, not just in terms of "giving voice," but also as listening, and answering, all in multiple meanings; and the face, turning the classical "window of the soul" into an "inter-face." Between speech and facing lies a realm of intermediality. The medium of video, the medium of the *moving* image in, again, many different senses, is, I claim, eminently suitable to elaborate that bond in ways that return to *aesthetics* its old meaning of sense-based binding. Between "moving" as a multiple quality of the video image, and "binding" as a specific conception of aesthetics, I wish to articulate the concept of migratory aesthetics.

Facing, taken "at face value" is three things, or acts, at once. Literally, facing is, first, the act of looking someone else in the face. It is also, in second place coming to terms with something that is difficult to live down, by looking *it* in the face, instead of denying or repressing it. Thirdly, it is making contact, placing the emphasis on the second person, and acknowledging the need of that contact in order, simply, to be able to sustain life—instead of "to be is to be perceived" and "I think, therefore I am," facing proposes, "I face (you), hence, we are." For this reason, facing is my proposal for an emblematic instance of migratory aesthetics.

In this contribution—text and images—I will try to present migratory aesthetics as a useful approach to culture in the contemporary moving world—a world of mobility and affect. I will do so articulating what I have tried to do with the women through *Nothing is Missing*, through the stories that help us build the ever-denser and more complex network of subjectivities Spinoza called, after the Stoics, "world citizens."

2. The Cartesian tradition has been widely criticized. I only mention here the analysis by Lorraine Code, *What Can She Know? Feminist Epistemology and the Construction of Knowledge*, Ithaca, London, Cornell University Press, 1991. Lacan's view of the gaze, although brilliantly abducted for a political "ethics of vision" that avoids the trap of disempowerment in Kaja Silverman, *The Threshold of the Visible World*, 1996, New York, Routledge Press, 1996, has been taken to task for its pessimistic consequences by, among others, Norman Bryson, "The Gaze in the Expanded Field," in Hal Foster (ed.), in *Vision and Visuality*, San Francisco, The Dia Foundation, 1988, p. 87-114. Bakhtin's view of the constitution of identity by the gaze of others was criticized by Van Alphen in the chapter "Bodyscapes" of his study on Bacon (Ernst Van Alphen, *Francis Bacon and the Loss of Self*, London, Reaktion Books, 1992), and recently by Esther Peeren, *Bakhtin and Beyond: Identities as Intersubjectivities in Popular Culture*, Amsterdam, ASCA Press, 2005.

FROM *ESSE EST PERCIPI* TO *COGITO TE ERGO SUMUS*

As Anthony Uhlmann has pointed out, Berkeley's formula as elaborated to exhaustion by Samuel Beckett is agony-inducing.[3] And, as it happens, linguistically this shows already in the mere fact that the formula defines being in non-personal forms. As a result, Beckett's *Film* (1965), he argues, explores the agonizing feelings that result from a consciousness of being through being perceived. Uhlmann points out that Beckett does not reject Berkeley's view but "exhausts" it, exploring the contours of Deleuze's three types of images.[4]

The figure played by the aging and decidedly not comical Buster Keaton flees from the notion of perceivedness, in the "action image." The sets of eyes that watch him and that he eliminates show us the limits of the "perception image," and the ending, the close-up of the "affection image" translates affect into horror only. In *Nothing is Missing* these three types of images are also at stake but not on a par, and instead culminate in the mitigated close-up of the face that shuttle between perception and affection image. Here, neither horror as a form of revolt, nor passive perceivedness as a handing over of human agency, but a rigorously affirmed second-personhood is the reply to this pessimistic view. The perceivedness that the predominance of close-up foregrounds, leads not to rejection or agony but to an empowering performativity.

Now, we have seen that the Cartesianism of the cogito is also easily reduced with the help of its linguistic structure. The notion that Descartes is the bad guy of enlightenment rationalism seemed to reduce him in the way he was seen as reducing human existence. Memories of my first readings of him as a first-year student of French—I remember an exercise of his visual description of a tree—didn't square with that insensitive hyperrationalism imputed to him. So, when I come across references to a different Descartes—Hubert Damisch's baroque

191

3. Anthony Uhlmann, "Image and Intuition in Beckett's *Film*," *Substance* 104, Vol. 33, No. 2, 2004, p. 90-106.

4. Uhlmann's analysis is much richer than what I can sum up here. His main thrust is to recuperate Berkeley from this simplistic formula by expanding on its context: Berkeley's view of ideas as completely realized existence (Anthony Uhlmann, "Image and Intuition in Beckett's *Film*," p. 95), its consequences (in Bergson's theory of the image as brought about by intuition), and its current afterlife in Deleuze's theory of cinema, which is partly inspired by Beckett's *Film* (or his writings about that work). Beyond its ostensive topic (Beckett's film), Uhlmann's article is crucial for reflection on the image and visual art in general.

dreamer, for example,⁵ or Jean-Joseph Goux's tracing of Descartes' heritage to no other than Sophocles' Oedipus—I tend to prick up my ears.

Here, I am particularly keen on Goux's insight. To phrase his view in my own words and for my own purposes, according to him, the stake of the cogito is only secondarily the link between thinking and being, nor even the exclusive emphasis of reason and the excision of the body the formula seems to imply, but the double, tautological grammatical use of the first person. *I* think, [therefore] *I* am; the point is the possibility to describe human existence outside of the need to use the second person.⁶

Again, without imputing such a simple exclusionary vision to the great philosopher and astoundingly visual writer, the popularity of his formula has done more harm than good to western thought, especially in its exclusions, its excising not only of emotions from human existence, but also the dependency of human life on others. I call it an *autistic* version of subjectivity. Yet, this dependency on others is so obvious, and so absolute, that it may well be that inevitability that informed the desire to erase it. From the baby's mother to social caretakers to linguistic second persons, this dependency has been articulated clearly in psychoanalysis, sociology and linguistics, respectively. So much so, that being a second person seems more "natural" a definition of being human than anything else.

In the wake of a recent anti-cartesianism, with lots of babies and bathwater issues, the concept of "second-personhood" that feminist philosopher Lorraine Code has put forward⁷ is by now well-known enough to allow me to take a short-cut through it. It means that we cannot exist without others—in the eye of the other as much as in sustenance of others. That is where I would start any attempt to develop an idea of the aesthetic. Perhaps because of the keen interest I have kept in the second person not only of grammar but also of visual art, Goux's remark about the *cogito*'s exclusion of the second person struck me forcefully and productively. Not to pursue the beating of the dead horse but on the contrary, to keep in mind the productivity of keeping returning with "critical intimacy" to

5. Hubert Damisch, *Skyline: The Narcissistic City*, trans. John Goodman, Stanford, California, Stanford University Press, 2001.

6. Jean-Joseph Goux, *Œdipe philosophe*, Paris, Éditions Aubier, coll. "La psychanalyse prise au mot," 1990. I came across Goux's book in an extraordinary analysis of biblical and psychoanalytical discourse by French psychoanalyst Marie Balmary, *Abel ou la traversée de l'Éden*, Paris, Grasset, p. 39-41. Balmary's earlier book, *L'homme aux statues: Freud et la faute cachée du père* (Paris, Éditions Grasset, 1978) is a must-read for all those interested in the subtleties of language and the incidents of thought in both disciplines. I thank Jacqueline Duval for drawing my attention to Balmary's important writings.

7. Lorraine Code, *What Can She Know?*, and *Rhetorical Spaces: Essays on Gendered locations*, New York, Routledge Press, 1995.

Fig. 1. Installation view of *Nothing is Missing* in the context of the exhibit *Migratory Aesthetics*, curated by Griselda Pollock, Leeds University, 2006. © Mieke Bal, 2006.

moments of the past, such as the dawn of rationalism in the 17th century. In this I am only joining a growing group of scholars, many influenced by Deleuze, his Spinoza and his Leibniz, and his fellow pre-posterous historian Bergson.[8]

8. The concept of "critical intimacy" comes from Gayatri Chakravorty Spivak (*A Critique of Postcolonial Reason: Towards a History of the Vanishing Present*, Cambridge, Harvard University Press, 1999) and has been developed in the last chapter of my *Travelling Concepts in the Humanities: A Rough Guide* (Toronto, University of Toronto Press, 2002). I have worked with, and further developed, second-personhood in chapter 5 of *Double Exposures: The Subject of Cultural Analysis* (New York, Routledge Press, 1996) for language in art history (Hubert Damisch, *The Origin of Perspective*, trans. John Goodman, Cambridge, MIT Press, 1994) and anthropology (Johannes Fabian, *Time and the Work of Anthropology: Critical Essays, 1971-1991*, Chur, Switzerland, Philadelphia, Harwood Academic Publishers, 1991), and in chapter 6 of *Quoting Caravaggio: Contemporary Art, Preposterous History* (Chicago, University of Chicago Press, 1999) for the painting of David Reed and the sculpture of Jeannette Christensen.

Among these scholars, I call here on philosophers Moira Gatens and Genevieve Lloyd[9] who studied Descartes' contemporary, Baruch Spinoza. The line Spinoza–Bergson–Deleuze has led to extremely important and productive "revisionings" of the image, perception, and feeling that lie at the heart of my version of migratory aesthetics—of an aesthetics of geographical mobility beyond the nation-state and its linguistic uniformity. Gatens and Lloyd's short book is important here, because it does three things at once that are relevant for my project, to further the *activity* of "migratory aesthetics" and deploy the performative face in that context.

First, they invoke the relevance of Spinoza's work for a reasoned position in relation to aboriginal Australians' claim to the land that had been taken from them by European settlers. These claimants are not migrants since they stayed put while their land was taken away from under them, but their claims are based on a culturally specific conception of subjecthood and ownership that makes an excellent case for the collective and historical responsibility the authors put forward with the help of Spinoza. And this responsibility *is* key to migratory aesthetics. It is a relation to the past that, today, we have to *face*.

That this "*intercultural* ethics" should be based on a 17th century writer who never met such claimants—although he can be considered a migratory subject—makes, second, a case for a historiography that I have termed "preposterous." This conception of history is focused on the relevance of present issues for a re-visioning of the past. In alignment with intercultural "relationality," we could call it *intertemporal*. Third, the authors make their case on the basis of the integration, an actual merging of Spinoza's ontological, ethical and political writings—three philosophical disciplines traditionally considered separately. This, of course, exemplifies *interdisciplinarity*. When we are considering different media, interdisciplinarity takes the special form of intermediality. Interdisciplinarity could be modeled on inter-facing in the sense I am developing here.

Against this background—my search for an aesthetic alternative to masochistic passivity and autism as a ground for migratory aesthetics—the face, with all the potential this concept-image possesses, seemed an excellent place to start. But to deploy the face for this purpose requires one more negative act, the elimination of an oppressive sentimentalist humanism that has appropriated the face in a threefold way: as the window of the soul, as the key to identity translated into individuality, and as the site of policing.

194

9. Moira Gatens, Genevieve Lloyd, *Collective Imaginings: Spinoza, Past and Present*, New York, Routledge Press, 1999. Henceforth, references to this text will be indicated by the initials "CI," followed by the page numbers, and placed between parentheses in the body of the text.

Fig. 2. Installation view of *Nothing is Missing* in the context of the exhibit *Migratory Aesthetics*, curated by Griselda Pollock, Leeds University, 2006. © Mieke Bal, 2006.

IN THE BEGINNING WAS THE FACE

Creation stories around the world tend to worry about the beginning of humanity in terms of the non-humanity that precedes it. Psychoanalysis primarily projects on the maternal face the beginning of the child's aesthetic relationality. Both discourses show their hand in these searches for beginnings. Here, I oppose an individualistic conception of beginnings. A few years after his path-breaking book *Orientalism*, the late Palestinian intellectual Edward Said wrote a book on the novels of the Western canon, titled *Beginnings: Intention and Method*.[10] In this book he demonstrated that the opening of a literary work programs the entire text that follows, its content and its style, its poignancy and its aesthetic. It is the thesis of *Nothing is Missing* that this is true for cultural-political reality as well. Therefore, in this installation I wished to explore a different sense of the beginnings of migration. The primary question is: why people decide to leave behind their life as

10. Edward Said, *Beginnings: Intention and Method*, New York, Columbia University Press, 1985.

they know it. With this focus, I aim to invert the latent evolutionism in the search for beginnings, and, in the same sweep, the focus on children, on babies, inherent in individualistic theories of the subject.

The alleged centrality of the face as a definition of being human has not always been "natural." Artists practicing figurative representation depicted loose limbs and severed heads on the one hand, and scenes of fighting and murder in which bodies were difficult to disentangle on the other, as if to raise the question: what makes a body human? When is it still human, when does it cease to be so? The inquiry itself is evidence of the constructedness of the key function of the face. And today, with authorities displaying high anxiety over the invisibility of the Islamic veiled face, we cannot overestimate the importance not of the face *per se* but on the ideology of the face, for the construction of contemporary socio-political divides.[11]

196

Confusing, like so many others, origin with articulation, in his study of the portrait—the genre of the face—Richard Brilliant explains the genre with reference to babies:

> The dynamic nature of portraits and the "occasionality" that anchors their imagery in life seem ultimately to depend on the primary experience of the infant in arms. The child, gazing up at its mother, imprints her vitally important image so firmly on its mind that soon enough she can be recognized almost instantaneously and without conscious thought [...][12]

Like psychoanalysis, art history here grounds one of its primary genres in a fantasmatic projection of what babies see, do, and desire. Both disciplines can and must be challenged for their generalizations.[13]

The shift operates through the self-evident importance attributed to documentary realism, a second unquestioned value in Western humanist culture. The point of the portrait is the belief in the real existence of the person depicted, the

11. I made this argument in chapter 4 of my book *Travelling Concepts in the Humanities*, a propos of the popularity of myths of beheading such as the Judith story, following up on a suggestion made by Julia Kristeva, *Visions capitales*, Paris, Réunion des musées nationaux, 1998.

12. Richard Brilliant, *Portraiture*, Cambridge, Harvard University Press, 1991, p. 9. The term "occasionality" is borrowed from Hans-Georg Gadamer, *Truth and Method*, trans. Joel Weinsheimer, Donald G. Marshall, New York, Crossroad, 1989 (2nd rev. ed.). Brilliant uses it here to remain firmly on the side of documentary realism.

13. For a thorough critique of the discourse of portraiture, see the chapter on "The Portrait's Dispersal" in Van Alphen, *Art in Mind: How Imagess Shape Contemporary Thought*, Chicago, The University of Chicago Press, 2005.

Fig. 3. Installation view of *Nothing is Missing* in the context of the exhibit *Migratory Aesthetics*, curated by Griselda Pollock, Leeds University, 2006. © Mieke Bal, 2006.

"vital relationship between the portrait and its object of representation."[14] The portraits that compose *Nothing is Missing* challenge these joint assumptions of individualism and realism and their claim to generalized validity. In order to do so with critical intimacy, however, the use of video is, again, significant.

The women in this work are, of course, "real," as real as you and me, and individual. And, at first sight, they have been documented as such. But at the same time, they speak "together" from within a cultural-political position that makes them absolutely distinct and absolutely connected at once. This is the meaning of the silences that suggests they are listening to one another, even if in reality they never met.

As for the documentary nature of their images, again, this is both obvious and obviously false, since the situation of speech is framed as both hyperpersonal and utterly staged. I filmed the migrants' mothers talking about their motivation to support or try to withhold their children who wished to leave and about their own grief to see them go. The mothers talk about this crucial moment in their past to a person close to them, often someone whose absence in her life was caused by the child's departure—a grandchild, a daughter-in-law, the child, him or herself.

14. Richard Brilliant, *Portraiture*, p. 8.

The filming is, in one sense, excessively documentary. I staged the women, asked their interlocutors to take place behind the camera, set the shot, turned the camera on, and left the scene. This method is hyperbolically documentary. To underline this aspect I refrained from editing these shots. I will return to the resulting slow, unsmooth, and personal talk that results.[15]

Aesthetically, the women are filmed in consistent close-up, as portraits—the other side of the face of Brilliant's babies. The relentlessly permanent image of their face is meant to force viewers to look these women in the face, in the eyes, and listen to what they have to say, in a language that is foreign, using expressions that seem strange, but in a discourse to which we can all, affectively, relate. A third assumption of Brilliant's argument concerns the nature of identity. This again is based on the baby, enabled by seeing the mother's face, so that the onto-genetic perspective is constantly mapped on the phylogenetic one, in which development is the matrix and old equals primitive.[16]

This baby-basis is challenged most explicitly by the simple fact that the figures speaking here are the mothers, the other side of that face gazing up at them; the holders of the inter-face. The face as inter-face is neither the idealized Madonna nor the autistic mirror image but an occasion for an exchange that, affect-based as it may be, is fundamental in opening up the discourse of the face to the world.

A little later on the same page, Brilliant writes:

> Here [in the mother-infant visual interaction] are the essential constituents of a person's identity: a recognized or recognizable appearance; a given name that refers to no one else; a social, interactive function that can be defined; in context, a pertinent characterization; and a consciousness of the distinction between one's own person and another's, and of the possible relationship between them.[17]

Crucially, this identity emerges not only out of appearance and naming but also out of distinction. Moreover, the recognition of appearance triggers interaction and expression. Typically for the *cogito* tradition, the two are practically the same:

15. The method of one-shot filming was disrupted only in the case of Massaouda when the daughter-in-law turned off the camera twice to allow her mother-in-law a break.

16. This is a well-known and criticized feature of Freud's thinking that has huge consequences for the bond between humanism and primitivism. See, for example, Marianna Torgovnick, *Gone Primitive: Savage Intellectuals, Modern Lives*, Chicago, University of Chicago Press, 1990.

17. Richard Brilliant, *Portraiture*, p. 8. The "given name that refers to no one else" is particularly striking here since the only example of this in the description on which this generalization is based is "Mama," an eminently social role. Again, mother and baby are collapsed.

Fig. 4. Installation view of *Nothing is Missing* in the context of the exhibit *Migratory Aesthetics*, curated by Griselda Pollock, Leeds University, 2006. © Mieke Bal, 2006.

> Visual *communication* between mother and child is effected face-to-face and, when those faces are smiling, everybody is happy, or appears to be. For most of us, the human face is not only the most important key to *identification* based on appearance, it is also the primary field of expressive action...[18] (emphasis added)

The assumed link between these two sentences posits the equality of communication with identification and expression. This equation is grounded in the double sense of identification—*as* and *with*—that, I contend, underlies the problem of portraiture in Western art and to which my installation attempts to consider an alternative. I call that alternative "inter-facing."

INTER-FACING

The sociocultural version of this political ambiguity is most clearly noticeable in the dilemma of "speaking for" and the patronizing it implies, versus "speaking with" as face-to-face interaction. The self-sufficient rationalism of the *cogito* tradition is thus in collusion not only with a philosophical denial of second-

18. Richard Brilliant, *Portraiture*, p. 10.

personhood but also with a subsequent denial of what faces, rather than expressing, can *do*. In order to move from an expressionism to a performativity of the
face, the three uses of the preposition "inter-" I invoked a propos of Gatens and
Lloyd's Spinoza need to be mobilized.

Intercultural relationality in its inscribed mobility of subjectivity posits the
portrait, the face, as an interlocutor whose discourse is not predictably similar
to that of the viewer. These women speak to "us"—but mind the gap!—as they
speak to their own relatives, again, across a gap. The first gap is that of culture
if we continue to view cultures as entities instead of processes. The second gap
is that caused by "the cultural" conceived as moments and processes of tension,
conflict, and negotiation. The people to whom the women tell their stories are
close to them, yet distanced by the gap made by the migration of the loved one.
The daughter-in-law, not chosen, of Massaouda, the son-in-law who took her
daughter away, for Gordana, the daughter, granddaughter and great-grandson
of Ümmühan: all are reaching out to the mothers across an unbridgeable gap
produced by history.

These interlocutors are caught in the migratory aesthetics of a mobility "filled
with" gaps—if I may be pardoned this oxymoron. The two simultaneous situations of speech—between the mothers and the viewer, and between the mothers
and their relatives—doubly mark second-personhood. The theoretical and artistic
alternative to artistic authority of a "willful abandon of mastery,"[19] underlies the
filming in my own absence.

Uhlmann points this out through Beckett, and he uses that same noun,
gap: there is *necessarily*, not coincidentally, a gap between intention and art-
work. Significantly and paradoxically, Uhlmann uses the discourse of medium-
specificity to make a point about the merging of domains, and the discourse of
embodiment—sensations—to posit gaps. The gaps as entrance into sensations
that are "borrowed" in a sense, grounded in someone else's body, open the door
to the inter-face. Gaps, in other words, are the key to a migratory aesthetics that
reject a romantic utopianism in favor of a difficult, hard-won but indispensable
inter-facing. Gaps, not links, are also the key to intermediality. The two, my
installation attempts to suggest, go hand in hand.

INTER-TEMPORALITY

This concept of the gap lays the ground, in turn, for the second partner in the
exploration of *inter-*, namely inter-*temporal* thinking comes with the preposterous
foregrounding of the present as starting point. These women carry the history

19. See Mieke Bal, *Travelling Concepts in the Humanities.*

Fig. 5. Installation view of *Nothing is Missing* in the context of the exhibit *Migratory Aesthetics*, curated by Griselda Pollock, Leeds University, 2006. © Mieke Bal, 2006.

of the severance from their beloved child. They state their acceptance of that separation as a fact of the present. Moreover, the concept of video installation positions the copresence of the mothers with the viewer visiting the installation. Here lies one function of the acoustic gaps, the silences in the films. When she does not speak, it seems, the viewer's turn has come to speak back to her—to the mother who now just looks the viewer in the face.

The inter-temporality also plays out in the belatedness of the viewer's engagement. To understand the need for this engagement in its inevitable belatedness, two distinct steps need to be taken. The first makes the move from individual to social, the second from past to present. Invoking Spinoza's version of the imaginary as undeniably social in nature, Gatens and Lloyd write:

Intersubjectivity here rests on connections between minds which are grounded in the impinging of bodies which are both alike and different, giving rise to affects of joy and sadness, love and hate, and hope. (CI, p. 39)

If taken individualistically, that engagement cannot benefit any of the mothers, if only due to the temporal discrepancy between filming and viewing. Yet, in terms of inter-temporality, the promise of that engagement built into the making of the work did cause the women to voice satisfaction with the fact that, for the first time in their lives, they had been asked to speak to their loss and grief, joy and hope. At the same time, the social nature of intersubjectivity holds a performative promise of the improvement of the social fabric the imaginary enactment of identification will help build.

The images themselves fulfill a function in this inter-temporality. As Gatens and Lloyd recall:

> [...] the complex interactions of imagination and affect which yield this common space of intersubjectivity, and the processes of imitation and identification between minds which make the fabric of social life. (CI, p. 40)

As a speech act, the *promise* is as binding as aesthetics. Therefore, aesthetic works may be eminently suitable to double-bind the women to a social world whose fabric allows their experience to be voiced, so that they can be relieved of carrying the burden too solitarily, instead of being caught in a double bind that forces them to silence. This is where the affection-image, that Deleuze theorized as emblematically situated in the close-up, comes in with its typical temporality. Close-ups subvert linear time. They perdure and thus inscribe the present into the image. Between narrative images and close-ups, then, a particular kind of intermediality emerges; one that stages a struggle between fast narrative and stillness. The inter-temporality at stake here takes its starting point from the present—the present of viewing.[20]

Marrati points to the crucial function of the affection-image as the closest to both the materiality of the image and that of subjectivity. She writes: "Between a perception that is in certain ways troubling, and an action still hesitant emerges affection." (GD, p. 48) It is this image, she continues, that transforms the movement of translation in movement of expression, "in pure quality." (GD, p. 49) This is why the affection-image remains closest to the present, while providing it with the temporal density needed to make the inter-face possible.

Gatens and Lloyd recall that Spinoza's conception of affect is explicit in its inter-temporality. They write:

> The awareness of actual bodily modification—the awareness of things as present—is fundamental to the affects; and this is what makes the definition of affect overlap

___

20. Mark B.N. Hansen, "Affect as Medium, or the Digital-Facial-Image," *Journal of Visual Culture*, Vol. 2, No. 2, 2003, p. 205-228. For an excellent explication of affection-images, see Patricia Pisters, *The Matrix of Visual Culture: Working with Deleuze in Film Theory*, Stanford, CA, Stanford University Press, 2002, p. 66-71, and Paola Marrati, *Gilles Deleuze, Cinéma et philosophie*, Paris, Presses universitaires de France, 2003, p. 48-54. Henceforth, references to this text will be indicated by the initials "GD," followed by the page numbers, and placed between parentheses in the body of the text.

with that of imagination. All this gives special priority to the present. But there are two ways in which the present is involved in imagination and affect: first, the awareness of the immediate state of bodily modification, which applies, by definition, to all affects and to all imaginings; and, second, the special relation to the present which arises where not only the bodily modification but its causes are present—that is, where the affect relates to something here and now, rather than past or future. (CI, p. 52)

The images that result from this are far from the documentary realism so dear to Western culture. Such images possess, as Marrati reminds us, a "temporal density" that is inhabited by the past and the future, while affect, hence, especially the affect produced by the close-up, remains an event in the present—an event of, to use a typical Spinozian-Deleuzian phrase, *becoming*. (GD, p. 88; CI, p. 52) Becoming concerns the presence of the past. If we take this presence to the realm of the social, we can no longer deny responsibility for the injustice of the past, even if we cannot be blamed for it. For, without that responsibility the use of the vexed pronoun "we"—"the full deceptiveness of the false cultural 'we'"—itself becomes disingenuous, even unethical.[21]

"Spinozistic responsibility" as Gatens and Lloyd call it, is derived from the philosopher's concept of self as social, and consists of projecting presently felt responsibilities "back into a past which itself becomes determinate only from the perspective of what lies in the future of that past—in our present." Taking seriously the "temporal dimensions of human consciousness" includes endorsing the "multiple forming and reforming of identities over time and within the deliverances of memory and imagination at any one time." (CI, p. 81). This "preposterous" responsibility based on memory and imagination makes selfhood not only stable but also instable. (CI, p. 82) This instability is a form of empowerment, of agency within a collectivity-based individual consciousness. In Deleuze's work, this becomes the key concept of *becoming*. (CI, p. 81-83; GD, p. 110)

INTERFACE BETWEEN DISCIPLINES

Becoming also defines our activities as scholars in the humanities, interacting with artists. Hence, finally, *interdisciplinary* thought is needed. This allows us to make the connection, in the present and across the cultural divide, between a number of discourses and activities routinely either treated separately or unwarrantedly merged. My own position in this dossier is, of course, an instance of interdisciplinarity/intermediality.

21. This characterization of the first person plural pronoun is from Marianna Torgovnick, "The Politics of 'We'," in Marianna Torgovnick (ed.), *Eloquent Obsessions: Writing Cultural Criticism*, Durham, North Carolina, Duke University Press, 1994, p. 265.

203

There are many issues here, of which I single out only a few. First, the most obvious case seems also the most problematic one: the place of psychoanalysis, the darling of some and a changeling for others. I do to dismiss the theory but give full weight to the mothers' enacted desire to refrain from self-expression.

First, the situation of filming, in the intimacy-with-gaps and in the absence of the filmmaker, could easily become a trap to solicit more self-expression than the women would want to endorse. But a degree of modesty becomes us here. For it is at moments of restraint, when they seem most reluctant to express themselves, (in the Western sense of that word) that the performativity of their self-presentation is most acutely able to pierce through the conventional surface. A leap to the psyche might bypass these moments, while these moments are for me the keys to migratory aesthetics, to facing, and to intermediality. They are the moments of the performative inter-face.

Massaouda offers a striking instance of a culturally specific reluctance that cautions us against psychologizing or psychoanalyzing her. Not coincidentally, this is at the most strongly performative moment of the video. It is also a moment where performativity and performance in the theatrical sense of role-playing merge quite strikingly. This is the situation: as I have been able to see first-hand, Massaouda and her newly acquired daughter-in-law, Ilhem Ben-Ali Mehdi, get along famously. But in their relationship remains the stubborn gap immigration policy has dug. When Ilhem married Massaouda's youngest son, the mother was not allowed to attend the wedding: the authorities had denied her a visa. Hence, not only had Massaouda not been in a position to witness who Ilhem was, but even more obviously, she had not been able to fulfill her motherly role as her culture prescribes it, which is to help her son choose his bride. At some point, Ilhem ends up asking with some insistence what Massaouda had thought of her when she first saw her, after the fact, hence, in a kind of powerlessness.[22]

First, Massaouda doesn't answer, which makes Ilhem anxious enough to insist, and to ask: did you find me ugly, plain? The older woman looks away at this point. The young woman insists. We will never know what Massaouda "really" felt, but the power that the filming bestows on her, as if in compensation for her earlier disempowerment, is to either withhold or give her approval. She does the latter, but only after some teasing. When I saw the tape and understood

22. On the story of this marriage, see the art collective Cinema Suitcase's 2004 *Mille et un jours*, a 44-minute film distributed by VTape, Toronto, a commentary in Patricia Pisters, "Micropolitics of the Migrant Family in Accented Cinema. Love and Creativity in Empire," in Patricia Pisters, Wim Staat (ed.), *Shooting the Family: Transnational Media and Intercultural Values*, Amsterdam, Amsterdam University Press, 2005, p. 197-212, and photographs in Kathrin Becker, *Masculinities*, Berlin, Neue Berliner Kunstverein, 2005.

the speech I was convinced Ilhem would never have been allowed to ask this question and thus vent her anxiety. As for the mother, she was given, and performed the power she had been denied, and she used it to first mark the gap, then to be kind, to help her somewhat insecure daughter-in-law.

This interaction is thoroughly social, performative, and bound to the medium of video—to the making of the film. As such, it is intermedial. But it does not allow psychoanalytic interpretation. Neither did I as maker have any influence on this occurrence—it was not my "intention." Nor can we construe it as a realistic, documentary moment where an "occasion" was recorded—it would never have happened outside of the situation of video-making. There would never have been an external reality the film could have documented. It is a moment, in other words, that was staged, yet real, thus challenging that distinction. Nor can we pinpoint a psyche offering symptoms for interpretation. For this to happen there was, instead, a need for a culturally-specific relationship between two women related by marriage and separated by the gaps of migration; and for a relationship to the medium that allowed the women to overstep cultural boundaries. Thus, the suspension of the categories of the individual psyche, and in its wake, of intention, demonstrates a level of interdisciplinarity I am particularly keen to point out. What happens, here, is an instance of what Maaike Bleeker calls the mission of theatre, as a "critical vision machine."[23]

Thus, my willful abandonment of mastery extends from the filming to the critical discourse I am offering, the reflection on what I have learned from this experimental filmmaking. The filmmaking, performed by the women in their inter-face with their relatives first of all, indicates it is appropriate to take to the resulting installation. An installation of voices, intermingling and alone, and of faces, facing women none of them has ever seen. The art-making, in other words, is not an instance, an example to illustrate an academic point, nor an elevated form of cultural expression to which no criticism can do justice. Instead of these two things, equally problematic for a productive interaction between art and theory, the performance, including the moment of slight tension between Massaouda and Ilhem is a genuine form of research, the results of which impinge on what we grope towards articulating as an academically fruitful concept. Through this tension, the full potential of facing has become clear to me in ways it had not been before.

205

23. This phrase is Bleeker's short definition of the theatre's specific capacity to produce visions that do not fit cultural standards, and thus make it a suitable tool for migratory aesthetics. See Maaike Bleeker, *Multicultureel drama?*, Amsterdam, Amsterdam University Press, 2006.

The performative moment is the product of an act of filmmaking that required the absence of the filmmaker. But more than that; it also required the surrender of the two women to the apparatus standing in between them. This surrender entailed a cultural transgression—to ask, and insist on, a question that in the culture of origin would be unspeakable. This, more than her linguistic pronunciation of Arabic as a second language, is Ilhem's "accent," in the sense in which Hamid Nafici famously uses that term.[24] This "accent" emblematizes the productive, innovative and enriching potential of intercultural life. In this case, it could occur thanks to the absence of the filmmaker—but also of the two husbands—and the situation of displacement for both. And I learned about and from this event after the fact, during the translation process, with Ilhem's husband who was as astonished as I was. This interdisciplinarity—between the people performing and the critic reflecting on how to understand what they did—would be stifled if a too well-known psychoanalytic apparatus were let loose on this event.[25]

A second issue of interdisciplinarity is especially significant for this journal. I am alluding to an aspect that is essentially, not coincidentally involved in migratory aesthetics: the linguistic situation as intermedial. The spoken word is central to the installation in many ways and on many different levels, all of which converge in the attempt to turn a condescending act of "giving voice" into an affirmation of our need to be given that voice in order to exist. This is why I announced earlier that the medium of video is especially appropriate for migratory aesthetics, and facing the emblematic instance of such an aesthetic. Video, like film but more directly, binds the image we see to the sound we hear. That sound is, in this case, primarily and almost exclusively the human voice and the spoken words it utters.

First, the centrality of the spoken word impinges on the visual form, the close-up. For, it is also in order to foreground the privileging of the voice of the mothers that the films consist of single shots of their face as they speak and listen, and remain unedited. The personal situation presupposes sincerity. At the same time, they are keenly aware of the public nature of the speech they are producing in front of a camera. The nature of this performance is closer to theatricality, in the critical sense, than to traditional filmmaking. As theatre, the situation is

206

24. Hamid Naficy, *An Accented Cinema: Exilic and Diasporic Filmmaking*, Princeton, Princeton University Press, 2001.

25. It may sound paradoxical, but psychoanalysis as a theory would be in agreement with this reluctance to apply it, if we are to believe Shoshana Felman's point about the need to not know as psychoanalysis's primary contribution to pedagogy. Shoshana Felman, "Psychoanalysis and Education: Teaching Terminable and Interminable," *Yale French Studies*, No. 63, 1982, p. 21-44.

closer to minimally rehearsed, improvised, and inquiring forms of theatre than to perfectly mastered public forms.[26]

Second, the intermediality has been foregrounded graphically. The translations presented as surtitles also embody the close bond between linguistic and visual aspects of the images—the bond between face and speech. As I mentioned, the viewer is confronted with four different languages, foreign to most, audible in their foreignness and visible in an emphatically visualized translation. Placed, visually, above their faces, the language is both made important and presented as somewhat of a burden. English as the sole entrance port is denaturalized, both by this visual foregrounding and by the translations themselves.

Third, translations are as literal as possible, bringing out the poetry in the original languages without sacrificing to clarity. None of the translators are native speakers of English. Their assignment was to help me stay as close as possible to the phrasings the women used. This method results in an "accented" English, that maintains the bicultural status of the communication.

207

Finally, the most acute intermediality occurs in the faces, which visibly produce the sound of the voices, the language we do not understand, and the need to translate, all in one. It is really difficult to separate sound from vision, as the mouths articulate with the rhythm of the sounds. Video, that easy-to-transport engine to make home images and home speech is the medium of this intermediality. This is not simply a case of the "moving image" of cinema. Instead, the moving quality becomes a poetic, a self-reflective statement about the medium that reintegrates what the predominance of English, the home-boundness resulting from a lack of education, in turn aggravated by misogyny and colonialism, have severed. The face and its acts, thus, becomes the emblematic instance of video's power to transgress boundaries of a variety of kinds.

MIGRATORY AESTHETICS: WHAT THE FACE CAN DO

Migratory aesthetics, then, addresses specific issues of "binding through the senses" the gaps or remainders of the mobility that has always been part of Western culture, although we didn't realize it. In *Nothing is Missing*, I do address actual

26. I am thinking of the theatrical performance in Zaire, described by Johannes Fabian, which was set up to examine the meaning of a proverb. Johannes Fabian, *Power and Performance: Ethnographic Explorations through Proverbial Wisdom and Theater in Shaba, Zaire*, Madison, University of Wisconsin Press, 1990. See also Maaike Bleeker, *Multicultureel drama?*.

migration, but not as the thematic heart of the work. That heart, rather, is the encounter with the faces.[27]

The focus on the face embodies the act of facing in its three meanings, all three staged here as acts of mutuality. First, the emphasis on activity reflects back on the face itself. No longer the site of representation and expression, the face has become an agent of action: what can faces do, rather than how to do things with faces.[28]

The face faces, looking us in the face, making the viewer the interlocutor. It faces something that is hard to live down, here, the severance of the primary bond that humanism construes as defining of humanity: that between mother and child. In these videos of acting faces, that event is qualified as larger than the individual. All four women speak in understated tones of the causes of the child's departure in terms for which Western cultures can assume some measure of historical responsibility, if only "we" reason with Spinoza. Gordana speaks of war, Massaouda of hunger, and Ümmühan of culturally sanctioned domestic violence.

The severances, different as they are, and differently related to the past, are lived as what for me is the ultimate tragedy: that the mothers, all of them, say that they are *happy* about the sore fact that their child left. These backgrounds are understated because they can neither be eliminated from the present, nor be allowed to overrule the existence of the mothers in an everyday that is also rich and sometimes happy. Hence, the discourse intimated in the installation's title—he one on which Massaouda ends her finally and hard-won openness about what matters most to her as a mother: that her son finds bread to eat. Facing these present pasts, and the kind of motherhood that results nevertheless fulfills the becoming of who we are in the present: according to the binding implied in migratory aesthetics, facing these pasts together so that "we" can "be" is part of our own potential of becoming.

But how can we do that? Making contact, the third act implied in facing, facilitates that becoming—becoming world citizens, building our existence on mobility without having to move. This making of contact is suggested as an

27. For a recent theoretical discussion of the concept of everyday life, see Claire Colebrook, "The Politics and Potential of Everyday Life: On the Very Concept of Everyday Life," *New Literary History*, Vol. 33, No. 4, autumn 2002, p. 687-706. For another instance of video as a tool for a discussion of the everyday in migratory aesthetics, see my article, "Food, Form, and Visibility: GLUB and the Aesthetics of Everyday Life," *Postcolonial Studies*, Vol. 8, No. 1, 2005, p. 51-73.

28. See Richard Rushton, "What can a Face Do? On Deleuze and Faces," *Cultural Critique*, No. 51, spring 2002, p. 219-237.

effect of the insistent facing in *Nothing is Missing*. What faces can do, as Richard Rushton puts it, is staging encounters:

> [...] when I come before another person [...] I enter into a realm of possibility, of possible connections, of possible confrontations, expectations, creations; in short, I enter into possibility itself. An endless possibility is, however, channeled by the specific possibilities I come across when I come before another. This experience of circumscribing and of curtailing possibility is the experience of the face.[29]

This is the point of the faces of the mothers in *Nothing is Missing*—their empowerment. In the installation, the face is constantly present, in close-up but not as close as possible. As a visual form, the close-up, Deleuze wrote, is itself the face:

> *Il n'y a pas de gros plan du visage. Le visage, c'est le gros plan, mais un visage précisément qui a détruit sa triple fonctionnalité* [individuation, socialization, communication] *[...] Le gros plan fait du visage un fantôme, et le livre aux fantômes [...] Le visage est le vampire.*[30]

209

If the close-up is the face, the face is also the close-up. Hence, the slight distance nevertheless built into the image, to avoid locking the viewer up and denying the women any space at all. To avoid facile conflation, and appeal to sentimentality. To give the face a frame within which it can exercise its mobility and agency, as it can within the veil that signifies Muslim identity. To make the images look like the busts of Roman emperors and other dignitaries. That slight distance, then, provides the space for a freedom à la Spinoza. Such a freedom is "critical," in philosopher James Tully's words. Critical freedom is the practice of seeing the specificity of one's own world as one among others, and inter-temporally, this freedom sees the present as fully engaged with the past that, insofar as it is part of the present, we can a little more freely rewrite. The act of inter-facing can do that. This capability lies at the heart of migratory aesthetics, defined as a binding mobility.[31]

29. Richard Rushton, "What can a Face Do?," p. 228.

30. Gilles Deleuze, *Cinéma 1. L'image-mouvement*, Paris, Éditions de Minuit, coll. "Critique," 1983, p. 125.

31. Gatens and Lloyd's final words (CI, p. 149) alerted me to Tully's concept of critical freedom, and his book which I read belatedly as a result. See James Tully, *Strange Multiplicity: Constitutionalism in an Age of Diversity*, Cambridge, Cambridge University Press, 1995.

Nothing is Missing

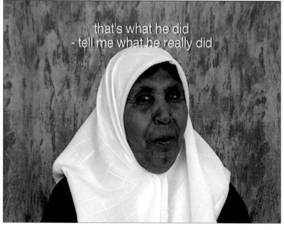

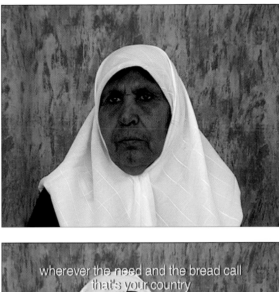

wherever the need and the bread call
that's your country

her granddaughter
gülay bulduk çakır

and her great-grandson
bedirhan kılıç

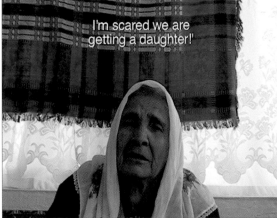

I'm scared we are
getting a daughter!'

receives in beograd

Le portrait en malade

FLORENCE CHANTOURY-LACOMBE

▶ Cette étude consacrée à l'interprétation du portrait en malade tente de démontrer comment, à travers la littérature artistique de la Renaissance et dans le discours des historiens de l'art contemporains, le portrait représentant un personnage malade a fait l'objet d'une « euphémisation » dans laquelle une *bonne santé* de la peinture était privilégiée au détriment d'une interprétation plus probante du portrait pathologique. Par l'analyse de différents portraits de gens variolés, syphilitiques ou atteints d'autres pathologies à la Renaissance, il s'agit d'observer que la représentation du visage pathologique met à mal le statut même du portrait.

▶ This study is devoted to the interpretation of the portrait of sickness. It tries to show how, in the literature on art at the Renaissance and in the contemporary art historian's discourses, portraits representing various pathologies have been subjected to a "euphemisation," in which the *good health* of painting has always been privileged, to the detriment of a more convincing interpretation of the pathological portrait. Through the analysis of various portraits of individuals suffering from smallpox, syphilis and other pathologies common during the Renaissance, this article shows how the representation of the pathological face questions the very status of the portrait.

De la « surface trompeuse » à l'agréable imposture

LUCIE DESJARDINS

▶ Longtemps considéré comme un genre inférieur, le portrait peint suscite, au XVIIe siècle, un engouement de plus en plus marqué chez un public de clients et d'amateurs. Or la théorie du portrait ne cesse d'entrer en dialogue avec les textes scientifiques ou religieux, philosophiques ou littéraires. Cet article met en évidence les enjeux théoriques reliés à la représentation du visage pour ensuite examiner de quelle façon les romans, récits et pièces du XVIIe siècle reprennent les principaux lieux communs du portrait peint, qu'il s'agisse du portrait comme substitut de la présence de l'autre, du problème de la comparaison entre le modèle et l'image peinte, l'original et la copie, l'être et le paraître, ou de celui de la mise en scène de soi et de la vanité. Pareil tableau permet de montrer en quoi le portrait est un lieu où s'incarnent à la fois les plus vives espérances sur les possibilités d'une représentation du visage susceptible de livrer l'intimité dans la plus parfaite transparence et les plus grandes inquiétudes théoriques au sujet d'un monde dominé par les apparences. Ce sont ces différentes tensions qui sont ensuite étudiées à partir de deux textes de Charles Sorel : *Le berger extravagant* (1627) et *La description de l'isle de portraiture et de la ville des portraits* (1659).

► Long considered an inferior genre, the painted portrait in the 17th century sparked increasing enthusiasm among a public of both clients and amateurs. The theory of the portrait, at the time, constantly intersected with scientific, religious, philosophical or literary texts. This article highlights the theoretical issues regarding the representation of the face, then examines the manner in which 17th century novels, stories and plays reinvest the major themes of the painted portrait, whether it be the portrait as a substitute for the presence of the other, the comparison between the model and the painted image, original and copy, being and appearance, or the issue of self-exhibition and vanity. This tableau allows to show how the portrait embodies the most powerful hopes concerning the possibilities of representing a face capable of delivering intimacy with the highest degree of transparency and the profoundest theoretical anxieties about a world dominated by appearances. These different tensions are then examined in two texts by Charles Sorel: *Le berger extravagant* (1627) and *La description de l'isle de portraiture et de la ville des portraits* (1659).

Autour du portrait d'identité : visage, empreinte digitale et ADN

HÉLÈNE SAMSON

► La photographie du visage, l'empreinte digitale et l'autoradiogramme de l'ADN sont considérés comme différentes modalités d'un même paradigme d'identification des individus fondé sur l'inscription corporelle de l'identité et sur l'objectivité de l'enregistrement. L'auteur analyse ces présupposés et illustre leur application avec la mise au point du portrait d'identité par Alphonse Bertillon à la fin du XIXᵉ siècle. Malgré l'évolution des modalités d'identification — du visage à l'ADN — le principe de la physiognomonie demeure, c'est-à-dire que l'indice corporel servant à contrôler l'identité sert aussi à diagnostiquer une identité essentielle. L'auteur souligne que la chirurgie, la génétique et l'image numérique, qui participent à l'évolution des techniques d'identification, modifient la conception et la représentation contemporaines du visage.

► Photography, digital printings and DNA profile are different modalities of the same identification paradigm, which is based on bodily inscription of identity and objective recording. This article analyses these presumptions and illustrates their application in the history of scientific photography, namely through the invention of the ID card by Alphonse Bertillon at the end of the 19th century. Albeit the evolution of individual markers—from face to DNA—the physiognomic principle is maintained, since the index that allows checking identity also serves to determine an "essential" identity. The author argues that surgery, genetics and digital imagery, relevant in the improvement of identification techniques, change our conception and representation of the face.

Modernity and the Face

MARGARET WERTH

▶ Au tournant du xxe siècle, le visage adopte de nouvelles formes, des nouvelles fonctions et des nouvelles significations. Les représentations de l'identité, les valeurs esthétiques, tout autant que l'expérience sociale et individuelle à travers le visage se trouvent modifiées. Les études que Georg Simmel consacre à la question de la modernité et au statut privilégié du visage sont liées de près à une reconfiguration du visage en littérature (Proust), en art (Redon) et au cinéma (le gros plan), révélant une dislocation des oppositions entre intériorité et extériorité, entre proximité et distance, entre l'humain et la machine.

▶ Around 1900, the face took on new forms, functions, and meanings. Modes of figuring identity and aesthetic value or registering individual and social experience through the face changed. Georg Simmel's studies of modernity and the privileged status of the face are tied to reconfigurations of the face in literature (Proust), art (Redon), and film (the close-up), highlighting the dislocation of oppositions between interiority/exteriority, proximity/distance and human/machine.

Visage et ornement

GUIDO GOERLITZ

▶ Partant de l'importance que revêt la question du visage et du gros plan dans le médium cinématographique, et de sa théorisation dans la modernité allemande de la République de Weimar chez Walter Benjamin, Béla Balázs et Siegfried Kracauer, cet article jette un regard rétrospectif sur cette question en tentant de décrire l'enracinement de la nouvelle poétique de la surface photographique dans des questions herméneutiques abordées au tournant du siècle par Georg Simmel et Stefan George. Simmel a conceptualisé la signification esthétique du visage comme un agencement centralisateur, contre le dispositif de la photographie. Le poète George donne en revanche un premier exemple d'une pratique intermédiale réunissant écriture et photographie.

▶ This article begins by stressing the importance of the face and the close up in the cinematographic medium, and briefly analyses its theorizations in German Modernity during the Weimar Republic (Walter Benjamin, Béla Balázs and Siegfried Kracauer). This article then takes a step back and tries to describe the roots of this new poetics of the photographic surface in hermeneutical debates which appear, at the turn of the century, in the writings of Georg Simmel and Stefan George. Simmel conceptualizes the aesthetic signification of the face as a centralized system, against the apparatus of photography. The poet George, on the other hand, offers one of the first examples of an intermedial practice, reuniting photography and written text.

Face of the Human and Surface of the World

WALID EL KHACHAB

▶ Dans cet article, la surface du monde est envisagée comme une face, un visage. En tant que registre de cette surface et que médium ayant « réinventé » le visage dans le gros plan, le cinéma permet une réflexion sur le statut du Sujet humain dans l'univers, grâce au concept du panthéisme cinématographique. Suivant Élie Faure, l'auteur souligne la nature panthéiste du cinéma et avance que le panthéisme cinématographique est le moyen par lequel le film produit la transcendance et l'immanence simultanément, et matérialise ainsi leur unité, confirmant la théorie de Siegfried Kracauer selon lequel l'humain, la nature et la culture ont partie intégrante des mêmes « phénomènes visibles » au cinéma. Le cinéma transforme tous les êtres en surfaces : il procède par « visagéification » et par « surfacialisation ». D'autre part, l'article revisite le concept de visagéité chez Deleuze et Guattari et soutient que ce concept décrit une surface fonctionnant comme interface du corps dans son interaction avec d'autres corps dans les médias, dans la sphère du divin, ou dans l'univers. Ainsi, la visagéité est également paysagéité et l'action de la caméra signifie la « transfiguration » de l'humain (ou du paysage) en visage, en introduisant son vis-à-vis : le visage de Dieu, en tant que transcendance immanente. Dans ce sens, le mysticisme cinématographique, tel qu'il apparaît dans les films de Paradjanov, Makhmalbaf et Mikhalkov, est panthéiste.

▶ In this article, the surface of the world is envisaged as a face. Cinema as a record of this surface, and as a medium which "re-invented" the face in the close-up shot, makes it possible to reflect on the status of the human subject in the universe, thanks to the concept of cinematic pantheism. Following Élie

Faure, the author underscores the pantheistic nature of cinema and claims that cinematic pantheism is the way by which film produces simultaneously transcendence and immanence, and materializes the unity of both, thus confirming Siegfried Kracauer's theory according to which man, nature and culture are part of the same "visible phenomena" in cinema. Cinema transforms all beings into surfaces: it operates by facialization and surfacialization. On the other hand, the article revisits Deleuze and Guattari's concept of faciality and argues that it describes a surface operating as the interface of the body in its interaction with other bodies in the media, the realm of the divine, or the universe. Thus faciality is also landscapity, and activating the camera means "transfiguring" the human (or the landscape) into face and introducing a vis-à-vis: the face of God, as immanent transcendence. In that sense, cinematic mysticism, as in Paradjanov's, Makhmalbaf's and Mikhalkov's films, is pantheistic.

230

« Ô ton visage comme un nénuphar flottant » (thème et variations)

ANNE ÉLAINE CLICHE

▶ Variations sur le visage comme métaphore, c'est-à-dire enjeu d'une condensation entre visible et invisible. Il s'agit en quelque sorte d'une promenade qui part du poème de Gaston Miron dont cet article emprunte le titre ; qui bute sur l'impraticable éthique de Lévinas ; qui s'avance à la rencontre de Freud sur la scène de la séance analytique où le visage se fait miroir ; qui croise Proust au Bal des têtes ; convoque Moïse et le voilement de la Face divine ; et qui rejoint finalement Artaud devant ce toujours déjà *à venir* du visage. Ce parcours donne le visage comme matériau du temps et origine de la parole.

▶ Variations on the face as metaphor, *i.e.* as a condensation of the visible and the invisible. This article proceeds as a stroll, a "promenade" beginning with a poem by Gaston Miron which provides the title for this text; stumping onto Lévinas' impracticable ethic; moving towards Freud's scene and the analytical séance, where the face becomes mirror; crossing Proust's way, at the Bal of heads; convoking Moses and the veiling of the divine Face; reaching finally Artaud in front of the always already "to come" of the face. This article presents the face as time matter and origin of speech.

Impressions et figurations du visage dans quelques films de Chris Marker

ANDRÉ HABIB

▶ Le visage dans les œuvres de Chris Marker se présente comme l'objet d'une recherche sur l'image et sur la prégnance de la mémoire. Il est également le lieu d'un déchiffrement, s'offrant au regard tout en se dérobant sous des masques, entre les rets du temps. L'hypothèse de cet article est que le visage nous offre un fil de lecture pour aborder l'œuvre de Marker : il y apparaît comme une figure de médiation à part entière, qui en livre les promesses et les apories, les dissimulations et les instants de vérité.

▶ The face in the works of Chris Marker appears as a central aspect of his reflection on the image and memory; it offers itself as something to be read and decrypted, while always slipping away beneath masks, between the shards of time. The hypothesis of this article is that the face provides us a reading key to traverse his complex body of works: it appears as a privileged figure of mediation, revealing its promises and its aporias, its dissimulations as well as its moments of truth.

231

Visages-légendes : de Boris Karloff à Frankenstein

JOHANNE VILLENEUVE

▶ Cet article a comme point de départ le passage du visage « littéraire » du monstre dans *Frankenstein* de Mary Shelley (1818) au célèbre visage cinématographique qu'a légué à la postérité le film de James Whale sous les traits de Boris Karloff. Le principe de l'inadéquation qui fonde le premier visage est maintenu dans le second, bien que considérablement transformé en fonction des possibilités qu'offre le médium cinématographique et du contexte socioculturel dans lequel celui-ci produit ses effets. Il s'agit de voir comment le Hollywood des années 1930 reprend le vieux filon de la fantasmagorie robertsonienne afin de produire un « flot » particulier de visages monadiques. Sur le mythe de Frankenstein se greffe la légende de Boris Karloff : trajectoire démultipliée d'un visage « sans essence » et vidé de son expérience, un visage-cadre légendé, portant les marques d'une survivance et d'une errance en partage au détour de la « grande crise ».

► The starting point of this article is the transition from the "literary" face of the monster in Mary Shelley's *Frankenstein* (1818), to the famous cinematographic face that James Whale's film has left for posterity, under the traits of Boris Karloff. The idea of inadequacy which founds the first, is maintained in the latter, while being considerably transformed by the possibilities of the cinematographic medium and the sociocultural context in which it revealed its efficiency. The article wishes to stress the way by which Hollywood in the 1930's picked up the old thread of Robertson's phantasmagoria in order to produce a specific "flow" of monadic faces. Frankenstein's myth becomes entangled with Boris Karloff's legend: multifaceted trajectory of a face deprived of essence and bereft of experience, a face framed by its legend, bearing the marks of survival and shared wanderings, at the turn of the "Great Crisis."

232

Facing Severance

MIEKE BAL

► Face au phénomène de migrations de masse vers l'Europe de l'Ouest, on a tendance à ignorer un groupe de personnes particulièrement affecté par le départ des jeunes : les mères de ceux qui quittent. Non seulement ont-elles vu leurs enfants quitter leur communauté, elles doivent également défendre leurs décisions — « c'est pour son bien » —, alors que leur vie a été marquées par une perte profonde. Ceci amena l'auteur de cet article à développer un projet vidéo dans lequel ces mères, jusqu'ici invisibles, ont l'occasion de parler de leurs enfants qui ont émigré. L'installation est tout entière portée par la question de « l'envisagement » (*facing*), tant à un niveau littéral, indirect, que figural. L'esthétique du gros plan, du cadrage unique, de l'absence de montage et, partant, du non- interventionnisme, ainsi que l'intimité du tournage et de la projection font de cette politique de « l'envisagement » une alternative viable à ce que Luc Boltanski appelle une « politique de la pitié ». Dans cet article, l'auteur développe le concept de ce projet, philosophiquement et sémiotiquement, à partir de Spinoza et de Deleuze, afin de montrer en quoi cette installation offre un exemple d'« esthétique migratoire » en tant qu'art politique.

► In the face of the current wave of mass migration in Western Europe, we ignore one group of people affected by the departure of young people from their communities: their mothers. Not only had they seen their children leave, but they even had to support that decision—"it's for his good"—while it affected their lives with a deep loss. This prompted the author to develop a video project in which the heretofore invisible mothers were given the opportunity to speak about their departed children. The installation is entirely devoted to the issue of facing: literally, indirectly, and figuratively. The aesthetic of close-up, of one-shot filming, no-editing and hence, of non-interventionism, and of intimacy in filming as well as projecting makes this politics of facing a viable alternative to what Luc Boltanski has termed "the politics of pity." In this article the author develops the concept of this project, both philosophically and semiotically, with the help of Spinoza and Deleuze, in order to articulate in what way this is an instance of "migratory aesthetics" as political art.

233

Notices biobibliographiques
Biobibliographical Notes

Mieke Bal est une théoricienne et une critique culturelle de renom. Elle occupe le poste de Royal Dutch Academy of Sciences Professor (KNAW). Elle est également professeur de théorie littéraire à la faculté d'Humanités de l'Universiteit Amsterdam et à la Amsterdam School for Cultural Analysis. Parmi ses nombreux ouvrages, on compte : *A Mieke Bal Reader* (University of Chicago Press, 2006), *Travelling Concepts in the Humanities: A Rough Guide* (University of Toronto Press, 2002), *Quoting Caravaggio: Contemporary Art, Preposterous History* (University of Chicago Press, 1999), *Narratology: Introduction to the Theory of Narrative* (University of Toronto Press, 1997) et *Reading "Rembrandt:" Beyond the Word-Image Opposition* (Cambridge University Press, 1991). Elle est également vidéaste.

Florence Chantoury-Lacombe a étudié l'histoire de l'art à l'Université de Montréal, avant de compléter une thèse consacrée à la représentation de la maladie, sous la direction de Daniel Arasse, à l'École des hautes études en sciences sociales à Paris. Ses recherches s'inscrivent dans une démarche d'historiographie critique et d'anthropologie des images. Elle s'intéresse actuellement à la représentation du ciel et aux soubassements théologiques de l'histoire de l'art. Elle enseigne l'histoire de l'art à l'Université de Pau et des Pays de l'Adour.

Anne Élaine Cliche est professeure de littérature au Département d'études littéraires de l'UQÀM. Elle est aussi écrivain. Elle a publié plusieurs livres au Québec, et de nombreux articles dans des revues spécialisées. Elle travaille en particulier les rapports entre écriture et psychanalyse et s'intéresse depuis des années au judaïsme et à la tradition juive. Son troisième roman, *Rien et autres souvenirs*, est paru en 1998 aux éditions XYZ, de même qu'un essai, *Dire le livre. Portraits de l'écrivain en prophète, talmudiste, évangéliste et saint*. Un essai intitulé *Poétiques du Messie. L'origine juive en souffrance* est actuellement sous presse.

Lucie Desjardins est professeure au Département d'études littéraires de l'Université du Québec à Montréal. Directrice du groupe de recherche *Les métaphores de l'intériorité. Portrait, miroir et représentation de soi* (CRSH), ses travaux portent principalement sur la question du corps et de l'intimité, sur l'histoire des représentations et des pratiques culturelles. Elle a notamment publié *Le corps parlant. Savoirs et représentation des passions au XVIIᵉ siècle* (Presses de l'Université Laval/L'Harmattan, 2001); et un numéro de la revue *Tangence* en collaboration avec Éric Méchoulan sur les écritures de la morale (n° 66). Elle travaille actuellement à un projet de recherche sur *La figure du revenant aux XVIIᵉ et XVIIIᵉ siècles. Croyances, savoirs, culture.*

Walid El Khachab est professeur adjoint de langue et de culture arabe à l'Université Concordia. Il a publié des articles dans *CinémAction, CiNéMAS* et *Sociétés et représentations.* Le dernier chapitre de sa thèse *Le mélodrame en Égypte. Déterritorialisation, intermédialité,* est une contribution à la théorie du cinéma inspirée par la mouvance panthéiste du mysticisme musulman. Son travail actuel porte sur les figures de la « sur-face » au cinéma, et fait partie d'une recherche plus large sur les dimensions esthétiques et politiques du panthéisme cinématographique.

Guido Goerlitz est stagiaire postdoctoral au Centre de recherche sur l'intermédialité (CRI) de l'Université de Montréal depuis l'automne 2004. Il a soutenu sa thèse de doctorat en littérature comparée à la Freie Universität de Berlin en 2003. Sa thèse portait sur l'esthétique de la généalogie et de l'anti-généalogie dans *À la recherche du temps perdu* de Marcel Proust. Il prépare en ce moment un livre sur les poétiques de la visagéité sous le signe de la configuration intermédiale dans la modernité allemande (1895-1933).

André Habib est doctorant en littérature comparée à l'Université de Montréal (option littérature et cinéma) ainsi que chargé de cours au Département d'histoire de l'art et d'études cinématographiques de l'Université de Montréal. Sa thèse porte sur l'imaginaire des ruines au cinéma. Il est secrétaire de rédaction de la revue *Intermédialités* ainsi que coordonnateur de la section cinéma de la revue électronique *Hors Champ.* Ses articles ont été publiés dans *CiNéMAS, Hors champ, Senses of Cinema, Lignes de fuite, Offscreen* et *Substance.* Il codirige avec Viva Paci un ouvrage collectif intitulé *L'imprimerie du regard : Chris Marker et la technique,* qui paraîtra dans la collection « Esthétiques » de L'Harmattan en 2008.

Glenn A. Peers est né en Nouvelle-Écosse. Il a fait ses études à Acadia University, à l'Université McGill ainsi qu'à Johns Hopkins University. Il est professeur agrégé au Département d'art et d'histoire de l'art de l'University of Texas à Austin. Il a publié *Subtle Bodies: Representing Angels in Byzantium* (2001) et *Sacred Shock:*

236

Framing Visual Experience in Byzantium (2004), ainsi que, avec la collaboration de Massimo Bernabò et de Rita Tarasconi, *Il Fisiologo di Smirne* (1998). Il travaille actuellement sur les icônes érotiques de la tradition Byzantine, ainsi que sur des questions relatives à l'art chrétien-musulman dans l'Orient méditerranéen au Moyen Âge.

HÉLÈNE SAMSON est conservatrice de la photographie au Musée McCord de Montréal depuis septembre 2006. Elle détient une maîtrise de l'Université d'Ottawa en psychologie expérimentale et un doctorat de l'Université de Montréal en histoire de l'art. Ses recherches de doctorat ont porté sur le portrait photographique contemporain en relation avec l'histoire du portrait photographique au XIXe siècle. Elle a enseigné plusieurs années l'histoire de la photographie et a rédigé des articles et des résumés critiques concernant le portrait, la photographie et l'identité.

237

JOHANNE VILLENEUVE est professeure au Département d'études littéraires de l'UQÀM où elle enseigne le cinéma et la littérature. Elle est membre du CRI et du Laboratoire NT2 (Nouvelles textualités / Nouvelles technologies). Elle a publié des articles sur l'intermédialité, l'oralité au cinéma, la narrativité et la mémoire culturelle. Elle est également romancière. Parmi ses publications : *Le sens de l'intrigue. La narrativité, le jeu et l'invention du diable* (Presses de l'Université Laval, 2004) et avec Brian Neville, *Waste-Site Stories. The Recycling of Memory* (SUNY, 2002). Elle travaille actuellement sur l'intermédialité du témoignage et termine un livre sur Chris Marker.

MARGARET WERTH est professeure agrégée au Département d'histoire de l'art à l'University of Delaware. Elle est l'auteur de *The Joy of Life: The Idyllic in French Art circa 1900* (University of California Press, 2002), ainsi que d'essais sur Matisse, Picasso et Monet. Elle prépare un ouvrage sur la représentation du visage en peinture, en photographie, au cinéma et en littérature, dont le titre provisoire est *Visages: Modernity and the Face, 1870-1930.*

Protocole de rédaction

Les auteurs sont priés:

a) de faire parvenir une copie de leur texte par courrier électronique à l'adresse intermedialites@ umontreal.ca;

b) d'inscrire, sur la première page de leur manuscrit: 1) le titre de l'article; 2) leur nom;

c) de fournir un résumé (entre cinq et dix lignes) de l'article en français et en anglais;

d) d'annexer à leur texte une notice biobibliographique (environ cinq lignes) indiquant leur statut professionnel et leurs principales publications;

e) de présenter leur texte dactylographié à double interligne, en Times 12 points, justifié à gauche et à droite, à l'exception des citations qui doivent être placées en retrait de 1 cm à droite et des notes en bas de page (les éléments bibliographiques étant intégrés, au fur et à mesure, aux notes) qui devront être présentées en simple interligne;

f) de présenter les notes et les références textuelles selon le modèle adopté par la revue;

g) de limiter leur texte à un maximum d'une vingtaine de pages et à un minimum de dix pages.

Pour obtenir une version détaillée du protocole de rédaction, vous pouvez vous rapporter au site de la revue.

Orientation de la revue

Intermédialités est une revue issue du Centre de recherche sur l'intermédialité de l'Université de Montréal (CRI). Les textes qui y sont publiés portent sur l'histoire et la théorie des arts, des lettres et des techniques selon les lignes d'une interrogation intermédiale ou intermédiatique. Les articles regroupés embrassent une diversité d'objets, de supports, et traversent une variété d'axes théoriques et conceptuels.

Le concept d'intermédialité se présentera dans la revue selon trois niveaux d'analyse différents. Il peut désigner, d'abord, les relations entre divers médias (voire entre diverses pratiques artistiques associées à des média délimités). Ensuite, ce creuset de médias d'où émerge et s'institutionnalise peu à peu un média bien circonscrit. Enfin, le milieu en général dans lequel les médias prennent forme et sens: l'intermédialité est alors immédiatement présente à toute pratique d'un médium. L'intermédialité sera donc analysée en fonction de ce que sont des «milieux» et des «médiations», mais aussi des «effets d'immédiateté», des «fabrications de présence» ou des «modes de résistance».

La revue, entendant mettre en valeur des pratiques intermédiales actuelles, accorde une place importante à la production artistique. Chaque numéro reçoit la collaboration d'un ou de plusieurs artistes dont une œuvre ou une série d'œuvres inédites sont regroupées dans un dossier qui informe à la fois le sujet spécifique du numéro et les axes de réflexion de la revue.

Politique éditoriale

La revue *Intermédialités* publie deux «numéros papier» et un «numéro électronique» par année. Chacun de ces numéros regroupe des textes inédits, en français ou en anglais, abordant un même sujet. Chaque article publié est accompagné d'un résumé en anglais et en français. Les auteurs qui soumettent un texte à la revue sont tenus de respecter le protocole de rédaction.

Les articles de la revue sont évalués de façon anonyme par deux membres compétents du comité de lecture, puis par le comité de rédaction, à qui revient la responsabilité finale en ce qui a trait à l'acceptation ou au rejet de l'article.

Déjà parus

n° 1   «Naître», printemps 2003
n° 2   «Raconter», automne 2003
n° 3   «Devenir-Bergson», printemps 2004
n° 4   «Aimer», automne 2004
n° 5   «Transmettre», printemps 2005
n° 6   «Remédier», automne 2005
n° 7   «Filer (Sophie Calle)», printemps 2006
n° 8   «Envisager», automne 2006

À paraître

n° 9   «Jouer», printemps 2007
n° 10 «Disparaître», automne 2007

À lire également sur le site de la revue (www.intermedialites.ca):

Numéro électronique

Déjà paru

n° 1E   «Téléphoner», automne 2005

À paraître

n° 2E «Spéculer», hiver 2006

Dossier de la revue Intermédialités

Vincent Bonin, Éric Legendre, *Trajectoires du concept d'archive dans le champ de l'art contemporain (1986-2006)*, hiver 2007.

Viva Paci, *Ce qui reste des images du futur*, 2005, publication conjointe avec la Fondation Daniel Langlois pour l'art, la science et la technologie, http://www.fondation-langlois.org/flash/f/index.php?Url=CRD/futur.xml.

intermédialités

HISTOIRE ET THÉORIE DES ARTS, DES LETTRES ET DES TECHNIQUES

Déjà parus

n° 1 « Naître », printemps 2003
n° 2 « Raconter », automne 2003
n° 3 « Devenir-Bergson », printemps 2004
n° 4 « Aimer », automne 2004
n° 5 « Transmettre », printemps 2005
n° 6 « Remédier », automne 2005
n° 7 « Filer (Sophie Calle) », printemps 2006
n° 8 « Envisager », automne 2006

	Canada*	Étranger*
Numéro individuel	16 $ CAN	22 $ CAN
Abonnement (4 numéros)		
Étudiant	35 $ CAN	50 $ CAN
Individuel	50 $ CAN	65 $ CAN
Institutionnel	80 $ CAN	100 $ CAN

À paraître

n° 9 « Jouer », printemps 2007
n° 10 « Disparaître », automne 2007

❏ Je désire obtenir le numéro _____ de la revue *Intermédialités*.

❏ Je désire m'abonner à la revue *Intermédialités* pour deux ans à partir de l'année _____

Nom: _____

Adresse: _____

Institution: _____ Téléphone: _____

Adresse électronique: _____ N° de l'étudiant: _____

Paiement ci-joint _____ $ CAN

Chèque** ❏   Mandat-poste** ❏

Carte de crédit :   VISA ❏   Master Card ❏

N° de la carte: |__|__|__|__|__|__|__|__|__|__|__|__|__|__|__|__|

Date d'expiration: _____

Signature: _____

* Ces montants incluent les frais de transport.
** Chèque ou traite sur une banque canadienne, en dollars canadiens; mandat-poste en dollars canadiens.
Veuillez établir chèques et mandats-poste à l'ordre de *Revue Intermédialités*.

Prière d'envoyer le formulaire à: Fides – Service des abonnements 358, boul. Lebeau, Saint-Laurent,
(Québec) Canada H4N 1R5 Tél.: (514) 745-4290 • Téléc.: (514) 745-4299 • Courriel: andres@fides.qc.ca

Pour toute autre information : CRI, Revue Intermédialités, Université de Montréal, C.P. 6128, succursale
Centre-ville, Montréal (Québec), Canada H3C 3J7
Site: http://www.intermedialites.ca
Courriel: intermedialites@umontreal.ca • Tél.: (514) 343-2438 • Téléc.: (514) 343-2393

PROTĒƎ

http://www.uqac.ca/protee/
http://www.erudit.org/revue/pr/

LE SENS DU PARCOURS
33/2 • automne 2005
sous la responsabilité d'Anne Beyaert-Geslin

martin dufrasne

33/3 • hiver 2005-2006
sous la responsabilité d'Anne Élaine Cliche

Filiations

danielle lagacé

34/1 • printemps 2006
sous la responsabilité d'Andrée Mercier

Fortune et actualité de
Du sens

sophie t. rauch

Protée est une revue universitaire dans le champ diversifié de la sémiotique, définie comme science des signes, du langage et des discours. On y aborde des problèmes d'ordre théorique et pratique liés à l'explication, à la modélisation et à l'interprétation d'objets ou de phénomènes langagiers, textuels, symboliques et culturels, où se pose, de façon diverse, la question de la signification.

ABONNEMENT   **Canada**
Protée paraît trois fois l'an   1 an : individuel 35 $ (étudiant 20 $); institutionnel 40 $
(taxes et frais de poste inclus)   2 ans : individuel 63 $ (étudiant 36 $); institutionnel 72 $
                                                                              3 ans : individuel 87 $ (étudiant 51 $); institutionnel 102 $

États-Unis   **Autres pays**
1 an : individuel 40 $; institutionnel 54 $ 1 an : individuel 45 $; institutionnel 60 $
2 ans : individuel 72 $; institutionnel 97 $ 2 ans : individuel 81 $; institutionnel 108 $
3 ans : individuel 108 $; institutionnel 138 $ 3 ans : individuel 122 $; institutionnel 153 $

PROTĒƎ   Veuillez m'abonner à la revue pour ___ an(s) à partir du volume ___ nᵒ ___ .

Version imprimée ☐   Version électronique (cédérom annuel) ☐

Nom _____

Adresse _____

_____ adresse électronique _____

L'étudiant doit joindre une pièce justificative.
Chèque tiré sur une banque canadienne, en dollars canadiens ; mandat-poste en dollars canadiens, fait à l'ordre de
Protée, département des arts et lettres, Université du Québec à Chicoutimi, 555, boul. de l'Université, Chicoutimi (Québec), G7H 2B1.